ЭЛЬДАР РЯЗАНОВ

МОИ ПАРИЖСКИЕ ТАЙНЫ

ЭЛЬДАР РЯЗАНОВ

МОИ ПАРИЖСКИЕ ТАЙНЫ

МОСКВА «ПРОЗАиК» 2014

УДК 821.161.1
ББК 84(2Рос=Рус)6
Р99

Дизайн
Александра Коноплева

В оформлении книги использованы иллюстрации
из личного архива автора

Рязанов Э.А.

Р99 Мои парижские тайны / Эльдар Рязанов. — М. : ПРОЗАиК, 2014. — 415 с. : ил.

ISBN 978-5-91631-198-3

Книга знаменитого кинорежиссера Эльдара Александровича Рязанова, основанная на циклах его популярных телепередач, посвящена взаимопроникновению двух великих мировых культур — французской и русской. Героями книги стали и «русские музы» — женщины, ставшие достойными подругами таких гениев, как Ромен Роллан и Анри Матисс, Сальвадор Дали и Луи Арагон; и загадочный французский романист Роман Гари, родившийся в России; и Анна, дочь русского князя Ярослава Мудрого, ставшая королевой Франции. Отдельный раздел составляют рассказы о встречах со звездами французского кино — Жаном Маре, Анни Жирардо, Пьером Ришаром и другими. Однако и многие из них, оказывается, имеют русские корни или близкие связи с Россией — Марина Влади, Роже Вадим, Шарль Азнавур...

УДК 821.161.1
ББК 84(2Рос=Рус)6

ISBN 978-5-91631-198-3

Предисловие автора

Я заметил, что мне присуще некое чувство, мешающее спокойно жить. Попытаюсь определить его. Если мне что-то нравится, если я получаю удовольствие от человека, музыки, стихов, живописи, книги, фильма, мне обязательно хочется поделиться своей радостью с другими. Не только с близкими, но и с посторонними. Мне жаль их; ведь я знаю что-то такое замечательное, а они живут в незнании, в неведении, не получают радости от удивительного произведения, от уникальной человеческой судьбы, проявления доброты или таланта. В результате именно этим свойством моей натуры можно объяснить, почему я, имеющий профессию кинорежиссера и относительно приличную репутацию, пустился во все тяжкие, а именно — стал делать телевизионные программы.

Желание рассказать о том интересном, что довелось мне узнать, о невероятных людях, с которыми меня столкнула судьба, побудило меня приняться и за написание этой книги. В каждом случае меня что-то восхищало в моем герое или героине. И это «что-то» рождало желание поведать об этой персоне. Либо сногсшибательная биография, либо прекрасные человеческие качества, либо исключительный творческий потенциал. Либо все вместе. Я осознал, что во мне живет просветительский дух, заставляющий меня действовать. Понимая при этом, что сейчас заставить молодежь читать классику невозможно даже под угрозой автомата, что интерес к истории нулевой, что многие юноши и девушки убеждены, что все наше прошлое — фуфло, я стараюсь сделать свое просветительство по мере сил занимательным. Не знаю, в какой степени мои неразумные потуги принесут пользу. Надеюсь, что все-таки найдутся люди, которым будет интересно то, что интересно мне, и что они взволнуются тем, что волнует меня.

Книжка, как вы понимаете, дорогой читатель, создавалась постепенно. Причем сначала не на бумаге, а в жизни. Вернее, на видеопленке.

Я начал трудиться на «голубом экране» в январе 1979 года. Семь лет вел «Кинопанорамы», потом делал самые разные передачи. И был в них автором и ведущим. За прошедшие годы я сделал немало разных телепрограмм. Среди тех, о ком я рассказывал, с кем беседовал, кого интервьюировал, мне встречались поразительно интересные, незабываемые люди. И вот однажды, когда перед моим взором прошла эта шеренга уникальных личностей, я вдруг осознал:

— Да ведь это книга! Написав ее, я создам галерею портретов выдающихся людей двадцатого столетия, с которыми сводила меня милостивая судьба.

Было еще одно соображение. В силу природы телевидения программы его — однодневки. Они умирают на следующий день. Повторяют их редко, неохотно. И те, кто не увидели мою передачу в день эфира, так никогда и не узнают о чем-то примечательном, о чем я очень хотел поведать. Мне стало обидно за телезрителей, которым не довелось увидеть такие программы, как, скажем, о Зиновии Пешкове или Романе Гари.

Некоторые теленовеллы мне были дороги, я придавал им немаловажное значение и потратил на создание их не меньше времени и сил, чем на создание кинофильмов.

В этой книге и мои изыскания, и размышления о подлинных персонажах. Здесь немало и диалогов-бесед с героями программ. Когда я сидел над рукописью, у меня частенько возникало ощущение, что я — Александр Дюма, с той разницей (помимо, конечно, несопоставимости талантов), что Дюма был гением выдумки, а я лишь добросовестно описываю то, что было на самом деле. Биографии некоторых моих героев весьма причудливы, а действительность двадцатого столетия оказывалась иной раз похлеще любого вымысла.

Должен заметить, что разговорная речь отличается от литературной. Она, как правило, более корява, встречаются повторы слов, некая нескладица в выражениях, необычные построения фраз. В чистом виде прямая речь, перенесенная на бумагу, порой производит впечатление не совсем грамотной, косноязычной (конечно, не у всех).

В диалогах я пытался сохранить живую интонацию наших бесед, жертвуя иногда гладкостью и правильностью речи. Только в тех случаях, когда вопиющие «нескладушки» мешали пониманию смысла, я осторожно редактировал устные «перлы», приводя их хоть в какое-то соответствие с нормами языка.

И еще вот что: в телепрограммы из-за нехватки эфирного времени частенько не попадало многое, что представлялось интересным, забавным, занимательным. Мне было жаль, что зритель в результате не познакомился с ситуациями, историями, которые того заслуживали. В этой книге я опубликую и то, что порою оставалось за кадром. Каждая новелла здесь будет полнее, подробнее, нежели была на телеэкране.

Русские музы

Анна — королева Франции

«Пропавшие» рисунки Модильяни

«Очарованная душа» — Мария Кудашева

Лидия — добрый ангел Матисса

Одержимая живописью

Ольга — первая жена Пикассо

Грешная муза двух гениев

Эльза Триоле: «Наши книги придут к нам на помощь...»

Идея сделать телевизионный цикл о русских женщинах, ставших музами, женами, спутницами, возлюбленными, моделями великих французов — художников и писателей, — возникла у меня летом 1994 года. И уже в октябре REN-TV — молодая «нахальная» телекомпания — организовала экспедицию во Францию. Мы поехали в таком составе: Алена Красникова — руководитель, редактор, очаровательная женщина; Юрий Афиногенов — режиссер, носильщик аппаратуры, попутно звукооператор; Игорь Болотников — оператор, ас, снайпер, суперпрофессионал, тоже носильщик аппаратуры; и я в качестве автора и ведущего будущих телепередач. В Париже к нам присоединился Игорь Бортников, исполнительный продюсер, организатор, носильщик аппаратуры, переводчик, водитель, гид, совмещавший в своей персоне еще множество других профессий...

Отъезд Анны во Францию. Последние объятья. Князь Ярослав провожает дочь на чужбину

Дивной, скромной и величественной изваял Аннушку неведомый нам французский скульптор

Анна — королева Франции

Начали мы от «печки», то есть от дочки князя Ярослава Мудрого Анны, которая волею судеб стала в XI веке королевой Франции. Как видите, женская русская экспансия началась тысячу лет назад. Хотя в случае с Анной Ярославной слово «экспансия», пожалуй, не подходит. Она поехала за рубеж не по своей воле. Король Франции Генрих I овдовел. Ему нужна была новая жена, разумеется, молодая, нужны были наследники. Король не хотел брать в жены принцессу из ближнего, как бы сказали сейчас, к Франции зарубежья, опасался интриг, заговоров, войн за наследство. Генрих слышал от купцов, что у князя Ярослава Мудрого в Киеве растут прекрасные дочери. И он послал в далекий Киев представительное посольство, куда входили и духовные лица, и дипломаты, и военные. Язык до Киева доведет, говорит русская поговорка. Почти год добирались подданные Генриха до невесты, а жених, тем временем, воевал с братьями и другими близкими родственниками, расширяя свои владения. Наконец доверенные люди прибыли в Киев и увидели Анну. Они пришли в восхищение, и судьба девушки была решена. Ей собрали богатое приданое, в том числе знаменитое Остромирово Евангелие. На этой святыне впоследствии присягали последующие французские короли при возведении на престол. Караван двинулся через Европу. Везли много сундуков с добром и подарками. Ярослав снарядил для сопровождения дочери отряд отважных дружинников. Дороги были опасны — в Польше и в Германии разбойничали.

Анну привезли в город Мелун, где в то время квартировал королевский двор. Генрих был очарован невестой. В 1054 году в Реймсе состоялось венчание. Анна

Французская родила трех сыновей, один из которых стал впоследствии королем Филиппом. Но счастье королевской четы было недолгим. Через семь лет Генрих I скончался, он был старше жены на двадцать лет. Принцы были маленькие, и так случилось, что русская княжна стала королевой Франции и восемь лет правила страной.

Обо всем этом я рассказывал телезрителям, находясь в старинном городе Мелуне, на фоне замка, в котором тысячу лет назад жила наша славная соотечественница. Замок был перестроен в XVIII веке, но сохранились старые подземные переходы с тех древних времен. А может, даже с еще более давних, когда в Мелуне хозяйничали римляне. Владелец замка нашел в этих подвалах уникальный документ. Подлинник сдал в архив Франции, а у меня в руках копия. Оператор крупным планом снял свиток. А я с документом в руках пробирался по прохладному подземелью и продолжал рассказ.

Сам текст этой бумаги не представляет особого интереса, тут какие-то хозяйственные записи. Однако... Вот видите этот крест? (Я показал телезрителям свиток.) Это подпись короля Генриха I. Почему крест? Потому что он был неграмотный, не умел ни писать, ни читать. А вот подпись королевы Анны. Видите, подписано: королева Анна. И рядом с подписью здесь два креста. Естественно, ведь Анна знала два языка: славянский и французский. А если говорить серьезно, она действительно была очень образованна, и почему здесь стоят эти кресты, непонятно.

Горе молодой вдовы было не очень продолжительным. Одержимый любовью сосед маркиз дю Кресси похитил Анну. И они стали жить, предаваясь блуду. Это вызвало огромное неудовольствие Папы Римского. Он отлучил маркиза дю Кресси от церкви. И попытался сделать то же самое с Анной, но что-то ему помешало.

Говорят, Анна прожила долгую счастливую жизнь. А вообще, кто знает? Это было так давно. Я говорю в подобных случаях: «История — это сказка, слегка приукрашенная правдой...»

Может быть, легенда об Анне, пройдя через века, каким-то образом повлияла на поведение и поступки наших последующих героинь. Но нельзя забывать и того, что российское общество всегда тяготело к Франции, высший свет говорил на французском языке лучше, чем на родном, а прекрасный Париж, как магнит, притягивал славянскую душу...

Так выглядел повелитель франков – Генрих I

Французская корона была Анне к лицу,
не правда ли?

«Пропавшие» рисунки Модильяни

Мы в Париже. На Монпарнасе, издавна дававшем приют художникам, расположен знаменитый дом. Он называется «Улей» и состоит только из мастерских. Он и строился именно с этой целью. Это шестнадцатигранник, где каждая грань — огромное окно, ибо живописцам надобно много света. Название «Улей» произошло оттого, что конструкция дома напоминает пчелиные соты, где в каждой соте трудится пчела. Мы побывали в нескольких мастерских, — они все одинаковы и по площади, и по планировке. Здесь в первой четверти XX века жили, рисовали, писали замечательные художники Архипенко, Кикоин, Сутин, Цадкин, Леже, Шагал, Модильяни. Мастерские двух последних мы, разумеется, посетили.

Собственно говоря, ради Модильяни мы сюда и пришли. Поговорим об Амедео Модильяни и об Анне Ахматовой. Вспоминаю ее стихи:

На шее мелких четок ряд,
В широкой муфте руки прячу,
Глаза рассеянно глядят
И больше никогда не плачут.
И кажется лицо бледней
От лиловеющего шелка,
Почти доходит до бровей
Моя незавитая челка.
И непохожа на полет
Походка медленная эта,
Как будто под ногами плот,
А не квадратики паркета.
И бледный рот слегка разжат,

Неровно трудное дыханье,
А на груди моей дрожат
Цветы небывшего свиданья.

В 1910 году Анна Андреевна приезжала в Париж. Это была молодая 20-летняя барышня, сочинявшая необыкновенные стихи. Она познакомилась с бедным, вернее нищим, художником Амедео Модильяни.

И дальше, по мере моего рассказа, мы с телевизионной камерой кочевали по прекрасному городу — то в Люксембургский сад, то на Монмартр, то в Латинский квартал. Мы показывали телезрителям изысканные портреты, сделанные изумительным Модильяни, и фотографии с орлиным незабываемым профилем Анны Ахматовой. Нам очень хотелось передать людям свою грусть и нежность, сделать их соучастниками светлой и, в конечном итоге, печальной истории, случившейся на заре XX столетия.

Модильяни писал Ахматовой в Россию после их встречи, что она в нем, как наваждение, он поражался ее особенности угадывать мысли, распознавать чужие сны.

На следующий год Ахматова приехала в Париж опять. Поводом послужили триумфальные выступления Дягилевского балета, но, может быть, подлинной причиной стало желание еще раз увидеть волшебного художника.

Ахматова написала воспоминания об этой дружбе, об этой любви, — трепетные, трогательные, чистые и благородные. Я хочу процитировать вам несколько строчек. Вот что она пишет о них двоих:

«Вероятно, мы оба не понимали одну существенную вещь. Все, что происходило, было для нас обоих предысторией нашей жизни, его — очень короткой, моей — очень длинной.

Дыханье искусства еще не обуглило, еще не преобразило эти два существования. Это должен был быть светлый, легкий предрассветный час. Но будущее, которое, как известно, бросает свою тень задолго перед тем, как войти, стучало в окно, пряталось за фонарями, пресекало сны и пугало страшным бодлеровским Парижем, который прятался где-то рядом.

И все божественное в Модильяни только искрилось сквозь какой-то мрак. Он был совсем не похож ни на кого

на свете. Голос его навсегда остался в моей памяти. Я знала его нищим. И было непонятно, чем он живет. Как художник он не имел и тени признания».

Анна Андреевна вспоминает, что Модильяни был окружен плотной завесой одиночества. Он никогда не

Впервые Ахматова встретилась с Амедео всего через полтора месяца после собственной свадьбы

Показать кому-либо эти рисунки, компрометирующие молодую жену, было невозможно

здоровался ни с кем. Хотя жил в квартале, где обитали художники. Он не упоминал имен друзей. Он был очень, очень одинок. И кроме того, невероятно беден.

Когда они сидели в Люксембургском саду, у него не было даже нескольких сантимов для того, чтобы взять стулья и сесть туда, куда им хотелось. Они садились на общественные скамейки, но все равно это было прекрасно, потому что они взахлеб читали друг другу любимые строки Бодлера или Верлена. И радовались тому, что им нравятся одни и те же стихи.

Однажды, пишет Ахматова, она, видно, не точно сговорившись с Модильяни о встрече, пришла к нему в мастерскую, но мастерская была заперта. У Анны Андреевны была с собой охапка роз, которые она купила для художника. Она заметила открытое окно — мастерская находилась в бельэтаже — и решила, что будет бросать туда по одному цветку. Модильяни на следующий день недоумевал: «Как ты смогла попасть в мастерскую, она же была закрыта?» И когда Анна Андреевна рассказала, что бросала цветы через окно, он не поверил: цветы были так красиво уложены, как будто это было сделано специально.

Модильяни рисовал Ахматову у себя в мастерской, он сделал шестнадцать рисунков. И просил, чтобы по возвращении в Россию она их окантовала и повесила у себя. Но все рисунки, кроме одного, исчезли в годы революции и долгое время считались пропавшими. И лишь сравнительно недавно они нашлись.

Из уст самой Анны Андреевны неоднократно звучала версия об уничтожении рисунков в революционное время. Она рассказывала, что они погибли в ее царскосельском доме. Вспоминала, как красногвардейцы сворачивали из рисунков Модильяни козьи ножки, засыпали махорку и курили. Все верили в эту историю. И вдруг в 1993 году на выставке в Венеции появилось десять неизвестных рисунков великого художника, на которых была изображена одна и та же обнаженная модель с характерным горбоносым профилем. Славистка из Генуи Августа Докукина-Бобель опознала в модели Ахматову. Началась раскрутка: что? как? почему? Выяснилось, что некий доктор Поль Александер, сам человек небогатый, покупал иногда у Модильяни его работы, буквально за гроши. Свыше восьмидесяти лет пролежали эти рисунки в архиве доктора, в какой-то папке, прежде чем его наследники показали их на венецианской выставке. Далее существуют разные варианты. Может быть, рисунков было больше, чем указывала Анна Андреевна, и действительно часть из них погибла,

а часть была продана художником доктору. Есть и другая версия. Поскольку Ахматова позировала обнаженной, она, может быть, хотела скрыть эти эскизы. Может, на самом деле она их оставила в Париже, а дальше рисунки каким-то образом попали к вышеупомянутому доктору. Роман между художником и поэтессой начался в 1910 году, а совсем незадолго до этого (в апреле того же

С 1907 по 1910 год Николай Гумилев несколько раз сватался к Анне. Лишь в 1910 году она ответила согласием

 года) Анна Андреевна вышла замуж за поэта Николая Гумилева. Вряд ли она рассказывала Модильяни о своем свежем замужестве. Тем более, в этой ситуации показать кому-либо эти рисунки, в общем-то компрометирующие молодую жену, было невозможно.

В поздние свои годы Анна Андреевна не скрывала своих отношений с художником, наоборот, гордилась ими.

После своего отъезда из Парижа в 1911 году Ахматова долгое время ничего не знала и не слышала о Модильяни. Она была уверена, что он должен проблистать, просиять, должен быть всемирно известен. Но никаких сведений до нее не доходило много лет.

В 1918 году они с Николаем Гумилевым ехали в Бежецк, чтобы навестить сына. Во время поездки Ахматова произнесла фамилию Модильяни. Гумилев ей сказал, что они встречались в какой-то компании в Париже, и Модильяни был вдрабадан пьяный. Он устроил скандал, почему, мол, Гумилев при всех говорит по-русски. «Пьяное чудовище» — так его обозвал Гумилев... Что это? Он что-то знал? Или же это была интуитивная ревность?

Ахматова писала, что в годы их романа Модильяни совершенно ничего не пил и от него никогда не пахло вином. Хотя какие-то фразы о наркотиках иногда проскальзывали в разговоре.

Когда начался нэп, в начале 20-х, Ахматова была членом какой-то комиссии в издательстве «Всемирная литература». Ей в руки попал французский иллюстрированный журнал о художниках. В нем она прочитала некролог, где сообщалось, что Модильяни умер...

Я улыбаться перестала,
Морозный ветер губы студит,
Одной надеждой меньше стало,
Одною песней больше будет.
И эту песню я невольно

Отдам на смех и поруганье,
Затем что нестерпимо больно
Душе любовное молчанье.

Как печально! По сути дела, эта романтическая история не кончилась ничем. История взаимоотношений между двумя гениями — Франции и России. Между великим художником и великим поэтом.

Четвертый том «Очарованной души» Ромена Роллана предваряет такое посвящение: «Марии! Тебе, жена и друг, в дар приношу свои раны. Они лучшее, что дала мне жизнь, ими, как вехами, был отмечен каждый мой шаг вперед. Ромен Роллан, сентябрь, 1933-го года».

Пришла пора поговорить о спутнице Ромена Роллана, о его жене, его музе, верной подруге, которая прожила с ним последние годы жизни.

Вот что писал он сам в письме своему другу, известному искусствоведу Луи Желе: «Мы с женой будем очень рады вам. У меня теперь есть славная спутница в жизни, она разделяет мою участь, защищает меня от всех напастей».

На бульваре Монпарнас в доме 89, близ церкви Нотр-Дам де Шан, находится парижская квартира писателя. Отсюда я и веду свой рассказ.

Будущая жена великого французского романиста, автора «Кола Брюньона», «Жана Кристофа», «Очарованной души», Маша родилась в 1895 году. Ее мать была француженка, гувернантка, по фамилии Кувилье. Служила она в семье русского полковника, и так случилось, что отцом Марии Павловны стал этот самый полковник. Семья полковника — жена и дети — почему-то (я даже не могу понять, почему!) не обрадовалась новоявленной родственнице. И как-то стали быстренько выживать из своей семьи как гувернантку, так и ребеночка. Полковнику пришлось отправить незаконнорожденную девочку во Францию к сестре матери. Поэтому Мария с самого раннего детства прекрасно знала два языка — французский и русский. Но ее тянуло домой, на родину. Юной девушкой Маша вернулась в Россию. Она росла очень образованной, много читала. Дружила с сестрами Цветаевыми, Мариной и Анастасией, вошла в поэтический круг. Стала сама писать стихи. Переводила французские книги на русский язык, русские на французский, — словом, была чрезвычайно одаренным человеком.

Маша (впрочем, родные и друзья чаще называли ее Майей) вышла замуж за офицера, потомка князя Кудашева, и в 1917 году у них родился сын Сергей. Однако Гражданская война была безжалостной, и сыпной тиф унес белого офицера Кудашева. Мария Павловна осталась молодой вдовой с маленьким сыном на руках. Ей помогла семья Максимилиана Волошина. Мария Павловна около двух лет прожила в Крыму в доме Волошиных. Потом она вернулась в Петербург и стала работать секретарем в Академии наук.

Знакомство Марии Павловны с Роменом Ролланом произошло таким образом. Она прочитала «Жана Кристофа» и послала автору восторженное письмо на французском языке. Тот был польщен трогательным откликом из России и ответил. Через некоторое время она написала снова. Возникла регулярная переписка между читательницей и сочинителем. И мало-помалу ее влюбленность в героя книги, восхищение произведениями писателя перенеслись на самого автора. Мария Павловна писала ему откровенные письма, рассказывала обо всем, в том числе и о своих романах... Очевидно, ее письма содержали в себе большой страстный любовный заряд. Писатель постепенно поддавался очарованию эпистолярного дара своей корреспондентки. В конце концов Ромен Роллан пригласил ее познакомиться. Были проблемы с семьей, поэтому они встретились в Швейцарии. Через некоторое время Кудашева вернулась в Россию. Потом они еще раз недолго пожили вместе и снова расстались. И только в конце 20-х годов писатель решился. И Мария Павловна приехала во Францию насовсем. Конечно, она завоевала его. Но не сомневаюсь, что с ее стороны была

Молоденькие барышни –
Марина Цветаева и Мария Кудашева

Мария Павловна и Ромен Роллан
в Кремле. 1935 г.

 подлинная любовь. Уверен, что Роллан почувствовал бы фальшь, неискренность. Да и всей своей последующей жизнью Мария Павловна доказала, что классик сделал правильный выбор.

Но еще несколько лет Ромен Роллан не мог жениться на Маше. Его сестра была категорически против этого брака. И только в 34-м году Мария Павловна Кудашева стала Марией Павловной Ромен Роллан. По этому поводу было много пересудов и сплетен, — как же так, 70-летний великий французский писатель женился на 40-летней русской авантюристке, разница в возрасте в тридцать лет и т.д., и т.п. Но Ромен Роллан решительно давал отпор всем нападкам на его личную жизнь.

Ромен Роллан очень полюбил своего пасынка Сережу Кудашева. Когда же началась война, то связь с Россией оборвалась. Мария Павловна и Ромен Роллан ничего не знали о том, что произошло с сыном. А младший лейтенант артиллерии Сергей Кудашев пал под Москвой смертью храбрых в 41-м...

Маша и Ромен Роллан жили в маленьком городке недалеко от Парижа. Когда в 40-м году немцы вошли во Францию, они оказались в оккупированной зоне. Было тревожно — ведь Мария Павловна русская, а Ромен Роллан известен своими прогрессивными левыми взглядами. Однако немцы отнеслись к писателю довольно нейтрально. Во-первых, они знали, что в «Жане Кристофе» и в «Бетховене» он с большой симпатией описывал немцев. И кроме того, было известно, что он выступал против Версальского мира, считая его позорным.

Конечно, в период оккупации Ромен Роллан был угнетен, — было тяжело, унизительно, что родина находится под немецким сапогом. Вот что он писал в Москву Жану Ришару Блоку незадолго до своей кончины. Это было одно из последних писем великого писателя:

«Мы тревожимся о судьбе нашего сына Сергея Кудашева, о котором мы ничего не знаем с 40-го года.

В настоящее время мы предпринимаем некоторые шаги... Я по-братски вас обнимаю, вас и вашу дорогую жену. Моя жена тоже вас обнимает. Если вы меня любите, любите и ее. Лишь благодаря ей я живу. Без ее неустанной помощи, без ее нежности я не смог бы перенести эти тяготы, нескончаемые долгие мрачные годы духовной угнетенности и болезни».

В 1944 году Ромена Роллана не стало. А Мария Павловна прожила еще сорок один год. Она умерла в 1985-м. Она издавала его собрания сочинений, открыла два музея, сохранила творческое наследие, собрала все письма Ромена Роллана и опубликовала его переписку. Мария Павловна оказалась верной и преданной спутницей великого французского писателя-гуманиста.

Лидия — добрый ангел Матисса

Муза Анри Матисса, Лидия Николаевна Делекторская, вела затворнический образ жизни. Мы надеялись, что нам удастся повидаться с ней, но она решительно отказывалась от каких бы то ни было интервью. Единственное, что нам удалось, это поговорить с ней по телефону.

ЭЛЬДАР РЯЗАНОВ

Не у каждого художника такая очаровательная служанка, подруга и муза

Мы просили о встрече, однако получили очень вежливый, очень доброжелательный, но бесповоротный отказ. И тем не менее, мне бы хотелось, чтобы вы узнали об этой женщине, потому что она того заслуживает.

Судьба Лидии Делекторской в общих чертах похожа на судьбы других русских женщин, волею обстоятельств выброшенных за пределы Отчизны.

В Сибири в конце Гражданской войны погибает ее отец, а вскоре умирает мать. Девочку подбирает тетка,

Лидия Николаевна – редкой души человек, скромный, деликатный, застенчивый

Просто гений – Анри Матисс

Поскольку Лидия всегда была у него «под рукой», Матисс написал великое множество ее портретов

 и она оказывается в Харбине. Харбин был спасительным островком русской эмиграции в Китае.

Здесь Лида училась в русском лицее, окончила его. Затем судьба забрасывает ее в Париж, и там в девятнадцать лет она выходит замуж за русского эмигранта. Однако брак, очевидно, оказался неудачным, ибо когда ей исполнилось двадцать, Лидия Делекторская одна уезжает в Ниццу. Там совершенно случайно ее нанимают в ателье Матисса. Он в это время работал над большим полотном «Танец» для американского музея. Для многофигурной композиции ему нужны были натурщицы.

Полгода Лидия Николаевна проработала в мастерской, познакомилась с великим художником. Но после того как картина «Танец» была закончена, в ее услугах больше не нуждались. И Делекторская оказалась без работы.

Мадам Матисс в это время болела, и старая сиделка, которая ухаживала за ней, стала раздражать супругов. И они вспомнили о молчаливой русской, милой спокойной блондинке, которая плохо знала французский язык. Чета Матиссов пригласила ее. Так Лидия Делекторская поселилась в этой семье. И прожила там последние 22 года жизни Матисса.

Она прилежно ухаживала за мадам Матисс, и та очень благоволила к ней, относилась сердечно и по-доброму. Что же касается Матисса, то сперва он Лиду почти не замечал. Она была для художника, ну, как вещь в доме, которая делает свое дело. Однако со временем он все больше и больше к ней присматривался и начал приглашать позировать в качестве модели. Стал ее рисовать, портрет за портретом. Постепенно Лидия Делекторская стала незаменимым человеком в этой семье. Была и сиделкой, и помощницей, и служанкой, и моделью, и другом, и секретарем. Вскоре она уже вела все дела. Лидия оказалась очень щепетильным человеком. Она покупала у Матисса его картины. Причем покупала на те деньги, которые зарабатывала у него. Других средств у нее не было. И когда художник хотел ей сделать скидку, продать дешевле, Делекторская отказывалась и покупала именно за ту цену, которую Матисс смог бы получить от картинной галереи.

Два раза в год хозяин дарил ей свои рисунки. Один раз ко дню рождения, другой — на Новый год. Это были подарки, и она их, естественно, принимала.

Лидия Делекторская, хотя была вывезена из России в раннем возрасте, очень тосковала по Родине. В особенности она переживала в военные годы. В 45-м, когда кончилась война, она купила у Матисса шесть картин, чтобы передать их в дар советскому народу. Матисс за эти же деньги, как бы у нас сказали, «дал с походом» еще одну, седьмую, картину. Все семь картин Лидия отправила в Советский Союз. Они являются собственностью страны и висят в наших лучших музеях.

Лидия Николаевна абсолютная бессребреница, бескорыстная женщина. Многие ей говорили: «Ты сошла с ума, если бы ты продавала эти картины, жила бы безбедно». А она вела и ведет очень скромный образ жизни. Ездит на автобусе, в электричках, у нее нет машины, маленькая квартирка. О Лидии Делекторской мы слышали от самых разных людей только одно: это редкой души человек, скромный, деликатный, застенчивый. Мне очень жаль, что нам не удалось с ней познакомиться и представить вам еще одну прекрасную русскую женщину. Верную спутницу и модель Матисса...

Уже в Москве я узнал, что директор Государственного музея изобразительных искусств имени А.С.Пушкина Ирина Александровна Антонова — старинный друг Делекторской. По возвращении сразу же устремился в музей, чтобы разузнать об этой странной и удивительной женщине.

Эльдар Рязанов: Ирина Александровна, скажите, пожалуйста... Матисс был уже стар, а Лидия Николаевна была молодой женщиной. Были ли там какие-то личные, любовные отношения? Я не имею в виду постель, но все-таки испытывал ли Матисс к этой женщине какие-то чувства? Короче, как вам кажется, любил ли он ее?

Ирина Антонова: Думаю, что любил. Но я не берусь объяснить чувства Матисса. Понимаете, ведь в начале своей жизни она была простой женщиной. По своему положению, по образованию, по своим знаниям, конечно, не соответствовала великому живописцу. Но она росла рядом с Матиссом — и человечески, и житейски, и в понимании искусства тоже. Лидия Николаевна обладала и обладает удивительными человеческими ценностями. Помимо ее души и духа, ее разумной головы, работоспособность у нее всегда была невероятной. Кроме того, ей были свойственны удивительное изящество, особая красота, пластичность, которые понятны художнику. Он сначала, может быть, не заметил этого, потом прозрел. Он вдруг увидел линию ее плеч, красоту ног, овал лица, ее профиль, ее фас, ее волосы, дивные белокурые волосы. Кстати, художник просил ее каждый день заново мыть голову, с тем чтобы волосы сверкали и струились. Вот все это он увидел внезапно и осознал, что это то, в чем он нуждался, что это его тип.

Эльдар Рязанов: Скажите, а была ли она влюблена в Матисса?

Ирина Антонова: Трудный вопрос, Эльдар Александрович. Я с ней как-то провела отпуск в Крыму, в Доме творчества художников. Просто пригласила ее. И у нас было много свободного времени, когда мы гуляли по берегу и в окрестностях. Она никогда об этом не говорит. При этом она так не говорит, что даже не дает повода ее спросить. Понимаете, это такой человек, с которым я точно знаю, о чем нельзя разговаривать.

Эльдар Рязанов: Но не из-за жалованья же она прожила с ним двадцать два года?

Ирина Антонова: Нет, конечно, нет. И знаете, так же уверенно, как говорю о чувствах Матисса по отношению к ней, могу вам сказать: убеждена — она его любила.

Эльдар Рязанов: А в завещании он что-нибудь ей оставил?

Ирина Антонова: Ей ничего не было оставлено в завещании.

Эльдар Рязанов: Только родным?

Ирина Антонова: Только родным. Мы ведь знаем, что, когда Матисс умер в Ницце, Лидия Николаевна в тот же день покинула дом. Ее долго никто не мог найти.

Дети и внуки Матисса очень ее любят. Она мудрая женщина, все понимала. И с самого начала заняла именно такую жизненную позицию. Это и спасло ее отношения с семьей Матисса на все последующие годы.

Эльдар Рязанов: Это невероятная деликатность, которая мало кому присуща...

Ирина Антонова: Она никогда не извлекала выгоды из своих взаимоотношений с Матиссом.

Эльдар Рязанов: Вы с ней дружите?

Ирина Антонова: Да, я ее люблю. Просто счастье, что я встретила такого человека, таких людей очень мало...

P.S. Лидия Николаевна Делекторская умерла в 1998 году.

У Нади Ходасевич, девочки из белорусского местечка, была неудержимая страсть к живописи. Она любила рисовать. Шла Первая мировая война, и семью Ходасевичей бросало из Белоруссии в Россию и снова в Белоруссию. Вдруг Надя прослышала, что в Смоленске открылись государственные мастерские живописи. Она самовольно, бросив семью, уезжает в Смоленск и начинает учиться в этих художественных мастерских. Преподавали там современные яркие самобытные художники. В том числе супрематист Казимир Малевич, который в 1915 году прославился своим «Черным квадратом». Супрематизм в переводе с французского — «наивысшее, наилучшее».

Портреты Нади Леже более элегантны, чем сама модель

Случайно в одной из библиотек города Смоленска Надя наткнулась на журнал, где было интервью Фернана Леже. Он утверждал, что живопись — это искусство будущего. Для Нади высказывания художника, живущего в Париже, стали откровением.

Девушка запомнила имя: Фернан Леже. И решила: в Париж, в Париж. Она несколько раз пыталась самовольно поехать в Париж, но ее снимали с поезда, воз-

вращали домой. И тут выяснилось, что одна польская семья едет в Варшаву. Посмотрев в географическую карту, Надя поняла: Варшава — это город на полпути к Парижу. Она, воспользовавшись этой оказией, приезжает в Варшаву и устраивается служанкой. Так случилось, что в нее влюбился сын ее богатых хозяев Станислав, и они поженились. К сожалению, молодые скоро начали ссориться, и потянулись однообразные и печальные будни.

Фернан Леже и его жена Надя

Но одержимая Надя, тем не менее, сумела подбить Станислава на переезд в Париж, она и его сумела заразить идеями Леже. Короче, Надя и Станислав приезжают в Париж, поселяются в семейном пансионе и направляются на улицу Нотр-Дам де Шан, 86, где помещалась Академия Фернана Леже.

Это, конечно, невероятно, но это случилось. Они оба были приняты в Академию. В то время у Фернана Леже было много учеников из разных стран. Первое время он не обращал на Надю никакого внимания. Но однажды схватил ее рисунки. Леже изумился дарованию ученицы и пригласил Надю к себе. Он показал ей свои работы. Она была ошеломлена: это было буйство красок и буйство геометрии. Новаторство Леже поражало и ослепляло.

Прошло несколько лет. Жизнь Нади со Станиславом была сложной. Родилась дочь Ванда, а скандалы с мужем продолжались. Ситуация разрешилась тем, что Станислав должен был вернуться в Польшу, чтобы служить в армии. Надя осталась одна с дочкой, без каких бы то ни было средств к существованию. И тогда она пришла к госпоже Вальморан, хозяйке семейного пансиона, и спросила: «Госпожа Вальморан, вам не нужна служанка?» Надя занимала одну из лучших комнат в этом пансионе. Хозяйка долго не могла понять замужнюю богатую даму. Надя объяснила, что мужа у нее больше нет, они расстались и он уехал в Польшу, где служит в армии. А ей надо воспитывать дочь и учиться живописи. И поэтому она просит взять ее служанкой.

Надя с дочкой перебралась в каморку на верхнем этаже пансиона. Началась страшная жизнь. Надо было вставать в пять утра, бежать за продуктами, готовить, мыть посуду, нянчить дочь, потом мчаться на занятия в Академию Леже. Так продолжалось несколько лет. Польский свекор волновался за внучку. Он знал, что у Нади плохое здоровье — предрасположенность к туберкулезу. Свекор посылал ей деньги, но она их отсылала обратно. Однажды он все-таки настоял на своем: «Я хочу, чтобы ты взяла деньги. Ванда — моя внучка, а единственный ее кормилец — это ты. Чтобы ты не заболела, тебе нужно купить шубу». Тогда Надежда Петровна поступила так: купила самую дешевую шубейку, а на оставшиеся деньги — будучи служанкой в семейном пансионе и студенткой — надумала самостоятельно издавать журнал современного искусства. Издавала она его на двух языках, на французском и на польском, наняла редактора. Даже вышло два номера этого журнала. Это говорит о ее совершенно неудержимой страсти к живописи, доходящей до сумасшествия. Во всяком случае, вряд ли история искусства знает еще подобные примеры, чтобы служанка издавала журнал о живописном авангарде...

Однажды Надя ехала в электричке из деревни и везла очень много корзин с продуктами для семейного пансиона мадам Вальморан. И какой-то элегантный высокий красивый француз вызвался помочь ей. Так они познакомились, и так возникла взаимная симпатия.

Элегантного француза звали Жорж Бокье. Он служил в Министерстве почты и телеграфа. Жорж увлекался рисованием, и Надя предложила: «Хотите учиться живописи?» Так Жорж Бокье попал в Академию Фернана Леже. Вскоре он стал одним из самых первых учеников. Его очень полюбил мэтр и вскоре сделал старостой Академии.

Надя втащила Жоржа Бокье не только в постель и живопись, но еще и в Коммунистическую партию. Они записались в коммунистическую ячейку, ходили вместе на собрания. Казалось бы, все хорошо. Но... началась Вторая мировая война, и в первый же день войны Жорж Бокье ушел на фронт.

Надя активно участвовала в движении Сопротивления. Она удочерила беженку, английскую девочку, и вместе с Вандой и английской дочкой они ходили по ночному Парижу. Девочки расклеивали листовки, так чтобы не заметила полиция, а Надя стояла «на шухере».

Жизнь ее все время подвергалась опасности, за ней следили. Спасаясь от шпиков, приходилось скрываться. Однажды Надя спряталась в парикмахерской. Но шпик продолжал дежурить у дверей. И тогда она ушла оттуда...

с обрезанной косой и вдобавок блондинкой. Приходилось и приобретать документы на другое имя и фамилию.

Когда кончилась война, Надя хотела помочь советским военнопленным. Она решила организовать аукцион. Упросила Леже, и он дал свою картину. Обратилась к Пикассо. Тот для этой цели дал три полотна. Следующим был Жорж Брак, и от него Надя не ушла с пустыми руками. Она обошла много художников, собрала целую коллекцию. Аукцион прошел успешно, деньги были собраны. И сумма оказалась весьма внушительной...

С войны вернулся Бокье, роман возобновился. Надя продолжала работать в Академии с Фернаном Леже, стала его правой рукой. Она помогала ему, разрабатывала его эскизы. И сама занималась живописью — портретами, пейзажами.

Портрет Сергея Эйзенштейна
работы Нади Леже
(из собрания Э.Рязанова)

Я познакомился с Надеждой Петровной, когда она была уже вдовой Фернана Леже

В Париже.
Министр культуры СССР Екатерина Фурцева и Надя

В 1951 году в семью Леже пришла беда, умерла его жена. 70-летнему старику было одиноко, он стал часто приходить к Наде по вечерам.

Жалость к учителю, многолетнее сотрудничество и дружба — все это привело к тому, что Надя стала женой Фернана Леже.

Надо же было случиться тому, что интервью Леже, прочитанное в юности в Смоленске, оказалось — придется высказаться высокопарно — путеводной звездой ее жизни...

Надя старалась облегчить жизнь старому художнику, купила дом за городом, чтобы Леже мог выезжать туда для отдыха после тяжелого трудового дня. Она стремилась создать как можно больше уюта и тепла.

Три с половиной года она была женой и другом великого мастера. В 1955 году Фернан Леже умер, оставив все наследство жене. Надя вернулась к Жоржу Бокье, и они вдвоем, два ученика и одновременно муж и жена, стали думать о том, как увековечить память своего учителя.

За месяц до смерти Леже купил в Бьоте — маленьком городишке на юге Франции в нескольких километрах от берега Средиземного моря — небольшой дом. Надя решила, что именно здесь будет воздвигнут музей Фернана Леже. Художник оставил после себя огромное количество бесценных работ: картин, скульптур, барельефов, эскизов. Кое-что продали за немалые деньги и принялись за строительство здания.

В мае 1960-го состоялось торжественное открытие музея Фернана Леже под почетным председательством Жоржа Брака, Пабло Пикассо и Марка Шагала.

В этом светлом огромном здании монументальные работы Леже выглядят нарядно и празднично. Они могут кому-то нравиться, кому-то не нравиться, но то, что они оптимистичны, излучают радость, — несомненно.

Музей стал пользоваться популярностью. В 1967 году Надя Леже и Жорж Бокье передали музей со всеми работами и землю, на которой находится здание, в дар французскому народу...

Ольга — первая жена Пикассо

Начало следующей нашей истории относится к 1917 году, когда в Париже гастролировал с огромным триумфом Дягилевский балет, «русские сезоны в Париже».

Молодой художник Пабло Пикассо, будучи человеком невероятно одаренным, быстро и легко сходился с талантливыми людьми любых профессий, любых национальностей. Так он подружился, в частности, с Дягилевым и со Стравинским. Но надо сказать, что, помимо чисто творческого, здесь у Пабло Пикассо был еще и личный интерес. Ему очень нравилась молоденькая красивая танцовщица Ольга Хохлова. Она была, пожалуй, самая юная солистка, и ее очарование сразило художника наповал.

Балет отправился на гастроли в Италию. И Пабло отправился вместе с балетом. Предлогом послужило то, что ему надо было писать декорации для следующей постановки Дягилева под названием «Парад».

Пикассо следовал за труппой в Неаполь, во Флоренцию. Кстати, в письмах из Италии он ни разу себя не выдал, ни разу не проговорился, что у него еще есть и любовная тайна. Он писал о том, как идет работа над балетом, о том, что здесь 60 русских балерин и все они очаровательные.

Потом балет вернулся в Париж, состоялась премьера «Парада». Дягилевская труппа вместе с Пикассо отправилась в Испанию. Там «Парад» провалился, но для Пабло это уже не имело значения — он добился взаимности. Ольга тоже полюбила Пикассо, и было решено, что они поженятся.

Русская православная церковь в Париже на улице Дарю за 134 года своего существования повидала многое.

Кого здесь только не крестили, кого не венчали, кого не отпевали! В этой церкви 12 июля 1918 года состоялся обряд бракосочетания Ольги Хохловой и Пабло Пикассо. Служба была православная, хотя Пабло Пикассо — испанец и, следовательно, католик. Известно, что король Наварры Генрих IV был протестантом. Но в свое время, ради короны короля Франции, поменял религию, сказав свое знаменитое: «Париж стоит мессы». Очевидно, и Пикассо для себя решил, что Ольга стоит того, чтобы

Ольга Хохлова на сцене

венчаться с ней не по католическому, а по православному обряду. Свидетелями со стороны жениха были Жан Кокто, Марк Жакоб и Вильгельм Аполлинарий Костровицкий, известный более как Гийом Аполлинер, великий поэт Франции и Польши.

Свадьба была пышная, роскошная, и после нее молодые уехали в свадебное путешествие.

Потом супруги Пикассо возвращаются в Париж и снимают двухэтажную квартиру на шестом и седьмом

Русский балет всегда пленял французов. Пикассо влюбился в Ольгу

этажах шикарного дома. На одном этаже располагается мастерская художника, а другой этаж отдается молодой русской жене Ольге. Но сразу же в двух квартирах намечаются два разных стиля жизни, «две разные планеты», как сказал об этом Марк Шагал.

Ольга — дочь царского полковника. Она хочет жить красиво, для нее это естественно. Ее квартира заполнена изящной мебелью, безделушками, приходят элегантные гости. Ольга хотела создать своего рода «башню из слоновой кости». В России, на родине, начался красный террор. Расстреляли царскую семью, разгорелась Гражданская война. Белые и красные уничтожают друг друга. Возврат на родину исключен. Желание Ольги окружить себя мещанско-буржуазным красивым бытом вполне понятно.

Ольга Пикассо в мастерской своего мужа
на фоне портретов работы великого Пабло

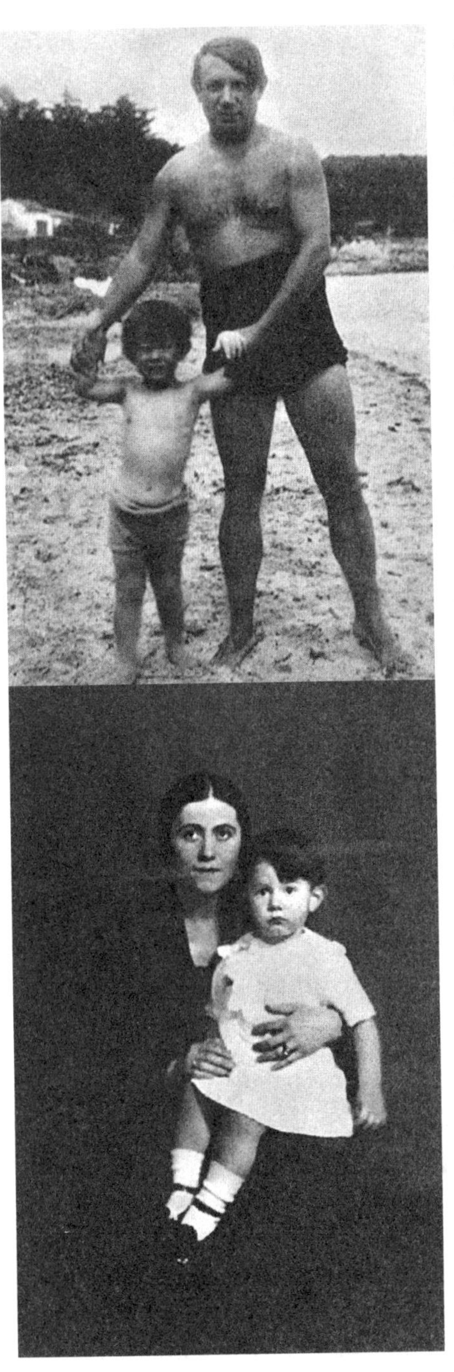

А у Пикассо идет совсем другая жизнь, он работает, старается упрочить свое положение. При этом художник гордится красотой жены, любит появляться с ней на приемах. Ему нравится, что после годов бедности он обрел наконец материальное благополучие. Его творчество постепенно тоже меняется, он начинает работать в более классической манере, о чем говорят портреты Ольги.

В 1921 году рождается сын Поль. Пикассо обожал сына. Родители ревновали друг друга к ребенку и ссорились из-за этого.

Любимой темой художника в тот период стало материнство. Моделями служат Ольга и Поль.

Ольга была счастлива. Она мечтала, чтобы Пабло стал модным художником, принимал заказы и был любим министрами, правителями, торговцами живописью.

Показательно, что каждый из супругов Пикассо снят с сыном отдельно

Но художнику-новатору такое существование было противопоказано. Оно быстро ему приелось. Постепенно возникла трещина, которая становилась все больше и больше. Однако главной причиной охлаждения художника к своей русской жене послужило то, что Пикассо встретил новую музу, новую любовь, Мари Терез Вольтер. Ольга почувствовала: Пикассо стал менять художественный стиль. Кстати, это было присуще ему и потом: всякий раз, когда у него появлялась новая женщина, Пабло менял свою творческую манеру. Вот и теперь он перестал рисовать балерин, стал тяготиться знакомствами, которые навязала ему жена, сторониться русских эмигрантов. Ольга

Любимые модели Пабло Пикассо: жена Ольга и сын Поль

была в отчаянии. Она не знала, как предотвратить надвигающийся разрыв...

Когда Пикассо понимал, что любовь кончилась, он становился очень жестоким и непримиримым ко всему, что было связано с предыдущей любовью.

Ольга бросилась в религию, приходила в православную церковь, молилась. А Пикассо, подружившись с Элюаром и сблизившись с Арагоном, увлекся коммунистическим учением. Противоположные идейные пристрастия усугубили плохие отношения между супругами. Окончательный разрыв случился в 1935 году. Они разъехались и стали жить отдельно.

Пикассо мучился, так как скучал по сыну. Он хотел развода. А Ольга развода не давала. Может, это было связано с наследственными делами, может, имели значение религиозные или идейные мотивы. Сейчас трудно разобраться в этом...

Последние годы жизни Ольги были очень печальными. Из всеми уважаемой женщины, о которой писала светская хроника, она стала никем и ничем. Она ходила по набережной Ниццы, несчастная, одинокая. И нашла свое упокоение на кладбище в Каннах...

Казалось бы, все об Ольге Хохловой-Пикассо, но у этой истории есть продолжение. Что-то вроде эпилога. Нам было известно, что в Каннах живет Марина Пикассо, внучка Пабло и Ольги. Наша съемочная группа — ребята не ленивые — отправилась на юг Франции. И вот мы в Каннах перед виллой «Калифорния», где великий маэстро работал около десяти лет. Со мной беседовала хозяйка виллы — приветливая, славная женщина с умными глазами, доброй улыбкой и дивной фигурой. Лет ей было около сорока. Очень привлекательная и с чувством собственного достоинства. Одета элегантно, но скромно. Это и была Марина Пикассо. В соседней комнате играли пятеро детей разного возраста и национальностей. Замечательные картины, вазы, скульптуры украшали жилье.

У Марины, дочки Поля, детство было трудное. Родители разошлись, причем, видно, расходились нехорошо. Марина была так травмирована этим разводом, что, несмотря на прекрасные внешние данные, не захотела выходить замуж. У нее двое детей, как она сказала сама, «вне брака» и еще трое приемных ребятишек из Вьетнама. Они все носят ее фамилию, называют Марину мамой, и наследство всем пятерым детям, родным и приемным, разделено в равных долях. Надо сказать, что детство у Марины было нелегким не только из-за родителей. Дедушка — великий и совсем, совсем не бедный художник — отказался оплачивать ее школьную учебу. На дальнейшее образование он средств тоже не дал, и она стала работать сиделкой при неизлечимых, тяжело больных детях-инвалидах.

Дальше следуют несколько фрагментов из интервью с Мариной Пикассо.

Эльдар Рязанов: Вы помните свою бабушку, балерину Ольгу Хохлову?

Марина Пикассо: Я часто вспоминаю о бабушке, хотя, когда она умерла, мне было шесть лет. Я очень ее любила и до сих пор постоянно думаю о ней. Она была прекрасной танцовщицей, но, к сожалению, не смогла полностью выразить себя. Потому что была вынуждена жить в тени гения. Она была без сомнения замечательной женщиной, и я души в ней не чаяла. Дед обожал ее и восхищался ею, но отношения быстро испортились, потому что мой дед не был верным мужем. А бабушка очень от этого страдала, и все кончилось разрывом.

Надо сказать, она вдохновила его на прекрасные картины, в частности на ее портреты, один из которых находится в этой вилле. Я помню, как бабушка приходила сюда нас навещать. Потом она заболела, и дальше уже идут грустные воспоминания. Мы с братом ходили к ней в больницу. Бабушку разбил паралич, и она очень страдала оттого, что больше не будет танцевать. Она утратила свою былую красоту и не хотела никому показываться в таком виде.

Мой отец под влиянием своего отца сделал выбор. Он, по сути, отказался от своей мамы. И вообще отошел от всего русского, чтобы угодить, доставить удовольствие отцу. И даже когда бабушка заболела, продолжал игнорировать ее и никогда не навещал, очевидно, боясь гнева Пикассо. Она умерла очень одинокой.

В последние годы ее навещали только мы с братом. Каждый раз она нам была так рада...

Эльдар Рязанов: Ваша бабушка похоронена здесь, в Каннах. Бываете ли вы на ее могиле, ухаживаете ли за ней?

Марина Пикассо: Да, это единственная возможность общаться с ней, да и мой брат похоронен рядом, он очень любил ее в детстве.

Эльдар Рязанов: Я читал, что после смерти Пикассо последовала целая серия трагических событий. Чем это можно объяснить? Это случайное совпадение или над семьей висит какой-то рок?

Марина Пикассо: К сожалению, это не случайность. Смерть моего деда повлекла за собой цепь роковых происшествий для нашей семьи. Мой брат покончил с собой сразу после его смерти. Он хотел проститься с умершим дедом, но вдова Жаклин не пустила его. И брат покончил самоубийством. Мой отец умер потому, что очень тяжело пережил смерть своего отца и гибель сына. Потом повесилась Мари Терез Вольтер, бывшая возлюбленная Пикассо. Застрелилась Жаклин, вдова. И вся эта цепь катастроф доказывает, что, хотя гений вызывает восхищение многих людей, восторг публики, быть близким к нему опасно.

Эльдар Рязанов: А почему умер ваш отец? Это было следствием тяжелой болезни или случилось внезапно, произошел психологический надлом?

Марина Пикассо: Я думаю, он был несчастен с самого детства, поскольку никогда не был Полем Пикассо — он всегда был сыном Пикассо.

Эльдар Рязанов: Что вы испытали, когда на вас свалилось такое огромное наследство?

Марина Пикассо: Когда я была ребенком, моя семья была небогата. После кончины деда я сразу стала миллиардершей. Получив наследство, я решила посвятить себя двум задачам. Первая — сохранить наследие моего деда и достойно представлять то, что он создал. Вторая — это гуманитарная деятельность, которая мне кажется главной. Я усыновила троих вьетнамских детей. Двое из них умирали от истощения. А у третьего ребенка порок сердца. Мои усилия направлены на Вьетнам. Я основала там деревню, в которой живут примерно триста двадцать детей. Мы попытались создать для них семейную обстановку. В каждом доме живут несколько детей и «мама», чтобы возник семейный уют, чтобы у ребят не было чувства сиротства. Кроме того, мы построили начальную школу и медицинский центр.

Некоторые из наших воспитанников учатся в университете, другие, менее интеллектуальные, обучаются ремеслу. Мы не бросаем наших воспитанников. Когда они уходят из деревни, мы платим им стипендию, чтобы они могли устроиться в жизни.

Эльдар Рязанов: Марина, в вас четверть русской крови. Про русских говорят, что они более меланхоличны, чем другие, что им свойственно чувство ностальгии, они глубокие натуры. Ощущаете ли вы в своем характере, в себе русские национальные черты?

Марина Пикассо: Вы знаете, я говорю это не для того, чтобы доставить вам удовольствие, но я себя чувствую во многом русской. И хотя я не склонна к самолюбованию, мне очень нравится эта сторона моей натуры. Я часто мысленно обращаюсь к моей бабушке, всегда помню о ней. Я в жизни очень сентиментальна и, как мне кажется, я славянка значительно больше, чем на четверть.

Русские музы были очень разными. Многих из них объединяло то, что позади них была опаленная огнем войны Европа, русская революция, голодная Россия, красный террор, переходящий в сталинский. У них не было пути к отступлению, не было возможности вернуться. В следующих очерках я расскажу еще о двух женщинах, прибитых судьбой к берегам Франции, — об Эльзе Триоле и Гала Дали. Каждая из них заслуживает отдельной главы. Некоторым из моих героинь присущи черты авантюризма, и не надо их за это осуждать. У некоторых несколько размыты моральные, нравственные критерии. Но мы ведь не пуритане и не будем слишком строги к нашим соотечественницам. Они часто бывали поставлены жизнью в безвыходные ситуации. Они все такие, какие есть. Могу сказать только одно — они были Личностями, Персонами, богатыми и сильными натурами. Большинство из них сделало все для того, чтобы память об их избранниках осталась навечно. Душа у наших российских женщин великая, и французские гении не ошиблись в выборе любимых. Итак, следующая новелла — о Гала Дали.

Я помню, когда впервые увидел картины Сальвадора Дали. Вернее, не картины, а большие цветные репродукции в книге. Это было в 1947 году. Меня пригласил к себе один из моих учителей — Сергей Михайлович Эйзенштейн. Мне было двадцать лет, я учился на четвертом курсе ВГИКа. Эйзенштейн сам был превосходным рисовальщиком, обожал искусство живописи и приобщал меня. Не к занятиям изобразительным искусством, а к знакомству с ним, к познанию. Бывало, я подолгу листал роскошные монографии из его богатейшей уникальной библиотеки. В тот день он добыл у букинистов, которые все его превосходно знали, новинку: альбом живописи Сальвадора Дали. Меня настолько потрясли фантасмагорические произведения художника, его кошмарные видения, противоестественные ситуации и причудливые сочетания, напоминающие бред, что я запомнил его имя на всю жизнь. Для моих неокрепших студенческих мозгов, воспитанных на русской живописи, для которых верхом новаторства были импрессионисты, Дали стал настоящим шоком. Мне казалось, что все это создал сумасшедший. Сергей Михайлович, в отличие от меня, восторгался художником и называл его гением. Попробую описать одну из картин, увиденную мною тогда...

На берегу не то озера, не то моря сидел мужчина, спиной к зрителю. В его туловище было вырезано большое квадратное отверстие, через которое, как через окно, виднелась часть пейзажа. Сзади из тела человека тянулся длиннющий мужской половой орган, конец которого покоился в выемке рогатины, вколоченной в землю...

Думал ли я тогда, что спустя почти полвека буду делать телевизионную передачу, где, по сути, главным героем станет художник Сальвадор Дали...

Привела меня к нему милая русская девушка Галя (по некоторым сведениям — Елена) Дьяконова.

1910 год. Пока еще моя героиня живет в Москве, увлекается поэзией, дружит с сестрами Мариной и Анастасией Цветаевыми, изучает в гимназии иностранные языки, к которым имеет исключительные способности. Потом, будучи известной парижской дамой, она станет рассказывать о себе множество небылиц, затрудняя работу будущих биографов. Даже дату ее

Галя Дьяконова в юности

К этому молодому французу, Полю Гренделю, Галя прорвалась через воюющую пылающую Европу в 1916 году

Слева направо: Тристан Тцара, Поль Элюар, Андре Бретон, Ганс Арп, Дали, Ив Танги, Макс Эрнст, Рене Кревель и Ман Рэй. Октябрь 1930 г.

рождения установить точно довольно сложно. Будем придерживаться версии, что она родилась в 1895 году. Живя во Франции, Галя распространяла о себе фантастические сведения: якобы она была дочерью управляющего бескрайними поместьями, принадлежащими какому-то русскому князю, что сам Лев Толстой качал ее в детстве на коленях... На самом деле было не совсем так, скорее, совсем не так. Но как? Здесь тоже сведения расплывчаты, нечетки. Отец был адвокатом. Но был ли это родной отец или отчим, существуют разночтения. Где-то я читал, что Марина Цветаева посвятила своей подруге Гале юношеские стихи. Я не нашел стихотворения, где стояло бы посвящение. Но одно из ранних стихотворений Цветаевой, учитывая характер и дальнейшие судьбы молодых женщин, приведу:

Быть в аду нам, сестры пылкие,
Пить нам адскую смолу, —
Нам, что каждою-то жилкою
Пели Господу хвалу!

Нам, над люлькой да над прялкою
Не клонившимся в ночи,
Уносимым лодкой валкою
Под полою епанчи.

В тонкие шелка китайские
Разнаряженным с утра,
Заводившим песни райские
У разбойного костра,

Нерадивым рукодельницам
(Шей не шей, а все по швам!),
Плясовницам и свирельницам,
Всему миру — госпожам!

То едва прикрытым рубищем,
То в созвездиях коса.
По острогам да по гульбищам
Прогулявшим небеса.

Прогулявшим в ночи звездные
В райском яблочном саду...
— Быть нам, девицы любезные,
Сестры милые — в аду!

Поразительное стихотворение, предсказавшее долю и той, и другой. В особенности судьбу Гали. Девушка в детстве довольно часто болела. В 1912 году — ей 17 лет — возникло подозрение, что у нее туберкулез. Болезнь была весьма модная, но, тем не менее, смертельно опасная, ибо лекарства против чахотки еще не существовало. Лечили этот недуг швейцарским горным климатом. Родители Гали, поднатужившись с деньгами, отправили ее в Давос, в туберкулезный санаторий «Клавадель». Обстановка в такого рода заведениях замечательно описана Ремарком в «Трех товарищах». Галя провела там несколько месяцев. Она привезла с собой книги любимых русских писателей, поэтов — среди них Пушкин, Блок, Достоевский. А также и учебники, ибо школа еще не была закончена. И конечно же несколько православных икон. Барышня была верующая и романтически настроенная. Вокруг дивная природа: заснеженные шапки гор, лесистые склоны, альпийские луга, очаровательные шале, органично вписывающиеся в горный пейзаж. И тишина. В санатории покой, полубольничный режим, ежедневно меряют температуру. В одной из палат оказался ровесник Гали, французский юноша с хорошими манерами, приятной внешностью, длинноволосый и весьма элегантно одетый. Звали его Эжен Эмиль Поль Грендель. Позднее он станет известен миру как Поль

Элюар, величайший поэт Франции, а сейчас он просто юноша из обеспеченной семьи, который, как и многие в его возрасте, балуется стишками. У него туберкулез.

Что же касается Гали, то ли русские доктора ошиблись с диагнозом, то ли удалось загасить болезнь в ранней стадии, но, одним словом, наша пациентка оказалась вне

Неудивительно, что такой красавец, да еще и поэт – Поль Элюар – пользовался у женщин сокрушительным успехом

 опасности. Зато она заразилась другой болезнью, имя которой — любовь.

Помимо молодости и очарования, у Поля есть еще одно грозное оружие — его стихи. Галя с семи лет знает французский, а кроме того, у нее поэтическая натура. Она сразу оценила, что Поль, который влюбился в нее с ходу, пылко и, как потом выяснится, на всю жизнь, очень талантлив, что его стихи незаурядны и оригинальны. По ее совету он отправляет цикл своих стихов под названием «Говорит безумец» в поэтический журнал «Огонь», издающийся в Марселе. Он подписывает их Поль Элюар, это фамилия его бабушки. И вскоре в Давос приходит экземпляр журнала с его подборкой.

В любви Галя оказывается доминирующим началом — она сильная, волевая и знает, чего хочет. Она сразу стала советчицей Поля по всем вопросам творчества, ибо умна, тактична, сдержанна и обладает врожденным чувством слова. Не только русского, но и, как оказалось, французского. Достаточно сказать, что предисловие к первой книге Элюара написала русская невеста поэта. Но это случилось несколько позже. А пока подступает 1913 год, год разлуки. Они расстаются, влюбленные по уши, и оба клянутся, что не изменят своим чувствам. Они намерены пожениться. Галя очень похожа на мать Поля — Жанну Грендель. Поль поражен этим сходством. А Галя чувствует в ней соперницу, ибо намерена владеть Полем единолично и безраздельно. Вообще, довольно часто случается, что юноши влюбляются в женщин, внешне напоминающих мать, — я знаю много примеров этому.

Никто, кроме них, не может сказать, случилась ли в Давосе между ними физическая близость, но то, что произошло огромное духовное взаимопроникновение, несомненно. Сестра Гали бросила загадочную фразу: «Не познав мужчину, она уже знала, что такое любовь». Они разъехались по своим странам, околдованные друг другом.

Письма между Москвой и Парижем идут нескончаемым потоком. Влюбленные пишут друг другу ежедневно, обмениваются фотографиями. Галя заканчивает гимназию, блестяще сдает экзамены в университет. Элюар много печатается, становится известным в литературных кругах. Галя ждет своего совершеннолетия, чтобы уехать в Париж к любимому. Ее письма продолжают любовную экспансию. Она пишет и по-русски, и по-французски, и на смеси двух языков: «Mon cher et dorogoi maltchik». Или: «Единственный мой мальчик — только мой и только навсегда».

1914 год «подарил» им войну и, казалось, вечную разлуку. На западе Франция, на востоке Россия воюют против Германии. Поль и Галя разделены линиями фронтов, смертями, пожарами. Не работают железные дороги. Вскоре становится ясно, что эта война — надолго. Угроза поражения Франции сменяется угрозой поражения России. Тяжелые бои идут с переменным успехом.

В ноябре Поль мобилизован, его признают годным для службы в санитарном батальоне. Галя трепещет за жизнь жениха, в ее письмах множество рекомендаций как уцелеть, выжить.

У Элюара слабые легкие, он заболевает бронхитом, попадает в госпиталь, потом снова уезжает на фронт. В 1916 году Галя не выдерживает и совершает поступок, на который далеко не каждая девушка могла бы решиться. Преодолевая сопротивление семьи, не страшась военных действий, она уезжает в Париж. Как она смогла добраться до столицы Франции, когда полыхала Европа, горели вокзалы, смерть собирала чудовищную жатву, — остается загадкой. Однако девушка совершила невозможное — добралась до назначенной цели. Прибыв в Париж летом 1916 года, она остановилась на квартире родителей жениха. Когда Галя покидала Россию, она еще не знала, что уезжает навсегда, что больше никогда не увидит родителей, сестру, братьев. Не знала, что ее нога больше никогда не ступит на родную землю... Но барышня была предусмотрительна: с собой из России она захватила свадебное платье.

Поэт находился на фронте, воевал. Его родители радушно приняли Галю. Семья Гренделей жила зажиточно. Отец был агентом по продаже недвижимости и сумел разбогатеть. Мать не работала, посвятив себя воспитанию сына и домашнему хозяйству. В письме к родителям Поль писал: «Хочу, чтобы она жила как королева!» Галя так и жила. Она все время писала обожаемому жениху письма, обволакивая его своей любовью:

«Люблю. Люблю только тебя. У меня не осталось других чувств, кроме любви к тебе. Я ни на что не способна, кроме любви к тебе. У меня не осталось воли, рассудка, ничего, ничего, ничего. Только любовь к тебе. Это ужасно. Если я потеряю тебя, я потеряю себя. Мне безразлично, буду ли я католичкой или православной, главное — что я верю в Бога. Я верю искренне, глубоко. Потому я непременно хочу венчания в церкви. Мы только начинаем нашу совместную жизнь, и это очень важно для меня, чтобы Господь благословил нашу любовь».

Свадьба состоялась 21 февраля 1917 года. Солдата Поля Гренделя отпустили в трехдневный отпуск для того, чтобы он мог обвенчаться со своей невестой. Вот что писал, кстати, поэт Элюар о своей жене, о своей возлюбленной в поэме «Твои глаза»:

В звуках Вселенной мне слышится твой голос...

А за два года до разрыва, до того, как Галя променяла поэта Поля Элюара на молодого, еще практически никому не известного художника Сальвадора Дали, Элюар написал провидческие стихи:

Я закрыл глаза, чтобы не видеть,
Я закрыл глаза, чтобы дать волю слезам,
Ведь больше тебя я не увижу...

Все это я рассказывал около дома, где была в свое время квартира родителей Элюара. Сюда молодые приехали после венчания и прожили здесь несколько лет. Оператор И.Болотников показал дом, окна квартиры. Но напрасно мы пытались найти мемориальную доску, как это принято у нас. Мы ее не нашли. Я не мог себе представить, чтобы у нас на доме, где, скажем, жили Есенин или Маяковский, не было бы памятной доски. Я даже подумал, что мы ошиблись. Но одна примета, довольно любопытная, убедила меня в обратном. На первом этаже находится магазин, где продают чемоданы, кожаные сумки. Он называется очень редким для французов именем — «Галюша». Это не случайно. Хозяева магазина знали, что именно здесь жила Галя вместе с Полем Элюаром.

Сама Галя не собиралась играть роль романтической жены при муже-поэте. Она писала о своих намерениях: «Я никогда не буду просто домохозяйкой. Я буду много читать, очень много, я буду делать все, но при этом сохранять привлекательность женщины, которая себя не перетруждает. Я буду, как кокотка, сидеть, пахнуть духами и всегда иметь ухоженные руки с наманикюренными ногтями».

Однако действительность превзошла тогдашние робкие мечты молодой женщины. Ее судьба сложилась намного интересней и намного сложнее, чем представлялось ей в ту пору.

Вскоре у молодой пары родилась дочь, которую назвали Сесиль. Но, честно говоря, Галя была неважной матерью. Ей было гораздо интереснее находиться в центре кружка сюрреалистов, быть музой всей этой компании. Ее окружали молодые люди, которые, пройдя ужасы войны, решили создать новое искусство, превосходящее реализм. Дословный перевод слова «сюрреализм» — это сверхреализм. Художников, поэтов, писателей этого направления не интересовало видимое течение жизни, ее реальное воспроизведение. Материалом для их творений стало подсознание человека — сновидения, галлюцинации, игра воображения. Они брали обычные, реальные, знакомые вещи, но в таких пропорциях и сочетаниях, что все приобретало фантастический вид, некую ненормальность, гипертрофированность, становилось похоже на кошмар. Причем эти приемы использовали как в живописи, так и в литературе. Произведения сюрреалистов пугали обывателей, отталкивали людей, привыкших к привычному.

Надо сказать, что и мораль у сюрреалистов была довольно свободная. Элюар, обожая жену, очень часто ей изменял. Больше того, он показывал фотографию обнаженной Гали своим друзьям, приятелям, хвастался тем, какое красивое тело у его жены. Галя начала платить ему тем же. Нет, она не показывала подругам фотокарточки голого Элюара. Она просто ему изменяла. И вскоре превзошла мужа. Во всяком случае, если у кого-то из сюрреалистов случалась творческая удача, то непременно говорили: «Наверное, у него произошло кое-что с Галей».

В 1922 году супруги Элюар поехали в Альпы. Там в горах обрела приют колония художников. В этой колонии Галя познакомилась с немецким художником Максом Эрнстом. Жена Эрнста почему-то сразу невзлюбила Галю и, как вскоре выяснилось, не без оснований. Как было написано в одной из статей, Макс Эрнст променял супружеское ложе на ложе Гали Элюар. Они стали жить втроем. Это было тогда в их компании весьма принято. Как ни парадоксально, но Элюар был доволен этой ситуацией. Когда взбешенная жена Макса Эрнста пожаловалась ему, он ответил: «Я должен тебе сказать, что Макс мне дороже, чем Галя».

Галя стала действительно центром притяжения сюрреалистического кружка. Две знаменитые модельерши того времени, Эльза Скиапарелли и Коко Шанель, соперничали, кто из них будет одевать музу сюрреалистов. Галя умело использовала это соперничество и одевалась и у той, и у другой бесплатно, — носила самые изысканные, самые экстравагантные туалеты. В этой компании вообще одевались довольно своеобразно. Андре Бретон, идейный вождь сюрреалистов, ходил, к примеру, весь в зеленом, курил зеленую трубку. Галя являлась на их сборища в длинных шарфах и напоминала колдунью...

К середине 20-х годов романтическая девушка, отправлявшая любовные письма на фронт своему поэту-жениху, исчезла. Вместо нее появилась жесткая, уверенная в себе, шикарно одетая, сластолюбивая матрона. Элюар, который в мазохистской ситуации любви втроем искал для себя новые поэтические темы, в 1924 году наконец не выдержал. Он взял у родителей приличную сумму денег и бежал с поля боя. Уехал путешествовать по миру, оставив Галю и Макса Эрнста вдвоем. Он посетил Венесуэлу, Таити, Австралию, еще бог весть какие страны. Но писем не писал. Родители Поля устроили Гале и ее любовнику скандал, лишили денежной помощи. Галя всполошилась и бросилась на поиски мужа. Где-то во Вьетнаме, в Сайгоне, она его нагнала. Участь Макса Эрнста была решена, он получил отставку. Элюар одержал победу. Но брак был основательно подпорчен. И по-прежнему в их жизни возникали треугольники, то третья появлялась со стороны Элюара, то третий возникал со стороны Гали.

Элюар снова уверен, что после кратких любовных приключений он всегда может возвратиться домой к жене и она его примет. Галя же постепенно приходит к выводу, что подобная жизнь ей не годится. Элюар отпрашивается у жены в Берлин пороманиться с красоткой-немкой, с которой он познакомился в поезде. Галя не возражает. По дороге в Берлин «на блядки» Элюар посылает ей письмо:

«Я слишком тебя люблю! Посмотри на себя в зеркало, на свои глаза, на свою грудь, которую я так люблю, твои руки, на твою влажную розу, послушай самое себя, и ты меня поймешь, единственная моя подруга, поймешь, почему я знаю только твой язык, как наслаждаюсь я твоей свободой, почему я хочу, чтобы ты была дерзкой и сильной, послушной только своей воле, которая есть и моя воля, выросшая тоже из нашей любви!..»

Приехав в Берлин и остановившись в отеле, где бывал с Галей прежде, он вспоминает эротические сцены с собственной женой:

«Я хочу, чтобы ты, обнаженная, опять сомкнула свои ноги за моей спиной и прижалась губами к моей груди, а потом качала бы, качала бы меня. Я и впрямь не люблю никого, кроме тебя, люблю безумно...»

И однако, несмотря на подобные любовные вспышки, брак их продолжал разрушаться. Мало кто знал, что к моменту возникновения на Галином горизонте Сальвадора Дали супруги Элюар решили расстаться и для Гали уже была снята отдельная маленькая квартирка в Париже. Элюар к этому времени стал широко известен, о нем пишут, его читают, он становится мэтром французской поэзии, без пяти минут классиком.

...На севере Испании, недалеко от французской границы, раскинулось рыбачье село Кадакес, где и проживал вместе с родителями и сестрой красавец-художник Сальвадор Дали. Он дружил с такими же молодыми кинорежиссером Луисом Бунюэлем и поэтом Федерико Гарсиа Лоркой. Все они прославятся позже. А пока Сальвадор не уверен в себе не только как художник, но и как человек. Он не знает еще, к кому его влечет: к женщинам или к мужчинам. Лорка, как бы сказали нынче, «гей», испытывал влечение к красавцу-художнику, однако Сальвадор так и не пошел до конца навстречу сексуальным призывам поэта. Но и ни с одной женщиной у него тоже пока еще не было романа. Он пытается разобраться в себе: с одной стороны, он обожает всякие наряды, как женщина, любит разодеться и лицедействовать. Но с другой — он неистовый художник, а это, в общем-то, мужская профессия. Кстати. Лорку, ставшего в 1937 году известнейшим поэтом

Испании, автором многих стихотворных пьес, поэм, песни которого знала вся страна, франкисты обрекли на смерть отнюдь не из-за его демократических воззрений, он не был коммунистом, — а именно из-за его нетрадиционной сексуальной ориентации. После захвата Гранады какой-то невежественный франкистский полковник отдал приказ очистить город от коммунистов и извращенцев. Федерико Гарсиа Лорка попал под вторую категорию. Он до последней минуты не верил, что его расстреляют. Но тупые жандармы сделали свое дело. Кстати, фашистский и коммунистический режимы и в этом вопросе оказались родными братьями. В нашей стране «голубых» (правда, тогда еще их так не называли) сажали в тюрьмы, ссылали в лагеря, — тому много примеров.

Николай Асеев написал пронзительное стихотворение, которое мало кто знает.

ПЕСНЬ О ГАРСИА ЛОРКЕ

Почему ж ты, Испания, в небо смотрела,
когда Гарсиа Лорку увели для расстрела?
Андалузия ж знала и Валенсия знала, —
что ж земля под ногами убийц не стонала?!
Что ж вы руки скрестили и губы вы сжали,
когда песню родную на смерть провожали?!
Увели не к стене его, не на площадь —
увели, обманув, к апельсиновой роще.
Шел он гордо, срывая в пути апельсины
и бросая с размаху в пруды и трясины;
те плоды под луною в воде золотели
и на дно не спускались, и тонуть не хотели.
Будто с неба срывал и кидал он планеты, —
так всегда поступают перед смертью поэты.
Но пруды высыхали, и плоды увядали,
и следы от походки его пропадали.
А жандармы сидели, лимонад попивая
и слова его песен про себя напевая...

Какой знойный парень!

Федерико Гарсиа Лорка (слева) влюбился в молодого художника Сальвадора Дали, но тот не ответил взаимностью, оставшись на позиции дружбы

Но это случится позже, в 1936 году, когда Дали будет жить во Франции. А мы вернемся в Кадакес, в сентябрь 1929 года, когда в рыбачью деревеньку въехала машина с парижским номером. За рулем сидел корифей сюрреализма поэт Поль Элюар, рядом с ним красовалась его русская жена Галя, а на заднем сиденье глазела по сторонам их 11-летняя дочка Сесиль. Они прибыли сюда, чтобы познакомиться с творчеством молодого, но уже набирающего силу и становящегося известным художника Сальвадора Дали.

Вот первое парижское стихотворное впечатление Элюара о молодом Дали и его творчестве:

Взяв в руки любой инструмент, даже ржавый,
Провозгласив добродушно, что металл чистосердечен,
Он лепит руками очарование,
Очарование всего, что зеленеет вокруг...

Во время их встречи в Париже двадцатипятилетний провинциал из Каталонии и пригласил Элюара к себе в деревню. И вот, прихватив семью, признанный поэт приехал в гости к художнику.

Дали увидел впервые Галю через окно своего дома, расположенного на берегу моря, и был поражен ее красотой, ее ладной фигурой. Он стал наряжаться, нервничать, делать всякие нелепости. Его психическое состояние в тот момент было не очень-то уравновешенным, он был не совсем здоров. Но красота Гали так его пронзила, что он вышел без шутовского наряда, в котором предполагал встретить гостей. Впечатление, которое она на него произвела, польстило Гале. Он целовал ей руки, бормотал что-то восторженное. Когда она говорила ему комплименты, отвечал странным хохотом. Это не было проявлением развязности, наоборот, скорее смущением и нервным возбуждением.

Художник позднее писал о встрече с Галей следующее: «Она обладала свойствами медиума. И сразу поняла, что означал мой смех, который другим казался совершенно необъяснимым. Мой смех не был выражением веселья, он не означал скептицизма. Он воплощал в себе мой фанатизм. Мой смех не был фривольностью. Он представлял собой конец света, ад, ужас».

Утверждают, что тогда Галя произнесла фразу: «Мой маленький мальчик, мы никогда с тобой не расстанемся». Я не знаю, кто это слышал, но все может быть. В жизни бывает и не такое! Вообще, сплетен, небылиц, рассказов, слухов, россказней про эту пару существует невероятное количество. Очень трудно отсеять, что происходило на самом деле, а что им приписывали досужие сплетники.

Ему было 25 лет, Гале 36. Она была очень опытная, зрелая женщина, он еще ни разу не познал женской любви. Чувство, страсть, любовь вспыхнули сразу, с первого взгляда, и обоюдно. Вот что вспоминал позже Сальвадор Дали: «Гала́, — так он стал ее называть, потому что Гала́ — это праздник, это гала́-представление (ударение делалось по-французски на последнем слоге), — Гала пронзила меня, словно меч, направленный рукой провидения. Это был луч Юпитера, знак свыше, указавший, что мы никогда не должны расставаться».

Делая телепередачу о Гала Дали и о ее гениальных мужьях, я взял интервью у двух людей, которые были близко знакомы с художником и его женой. Один из них — Пьер Аржиле, старинный друг и издатель многих книг, где Дали выступал иллюстратором. Чтобы встретиться с ним, наша съемочная группа побывала в городе Мелуне — древней столице Франции. Аржиле принимал нас в своем шикарном замке Вольпениль, где находится принадлежащая ему огромная коллекция сюрреалистической живописи, в том числе немалое количество картин Сальвадора Дали. Этот замок Аржиле и Дали собирались приобрести на пару, чтобы устраивать в нем озорные шоу, шутовские мистерии, сюрреалистические праздники, но в последнюю минуту Сальвадор уклонился от выплаты своей доли, и Пьер купил дворец единолично.

Второй друг — это знаменитая певица, художница, манекенщица, звезда телевидения Аманда Лир. Мы навестили ее в городке Сан-Реми, в Провансе, недалеко от города Арля, где находится вилла этой очаровательной женщины. Она подарила нам весь свой выходной день. Так что в дальнейшем я буду просто выбирать нужные мне места из тех интервью, которые провел с ними...

...А Гала и Дали бродили по оливковым рощам, влюбляясь все больше и больше. Вот что об этом писал сам Дали: «В начале нашей любви с Гала я был очень нездоров душевно. Припадки хохота, судороги, прочие симптомы истерии. И все сильнее меня мучил комплекс высоты. Мне хотелось столкнуть кого-нибудь вниз или броситься самому с обрыва. Однажды я нарочно завел Гала на одну из самых высоких скал. И когда мы забрались на самый верх, во мне явственно шевельнулось преступное желание. И там я предложил Гала игру. Мы откалывали большие куски гранита, оттаскивали их к самому краю и скидывали вниз. Смотрели, как бесконечно далеко внизу они низвергаются в море или разлетаются вдребезги, ударяясь о камни. Я мог часами ворочать гранит ради этого зрелища. И только опасение, что когда-нибудь я столкну в бездну не камень, а Гала, удерживало меня. Я перестал водить ее на скалу, где меня охватывал неописуемый трепет из-за близкой опасности и восторга, сладостного и губительного».

Элюар был, конечно, встревожен. С одной стороны, он привык к изменам и сам изменял, но здесь что-то его беспокоило. Дело кончилось тем, что он вынужден был, забрав дочь, уехать в Париж.

Эльдар Рязанов: Элюар уехал без жены, но со своим портретом работы Дали. То есть произошел как бы обмен, что ли. Элюар ему жену, а Дали ему портрет. Я нарочно так огрубляю.

Пьер Аржиле: Да, он увез портрет. Элюар хорошо знал свою жену. Ему уже приходилось сталкиваться с такой же проблемой в истории с Максом Эрнстом. Он привык, что когда какой-либо мужчина привлекал Гала, она тут же начинала добиваться его взаимности.

Гала мгновенно поняла, что Дали — человек исключительный, и не замедлила его соблазнить. Дали тогда плохо разбирался в женщинах, он был еще совсем юнцом, — у него совершенно не имелось опыта. Эта женщина ослепила его, научив приемам любви, испытанным ею в многочисленных любовных связях.

Эльдар Рязанов: Сальвадора даже не остановил гнев отца, который лишил его наследства, не оставив ни одного песо. Отец говорил: «Как ты мог уйти к этой русской шлюхе, к наркоманке?» Семья и сестра Дали не приняли Гала ни в какую. А как перенес все это поборник любви без ревности Элюар?

Пьер Аржиле: Он через некоторое время нашел себе другую жену, которая, как я полагаю, его устраивала, ибо они прекрасно и долго жили вместе. Нюш была красивой женщиной, на мой взгляд, красивей, чем Гала. Он не много потерял при обмене. Но тем не менее сохранил фатальное чувство к Гала. Ведь мужчины всегда больше любят неприятных женщин, нежели приятных. На приятную женщину не обращают внимания, зато неприятные, поскольку мы все немного мазохисты, как говорил Дали, вызывают любовь. Таково мужское сердце.

Гала поддерживала переписку с Элюаром. Огромное количество писем. Оказывается, они несколько раз встречались, у них бывали любовные свидания.

Элюар писал бывшей жене до самой своей смерти. Интересные, а иногда очень эротичные письма, в которых он вспоминает их великолепные ночи.

Эльдар Рязанов: Он писал ей не только письма. Немало стихотворений последних лет посвящены Гала.

Никого не любил я, кроме Гала,
Я готов отрицать всех женщин.
Не знал я других женщин, за исключением Гала.
Это давало мне желание жить.
И еще больше желание с этой жизнью покончить...

Пьер Аржиле: Эта женщина обладала необычайной притягательностью. Сальвадор без конца писал ее. Честно говоря, она была не так уж молода для натурщицы, но это его не останавливало.

Гала вошла в его жизнь. Не только в семейную жизнь, но и в его творчество. «Образ Гала, — сказал както Дали, — не просто изображение женщины. Этот образ один из центральных в моем творчестве. В нем обаяние и некая женская непостижимость, загадочность русской души. Образ многозначительный, на все века».

Вскоре после того, как Элюар ретировался с поля боя, то есть из Кадакеса, Гала увезла Сальвадора на юг Франции. Там в небольшом местечке она провела с ним два месяца в гостинице, откуда, как писал сам Дали, они не показывали и носа. Не выходили из номера. Знакомые злословили, что там художник проходил любовную стажировку. Вот что писал о начале романа Гала и Дали близкий друг Сальвадора, знаменитый режиссер Луис Бунюэль: «Практически Дали никогда не интересовался женщинами. Как человек, склонный к воображению с некоторыми садистскими тенденциями, он даже в молодости не был женолюбом, насмехался над друзьями, увлекавшимися женщинами. Невинности его лишила Гала. После чего он написал мне на шести страницах великолепное письмо с описанием радостей плотской любви. Гала — единственная женщина, которую он действительно любил».

Любовники переехали в Париж. Денег не было. Элюар, который мог бы помочь им, сам сидел без гроша. Надежда на заработок была только одна — продавать картины Сальвадора. Но Париж был завален картинами художников, которые съезжались в этот город со всего мира, чтобы покорить его. В жизни Гала наступил этап борьбы за существование. Каждое утро она брала с собой картины или фотографии с картин Дали и пешком обходила художественные галереи Парижа, предлагая работы возлюбленного на продажу. Галерейщики — народ тертый, бывалый. Но при виде разнузданной живописи неведомого испанца их брала оторопь. Они видели ма́стерскую уверенную руку художника, но необычные, раскованные, да к тому же еще с некоей сумасшедшинкой сюжеты полотен ставили галерейщиков в тупик и заставляли их отказывать. Сколько сил и красноречия потратила Гала, убеждая каждого из них в гениальности художника.

Она ищет меценатов среди богатой и титулованной аристократии. Ей удалось уговорить Андре Бретона, лидера сюрреалистов, принять Сальвадора в их группу. Так что он перестал быть одиночкой. Правда, позже, когда Дали взобрался на вершину успеха и немного поехал умом, начав восхвалять фашистских лидеров — Гитлера, Франко и Муссолини, — сюрреалисты дружно изгнали его из своей среды, но Дали это уже было все равно...

Мало-помалу усилия Гала увенчиваются успехом. Через четыре года Париж, сначала повернувшийся спиной к художнику, вдруг раскрыл ему свои объятия. Имя Сальвадора Дали у всех на устах. Его полотна растут в цене, и вскоре он самый дорогой, самый высокооплачиваемый художник. Начинается шикарная жизнь — выставки, вернисажи, путешествия, роскошные отели. Куда девались робость, провинциальная застенчивость, растерянность, возрастная меланхолия молодого испанца? Гала много сил отдала не только тому, чтобы к Дали пришел успех, но и шлифовке самого художника. Учила его поведению в обществе, манерам, умению поддерживать беседу. Она руководила всем: от того, какой костюм надеть Сальвадору, до цен на картины и выбора маршрутов путешествий.

Пьер Аржиле: Она была его возлюбленной, а затем стала его женой. Они очень долго жили вместе, много путешествовали, переезжали из страны в страну. У обоих были любовные связи, но для Дали было необходимо, чтобы Гала находилась рядом с ним. Она занималась его делами, поскольку сам он никогда этого не делал, она управляла их домом, она давала ему советы. Дали не умел водить машину, даже не пытался сесть за руль. Когда Гала подавала машину к подъезду, он садился на заднее сиденье, складывал руки на трости и ждал, чтобы машина поехала. Дали был нужен практичный человек. И именно

Ученик и учительница проходят школу любви

Париж, 1937 г. Сальвадор становится модным, дорогим художником. Началась шикарная жизнь…

...роскошные отели, приемы, банкеты, яхты...

Скоро она уйдет от него навсегда…

Гала в шляпе-туфле, созданной Эльзой Скиапарелли
по эскизу Дали в 1937 г.

Гала и Сальвадор ищут позу натурщицы, которую художник намерен запечатлеть на холсте

Гала, вне зависимости от их отношений, занималась всем жизнеобеспечением.

Аманда Лир: Когда Дали впервые представил меня своей жене Гала, я была ужасно испугана. Женщина вызывала ужас. Я знала, что она русская, и не удивилась ее довольно сильному акценту. Но я не была готова увидеть маленькую, изящную женщину с острым пронзительным взглядом. Дали говорил, что взгляд Гала пронзает стены. Она внимательно меня осматривала с головы до ног, а на мне была коротенькая мини-юбка, и я подумала: о, эта ужасная женщина станет меня сейчас критиковать. Первая встреча была просто чудовищной. Потом Дали предложил: «Давайте пообедаем все вместе». И тогда я заметила — перед своей женой он робел, как ребенок, как маленький мальчик. Боялся вызвать ее неудовольствие, боялся ее критики, боялся, что может не понравиться ее друзьям. Тогда я поняла, какое огромное место занимает Гала в жизни Дали. Она была женой, любовницей, майором, полковником, шефом. Она принимала все решения.

Для нашей телепрограммы Алена Красникова — режиссер передачи — нашла уникальные кадры кинохроники, где Дали рисует позирующую Гала и по-актерски изрекает некоторые сентенции. Конечно, лучше один раз увидеть, чем сто раз услышать, но... попробую описать один из кадров...

Дали сидит за мольбертом с палитрой и кистью в руке. На голове у него ночной колпак. Перед ним высоко на фоне облаков на пьедестале, задрапированном и почти невидимом, находится Гала в каком-то светлом костюме. Ощущение, будто она парит в воздухе. В руке у нее трость. Дали многозначительно, как дурной актер, обращается к ней: «Гала, посмотри на меня так, будто ты статуя правосудия». Гала поворачивает голову к нему. «Я вижу, ты мне улыбаешься! — напыщенно продолжает Сальвадор. — Так же, как и каждый вечер. О моя драгоценная награда!..»

...Но постепенно у каждого из них появилась своя интимная жизнь. По мере того, как старела Гала, ее любовники становились все моложе и моложе. Она платила им за удовольствие большие деньги. А Дали развлекался совершенно другим образом. Он любил устраивать мистификации, розыгрыши, обожал эпатировать людей, поддерживал слухи, что он сумасшедший. О его выходках ходили самые невероятные легенды.

Аманда Лир: Дали был совершенно заворожен рассказом о том, что Ленин хотел иметь золотые писсуары. Он собирался купить писсуары у ресторана «Максим», чтобы их позолотить. А еще он нарочно подвергал себя опасности. Например, как-то спустился в зоопарке в клетку к носорогу. Гала сказала ему тогда: «Ты убьешь себя из любви к саморекламе». Она этого не любила, попрекала его. Как только Дали видел камеру или фотографа, он начинал играть роль сумасшедшего: выкатывал глаза, размахивал тростью — считал, что люди ждут от него именно этого. А в кругу близких людей он совершенно не был сумасшедшим. Он был чрезвычайно образованный, умный, тонкий, очень нежный человек. Но перед публикой не мог не разыгрывать психа. И до самого конца продолжал этот спектакль. Ему необходимо было лицедействовать. Дали был величайшим шоуменом, величайшим из всех, кого я когда-нибудь видела. Даже Элвис Пресли не сравнился бы с ним.

Я читал у Михаила Веллера такую историю. Наш великий композитор Арам Хачатурян мечтал познакомиться с Дали. Наконец удалось устроить их встречу. Хачатурян приехал в замок Пуболь. Встреча была назначена на два часа. Без трех минут два его провели в роскошную залу, усадили на золотую банкетку и объявили, что синьор Дали сейчас выйдет. По зале гулял павлин, а на столике красовались дорогие вина, коньяки, фрукты в вазах, кубинские сигары. Хачатурян стал ждать. Четверть часа, полчаса, час. Он выпил коньячку, покурил сигару, съел грушу. Наливаясь злостью, продолжал ждать. Потом решил уйти, но не смог. Двери были заперты. На стук никто не отзывался. Потом музыканту захотелось по-маленькому. Он начал колошматить в двери. Никакого результата. Тут он заприметил мавританскую вазу и решил ждать до четырех, а уж потом... Но дождаться не смог. Без нескольких минут четыре композитор пристроился к вазе... И тут, одновременно с боем часов, ровно в четыре из динамиков во всю мощь многих децибел грянула музыка «Танца с саблями». Распахнулась дверь, и в залу влетел совершенно голый Дали верхом на швабре, а в руке у него была сабля, которой он, танцуя под музыку, размахивал. Сделав по зале круг, голый художник скрылся за дверью. Вошел церемониймейстер и объявил, что аудиенция окончена. В вечерних испанских газетах появилось подробное изложение произошедшего. Дали с великодушием отзывался об обыкновении гостя из дикой России использовать в качестве ночных горшков коллекционные вазы стоимостью сто тысяч долларов и возрастом шестьсот лет. Так встретились два великих человека — композитор и художник...

...И снова документальный кадр, где говорит сам Дали. Художник стоит на фоне моря. Он одет в средневековый камзол, на груди изображение солнца из стекляшек, на голову нахлобучен картонный рыцарский шлем, а на столе перед ним лежит бутафорский меч.

Дали: То, что вы говорите, совершенно верно. Меня все время упрекают в том, что я постоянно изображаю из себя клоуна. Для меня это не упрек, а похвала. Чарли Чаплин известен как великий клоун, у него огромный престиж. Но Чаплин, кроме всего прочего, рисовал, как Сальвадор Дали, чем заслуживает еще большее уважение.

Аманда Лир: Гала этого терпеть не могла. Она не выносила, когда Дали выставлял себя на посмешище, строил из себя клоуна или подвергал себя опасности. Гала любила своего Дали, классического, корректного, элегантного. Она была очень сдержанная женщина, и ее раздражали все эти его выкрутасы. Гала говорила: «Если ты хочешь изображать из себя шута, делай это с Амандой, со своими “придворными”. Я предпочитаю, чтобы ты оставался корректным».

Когда Гала была с ним, наступала пора того, что он называл семейным счастьем, — очень размеренная жизнь, они только вдвоем, вместе ходят в кино. Ну, в общем, как у всех нормальных людей.

Эльдар Рязанов: Аманда, вспомните свое первое впечатление от знакомства с художником.

Аманда Лир: Ужасное. Мне Сальвадор Дали показался очень антипатичным. В то время я была манекенщицей в Париже, работала у модельера Пако Рабана. Я была высокой, эффектной девушкой. Однажды вечером после очередного показа моделей в каком-то ресторане мне представили Сальвадора Дали. Я увидела господина с огромными усами (показывает), с тростью. К тому же одет он был, мягко говоря, несимпатично. Этот господин походил на клоуна, а не на серьезного человека. Он изображал из себя короля, которого окружала «свита». Юные блондинки с косицами, выдающие себя за непорочных дев, молодые люди с сильно накрашенными глазами, которые оказывались парикмахерами, хиппующие музыканты. И все говорили: «О, Дали! Дали! Вы великолепны! О, Дали!» Это показалось мне идиотизмом.

На следующий день он позвонил мне, пригласил пообедать. И я открыла для себя совершенно другого человека. Мы встретились с Дали в полдень в ресторане. Он не был окружен своими «придворными» и вдруг оказался интересной и симпатичной личностью. Мы стали говорить о живописи, о сюрреализме, о моде. Потом он проводил меня домой. Уходя, сильно сжал мою руку и сказал: «Мы никогда больше не расстанемся». И действительно, я была его подругой целых восемнадцать лет.

Эльдар Рязанов: А как Гала, законная и любимая жена великого художника, отнеслась к вашему появлению в этом тесном кругу? И вообще к вашей дружбе с Сальвадором?

Аманда Лир: Гала понимала, что ей отведена не очень приятная роль — роль женщины, которую окружающие не любят. Дали был знаменит, все женщины Голливуда, Нью-Йорка, Мадрида, Рима хотели быть знакомыми с ним. На всех торжественных обедах рядом с Дали всегда сажали самых красивых женщин. Ей же всегда выпадала малоприятная роль жены, которая следит за происходящим. Она невольно играла роль жандарма. И когда видела разных Аманд Лир, милых, красивых блондинок, которым ее муж целовал ручки, говорил комплименты, она думала: «Ну вот, еще одна». Хорошие отношения с Гала у меня сложились позже, когда я приехала к ним в гости в Испанию.

Пьер Аржиле: Дали прекрасно знал, что у Гала были любовники. Все это знали. Она, совершенно не скрываясь, делала авансы двадцатилетним юношам, когда ей было восемьдесят. Я это видел, все это видели. Она имела мужество поступать по-своему, что редкость для старой женщины. Старая женщина всегда изображает чистоту, не правда ли? Благородную бабушку. Все женщины поступали так, но не Гала.

Она была смела в своих действиях. Она штурмовала молодых людей, альфонсов, хиппи, кого угодно. Дали это прекрасно знал. Он был умным человеком. У них был договор — каждый делает что хочет. Это было лучшее решение. Не было глупой ревности, каждый жил по-своему. Дали со своей стороны тоже был свободен. Он пользовался большим успехом у женского пола. Ему несложно было найти себе партнершу. Но есть еще один

Про Аманду Лир в прессе писали, что она трансвестит, что прежде она была мужчиной

Аманда Лир.
Актриса, певица, писательница, художница, манекенщица

«Образ Гала, – говорил Дали, – один из центральных в моем творчестве. В нем обаяние и загадочность русской души»

 нюанс. Дали утверждал, что по отношению к Гала он мазохист. Однажды я предложил ему иллюстрировать книгу Леопольда Захер-Мазоха, которая вышла в тысяча

восемьсот семидесятом году, «Венера в мехах». Эта книга была очень знаменита в то время. От имени Захер-Мазоха и произошло понятие «мазохизм». Как в свое время «садизм» от имени маркиза де Сада.

Садизм и мазохизм — два интереснейших аспекта человеческой личности. Антитезы, часто становящиеся единством. Недаром говорят — «каждый мазохист найдет своего садиста». Дали очень любил получать приказы от Гала. Он прямо извивался перед ней. Она все время его пилила, но ему это не мешало. Он принимал это, как мазохист. Итак, он сделал иллюстрации для книги «Венера в мехах». Там он изобразил себя. Видите: женщина, похожая на Гала, стегает мужчину, распластанного перед ней.

В подвале замка Вольпениль, где находится восковая фигура великого художника и мистификатора, я хотел во время телевизионного рассказа положить руку на плечо Сальвадора, но не решился… оробел…

И этот мужчина — Дали. Это очень важно для понимания их отношений.

Что думала ночами в старости бывшая романтическая русская девушка Галя Дьяконова, привыкшая к красивым стихам и поклонению? Последние двадцать лет своей жизни эта «пиковая дама» пользовалась наемной любовью всяческих «жиголо» и других юных наглецов, жадных до денег, которых у нее было навалом. А сколько вежливых и от этого еще более унизительных отказов получала она, когда пыталась «клеить» молодых людей из приличного общества. «Она мне в матери годится», — с негодованием говорил один из них.

Блуждая по коридорам и подвалам дворца Вольпениль, принадлежащего Пьеру Аржиле, я наткнулся на рабочий кабинет Сальвадора Дали. В центре стояла двухметровая восковая фигура художника, наряженная в восточный халат рубинового цвета. Лицо было, как живое. Казалось, он вот-вот заговорит. Меня не покидало ощущение легкой жути. Рассказывая о жизни художника, я хотел было положить руку ему на плечо, но какое-то боязливое чувство не позволило мне сделать этого. В центре кабинета стоял рояль, но не простой рояль. На самом деле в его внутренность была налита вода, а из боковой стенки торчал кран. При желании можно было помыть руки. На стенах висели подлинники картин Дали. Тусклое освещение, пыль, паутина, заброшенность — и в центре фигура величайшего мистификатора двадцатого столетия. Смахивало на классный триллер. В общем, впечатление незабываемое.

Кстати, когда Гала спросили, почему она предпочла известному поэту Полю Элюару неведомого Сальвадора Дали, она ответила: «Я сразу поняла, что передо мной гений». Думаю, в том, что Дали стал гением XX века, есть немалая заслуга его музы, его жены.

И опять документальный кинокадр. Дали делает вид, что рисует, сидя за мольбертом. Перед ним обнаженная Гала, спиной к художнику, в позе, очень знакомой по знаменитой картине Сальвадора. Само полотно установлено на мольберте. Дали в нарукавниках, на голове парик.

Дали *(обращаясь в объектив камеры)*: Картина, на которую вы любуетесь, — плод четырех месяцев работы, не прерываемой ничем, кроме шести минут ежедневной сиесты и двадцатиминутного купания в море каждое воскресенье.

Лицо и тело Гала можно распознать на многих картинах и книжных иллюстрациях Дали. Так, Леда на картине «Леда и Лебедь» — обнаженная Гала. Даже в некоторых изображениях Христа угадываются черты ее лица. Она стала музой художника во всех смыслах.

Аманда Лир: Дали часто говорил, что он импотент. Каковым ни в коей мере не был. На мой взгляд, это хитрость, которую он применял, чтобы соблазнять девушек. Потому что когда мужчина говорит: «Не беспокойтесь, я импотент», женщина уверена — он не станет к ней приставать. Новый метод: мнимая импотенция.

Слава Дали была тесно связана не только с его творчеством, но и с его оригинальной личностью. Он и соблазнял не так, как какой-нибудь каменщик. У Дали этому процессу предшествовало множество приготовлений. Важно было создать обстановку. Кроме того, он уважал дворянские титулы, любил аристократок. Сам-то он происходил из провинции, из мелкой буржуазии. Героинями его эротических мечтаний были королевы, принцессы, герцогини.

Редкий документальный кинокадр. Очень крупный план лица Сальвадора Дали. Видно даже не все лицо, а лишь роскошные своеобразные усы. Дали дергает их, разглаживает, опускает кончики усов вниз, снова поднимает и закручивает. Одним словом, балуется, играет, демонстрирует свою неповторимую усатость.

Эльдар Рязанов: Теперь поговорим о его диковинных огромных усах...

Аманда Лир: Его усы меня интриговали. Всегда было очень любопытно на них смотреть. Я заметила, что Дали никогда не показывался утром до тех пор, пока его усы не были готовы. Он разговаривал со мной через дверь. Не хотел, чтобы я его увидела, прятался. Он должен был покрыть свои усы воском, потом подкрасить их черным карандашом. Усы становились сине-черными, загибались вверх. Как-то, когда он меня целовал, он очень сильно прижал меня к себе, и у меня на лице остался отпечаток краски с его черных усов.

Пьер Аржиле: Один из друзей Дали сделал модель его головы, чуть больше натуральной величины, и выставил ее в Нью-Йорке. И у Дали появилась идея. В задней части модели проделали отверстия, так, чтобы они достигали уголков рта. И запихнули туда двух здоровенных крыс из нью-йоркской канализации. Получилось, что вместо усов у этой головы болтались крысиные хвосты. Это было неплохое представление для телевидения. Но нью-йоркские старые девы из Общества защиты животных стали протестовать против издевательства над крысами. Появились публикации в прессе, и Дали бросил это дело.

И снова кинокадр, запечатлевший живого Дали. Он в длинноволосом парике и в ночной пижаме. Художник обращается в объектив камеры, причем говорит о себе в третьем лице:

— С самого нежного отрочества Дали носил самые длинные волосы во всей Европе, а позднее и до сего времени — самые длинные усы. Это мой знак!

Дали, вырезающий птичку.
Порт-Лигате. 1973 г.

Дали.
Годы идут

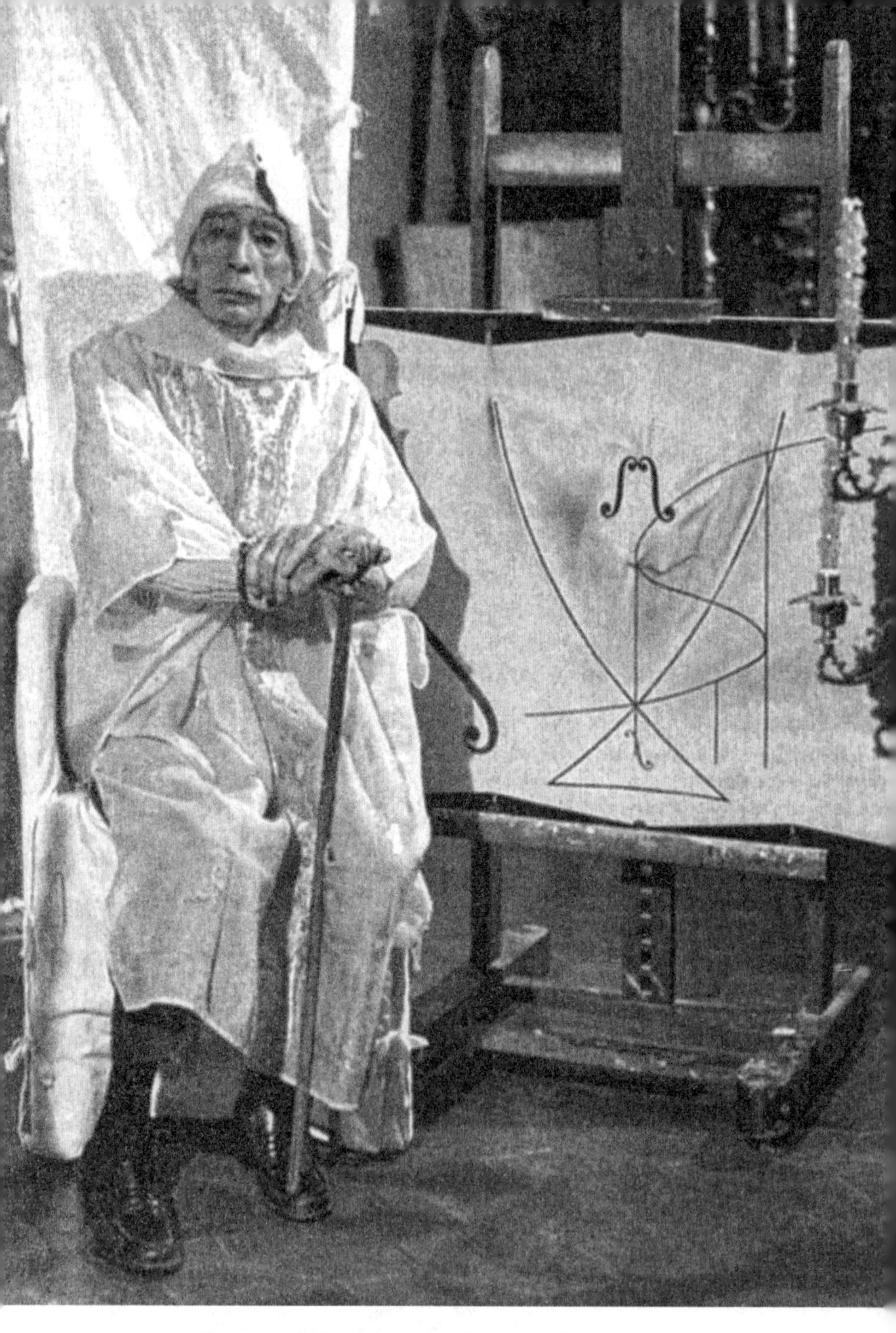

Старенький Дали перед своей последней картиной «Ласточкин хвост». Замок Пуболь. Май 1983 г.

Сальвадор эффектным жестом сдернул с головы парик и усмехнулся.

Эльдар Рязанов: Ваша книга о художнике выглядит так: фамилия автора — «Аманда Лир», а название — «Аман Дали». Это сознательная игра слов?

Аманда Лир: Да, это так, игра слов. Аманда Лир мое имя, «Аман Дали» обозначает — любовник Дали. И я специально прибегла к этому. Люди часто не понимали, каковы были на самом деле мои отношения с Дали. Был ли он моим любовником, или духовным отцом, или он просто учил меня рисовать, или он был моим гуру, или другом. Да и у меня самой не было полной ясности. Чтобы разобраться в себе, я решила написать книгу. Это как побывать у психоаналитика. В процессе создания книги я осознала, за что люблю Дали.

Эльдар Рязанов: Месье Аржиле, а как Дали относился к другим женщинам? Например, что за история у него с Амандой Лир?

Пьер Аржиле: То, как он их рисовал, великолепные рисунки женских тел говорят сами за себя. Он любил женщин. Как сам говорил, и с лица, и со спины. Дали очень тонко самовыражался. Но у него были и такие женщины, как Аманда, которые сближались с Дали для саморекламы. Аманда даже утверждала, что он собирался на ней жениться. Но это неправда. Дали очень нравилось ее присутствие. Я часто видел, как она читала ему, когда Гала не было. Но не думаю, что у них были сексуальные отношения... И большая часть того, что она о нем написала, не соответствует истине.

По книге Аманды получается, что Дали говорил невесть что, чепуху, но это не так. Он был очень глубокой, думающей личностью, человеком огромной художественной культуры.

Когда он учился живописи в Мадриде, будучи мальчиком, то работал больше всех, часами. Это был человек, любивший свое дело, в нем кипела страсть к живописи, к рисунку. Он не просто так достиг своего положения. Дали обладал огромным талантом, но при этом непрестанно трудился, чтобы развить его.

Эльдар Рязанов: Я не раз читал, что Гала и Сальвадора связывали только деловые отношения. Что о любви не могло быть и речи.

Аманда Лир: Этих двух людей объединяла очень сильная и очень глубокая любовь. Когда Гала вернулась из путешествия, Дали сказал ей: «Аманда действительно исключительная женщина, она мне очень нравится». Я подумала, что Гала будет ревновать, это естественно. Но она любила своего мужа и хотела, чтобы он был счастлив. И если для этого счастья нужна была Аманда, ну что ж, Гала могла принять Аманду. Эта женщина готова была терпеть другую, чтобы доставить мужу удовольствие.

Ну, она, конечно, тоже не оставалась внакладе, ведь Дали предоставлял ей свободу. Она много путешествовала, с ней всегда ездил какой-нибудь молодой человек. И в итоге ее это тоже устраивало. Но говорить, что их объединяли только дела, неправильно. Они очень любили друг друга. Когда Гала возвращалась из путешествий, Дали неподдельно радовался: «О, Галюшка, Галюшка!»

Эльдар Рязанов: А чем занимался Сальвадор Дали помимо мистификаций, когда Гала развлекалась с молодежью?

Пьер Аржиле: Он работал. Его это не беспокоило. Он совершенно справедливо полагал, что если она хорошо проводит время, то тем лучше и для нее, и для него. Я считаю, это самая разумная политика.

Эльдар Рязанов: Многие журналисты называли Гала хищницей, чудовищем, чумой. Якобы в раздражении она могла плюнуть человеку в лицо, загасить об него окурок. Так ли это?

Уклончивость ответа сделала бы честь любому дипломату.

Пьер Аржиле: Ну, все же иногда она бывала очень мила. Кроме того, она всегда защищала Дали от забот обыденной жизни. В бытовых вопросах Сальвадор был как ребенок. Он не мог расплатиться с таксистом, оплатить счет в гостинице. Он становился беспомощным, растерянным. Когда они возвращались в Париж после летнего сезона, они везли с собой картины и все остальное. Именно Гала занималась упаковкой и транспортировкой багажа. Да и вообще всеми домашними делами. Дали не прикасался ни к чему. Все было обеспечено. Ему не о чем было беспокоиться. Только рисовать, принимать журналистов и обдумывать свои будущие картины, рисунки. Дали очень много над ними размышлял. Однажды он вместе с издателем Фуре готовил большой книжный проект. И вот Фуре, услышав от Сальвадора, что у него все готово, попросил показать эскизы. Дали ответил: «Нет, все вот здесь, в голове». Для него, если идея была готова, воплощение ничего не стоило.

Это мне напомнило фразу великого Рене Клера, которую он произнес, закончив киносценарий: «Фильм готов, его осталось только снять».

Эльдар Рязанов: Вы ведь не только дружили с Дали, но и издавали много книг с его иллюстрациями...

Пьер Аржиле: Мы начали сотрудничать в тридцать третьем году. Идея пригласить Дали, тогда еще неизвестного художника, принадлежала мне. Первая книга, которую мы издали вместе, называлась «Волхвы». Для нее он сделал целую серию гравюр. Затем мы выпустили стихи Мао Цзэдуна. Далее обратились к творчеству Гийома Аполлинера, — это тоже поэзия. А после Аполлинера издали «Фауста». На мой взгляд, это одна из лучших иллюстративных работ Дали. Мы издали его на французском и немецком. Вот немецкое издание. Портрет Маргариты. Эта гравюра весьма знаменита в Германии.

Эльдар Рязанов: Дали был одним из самых высокооплачиваемых художников двадцатого столетия. И при этом, говорят, он всегда ходил без копейки денег, не имел даже карманной мелочи. Деньги забирала себе Гала. Так ли это?

Пьер Аржиле: Я сам, как и многие другие, могу подтвердить, что Дали никогда не имел при себе ни гроша. Гала забирала все, что он зарабатывал. Все расплачивались только с ней. Причем она хотела, чтобы как можно больше денег платили наличными и как можно меньше чеками. Костюмы Дали были всегда потертыми на локтях и воротнике. Ему нечего было надеть. Представляете, человек, который зарабатывал так много, не имел даже приличного нового костюма!

Аманда Лир: Дали вообще не умел обращаться с деньгами. Ведь все долларовые банкноты одинаковы по размеру и по цвету — один доллар, десять, сто... А Дали из тщеславия никогда не носил очки, и когда надо было платить, отдавал доллары без разбора. И Гала сказала: «Все, я больше тебе не дам ни цента. Все деньги впредь будут у меня. Твое дело только подписывать чеки». Она была кассиром в семье. Когда мне нужно было оплатить гостиницу или авиабилет, именно Гала давала мне наличность. Не знаю, все ли русские женщины таковы, но она была действительно исключительной женщиной.

Кадр кинохроники. Дали, одетый в белый морской китель, на фоне медвежьего чучела, вещает о себе в третьем лице:

— Деньги! Сальвадор Дали уважает их больше всего на свете.

Аманда Лир: Их последние годы перед смертью были ужасно драматичны. У Гала были больные легкие, а Сальвадора Дали поразила болезнь Паркинсона, и он не мог рисовать — у него тряслись руки. Незадолго до смерти Гала мне позвонила и сказала: «Боже, как я несчастна, как я страдаю, как печальна наша жизнь на закате. Как жаль так грустно окончить свои дни». Она скончалась раньше Дали. С того момента он никого не хотел больше видеть. В день смерти Гала он уединился там, где она жила, в замке Пуболь, и отказался принимать всех своих друзей. Добровольно заточил себя до конца своих дней.

Эльдар Рязанов: Вам так и не удалось больше увидеть его?

Аманда Лир: Я видела его за два года до его кончины. По пути в Барселону я заехала в замок Пуболь и сказала Артуро, преданному слуге Дали, что хотела бы повидаться с маэстро. Художник согласился меня принять, но только так, чтобы я его не видела. Он гордился своей внешностью, считал себя очень привлекательным и соблазнительным. И не хотел показываться мне больным, похудевшим, ослабевшим. Он сказал: «Я приму Аманду в темноте». Мы встретились в темной комнате, где можно было различить только силуэт и угадать, что Дали сильно похудел, стал совсем маленьким. Последний раз мы увиделись воочию. Это было очень грустно. Дали смотрел на меня и говорил: «Вы подстриглись. Как жаль. Мне нравились длинные волосы. Чем вы занимаетесь? Вы все еще поете?» Это была прощальная встреча. Я знала, что все кончено, что никогда больше его не увижу. И когда уезжала, я была очень сильно взволнована.

Но как ни таился Дали от посторонних глаз, пронырливые папарацци сумели снять его, когда больного художника везли в больницу. В огромном лимузине рядом с медицинской сестрой полулежал маленький сморщенный старичок, кожа обтягивала его похудевшее лицо, у него были печальные бессмысленные глаза. А потом репортеры сняли его в коридоре больницы и в палате, где у него из носа торчала какая-то медицинская трубка.

Было ощущение, что он уже ничего не понимает. Ни того, где он, ни того, что с ним происходит. От былого величия, бравады, сознания собственной значительности не осталось ничего. При мысли о том, что может жизнь сделать с великолепным человеческим экземпляром, возникало чувство горечи, бессилия и жалости...

Вот и закончился мой рассказ о грешной, очень грешной музе двух гениев — великого француза Поля Элюара и великого испанца Сальвадора Дали. Но кто из вас не грешен, дорогие мои читатели, бросьте в нее камень. Если сможете добросить. Эти люди окружали себя легендами, мифами, недосказанностью, слухами, розыгрышами, вымыслами. Я думаю, именно поэтому их близкие противоречат друг другу, говорят порой совершенно разные вещи. Но подобное, вероятно, входило в задачу наших героев. И пусть они остаются в странном мире тайн, загадок, мистификаций, сплетен, домыслов, ибо когда все известно, становится скучно. Как хорошо, что мы чего-то не знаем...

Эльза Триоле: «Наши книги придут к нам на помощь...»

«Родная моя Лиличка, дом куплен!!!!!!!!!!!!!! Последнее время мы ничем другим не занимались, рыскали по окрестностям Парижа, не вылезали из машины, изнервничались до последней степени... Отрицательная сторона дела: мы влезли в долги по горло. Положительная: Арагоша ожил, счастлив безмерно, горд, с утра до вечера мечтает и молит меня, чтобы я раз в жизни без экономии покупала для моего "кабинета" все, что мне нравится. Надеется, что красота письменного стола заставит меня снова писать... Это мельница... В полном порядке, с необходимой мебелью. Четыре с половиной гектара земли, леса. Речка уходит под мельницу. Колесо снято, под галереей-комнатой стена с круглым окном, за которым льется водопадом вода — фантастика! Вечером освещается, а когда надоедает, можно остановить, открыв шлюзы и отведя воду в сторону наружного водопада. Жилые комнаты на втором этаже... Место редкостное по невероятности, красоте. Парк — просто лесной участок...»

Это отрывок из письма Эльзы Триоле в Москву сестре Лиле Брик от 25 июля 1951 года. Осенью 1994 года здесь, на мельнице в Сент-Арну-ан-Ивелин, состоялось торжественное открытие музея и литературного центра Луи Арагона и Эльзы Триоле. Такова была их воля, изложенная в завещании. Это случилось через двадцать четыре года после смерти Эльзы и двенадцать лет спустя после кончины Арагона, случилось, несмотря на смены правительств с разными идеологическими установками, несмотря на отсутствие средств, несмотря на отсутствие детей, которые могли бы быть «толкачами» в этом деле. На открытие приехало около тысячи парижан — как говорится, цвет интеллигенции: писатели, журналисты, члены правительства, художники, композиторы, кинематографисты, политические деятели. На лужайках поставили палатки со столами для угощения. Ухоженный парк, с мостиками через маленькую речку или большой ручей и с клумбами ярких осенних цветов, был полон людьми. Многие были знакомы друг с другом. Наша съемочная группа — мы оказались единственными представителями России — работала в тот период над телевизионной передачей об Эльзе Триоле. Почти все интервью были взяты именно здесь и именно в этот день. Я вел свой рассказ, снуя в толпе, бродя по парку и обращаясь иногда с вопросами к кому-либо из присутствующих на празднике...

Эля Каган, дочка адвоката, специалиста по еврейским делам и авторским правам, родная младшая сестра Лили Юрьевны Брик, родилась в 1896 году. Семья была интеллигентная; дома музицировали, обсуждали новые книги, посещали театры. Мать прекрасно играла на рояле. Дом гостеприимный, открытый. Девочки росли в нежной, тепличной атмосфере.

Старшая сестра была очаровательна, за ней ухаживали, ей поклонялись, ее как-то сразу заприметили мужчины. Все это происходило на глазах Эли, которая была еще девчонкой. В таких случаях на детей не очень-то обращают внимание, а они все замечают и впитывают.

Кстати, имя Эльза появилось позже, она сама стала себя так называть после отъезда за границу.

Вероятно, пример старшей сестры был заразителен. И младшая тоже не осталась равнодушной к мужскому полу. Несмотря на возникавшее иногда чувство соперничества, сестры нежно и горячо любили друг друга. Всю жизнь они переписывались, когда были в разлуке, поддерживали одна другую не только морально, но и материально: в трудные послевоенные годы в Париж отправлялись продукты, а в Москву — разные шмотки. Собранная В.В.Катаняном и изданная только что переписка сестер необыкновенно интересна и поучительна. Она в первую

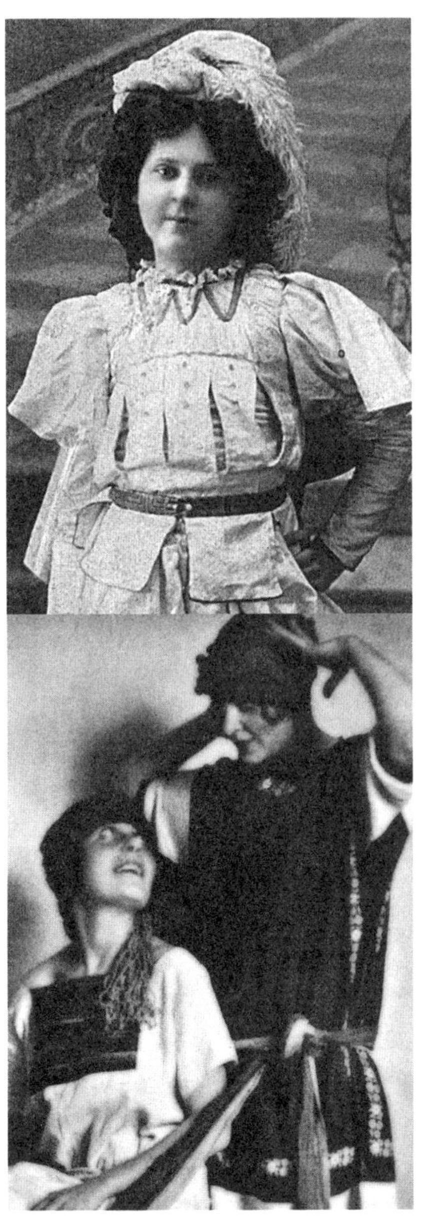

Костюм пажа очень шел маленькой Эле

Сестры – Лиля и Эльза – примеряют наряды от Ламановой

очередь рассказывает о сестринской любви и нежности.

То, что Лиля стала спутницей, музой, советчицей великого русского поэта Владимира Маяковского, сильно повлияло на Эльзу. Надо сказать, что Маяковского ввела в родной дом именно Эльза. Она была влюблена в него по уши, у них был роман. Думается, от этой юношеской любви она не могла избавиться до самой смерти. Но когда Маяковский увидел впервые Лилю, то забыл о младшей сестренке, обо всем. Началась ураганная любовь. Он, как писала потом Лиля Юрьевна, «напал на нее»... Так случилось, что старшая сестра стала счастливой соперницей младшей. Что испытывала в это время Эльза? По ее автобиографической повести «Земляничка» можно восстановить настроение шестнадцатилетней девушки. Рефрен книги: «Никто меня не любит»... «Я очень повзрослела за это лето. Ушел мой

шестнадцатый год — говорят, самый лучший. Смотрю я, у всех есть пара, только у меня ее нет. Я никому не нужна и даже в большой компании всегда бываю одна!!»

На самом деле это не так. Ухажеров немало, но они не заинтересовывают девушку.

Когда на одном из вечеров у Бриков в 1916 году Василий Каменский, молодой поэт, сделал предложение Эльзе, она отказала, заявив: «Кто же в двадцать лет выходит замуж?»

Не стану пересказывать события революционного 1917 года. Пал царизм,

Эльза на Таити с первым мужем Андре Триоле – богатым, элегантным, любителем женщин и лошадей

Портрет Эльзы работы Анри Матисса

к власти пришли «крутые». Темная муть поднялась из глубин народа. Начинался хаос, террор, расправы. В студеную зиму 1918 года Эльза знакомится с сотрудником Французской миссии Андре Триоле. Аполитичный, богатый, элегантно одетый, любитель женщин и лошадей, он быстро понял, что комфортно жить в охваченной ненавистью и огнем стране не удастся. И здесь ему подворачивается молодая хорошенькая барышня. Он делает ей предложение — выйти за него замуж и уехать. Эльза отвечает согласием. Молодожены уехали из России, но не в Европу, а на далекий экзотический остров Таити, где некоторые старые люди еще помнили Поля Гогена.

Оттуда Эльза пишет в Россию и, в частности, одному из своих бывших ухажеров-отказников Виктору Шкловскому. Эти письма живо рисуют пейзажи, нравы и жизнь тропического острова. Одно из ее писем Шкловский показал Алексею Максимовичу Горькому. Тот отметил, что автор обладает литературным стилем и наблюдательностью. И посоветовал, чтобы Эльза написала книгу.

Она еще раз прислала Шкловскому какие-то свои наброски, и Горький еще раз передал ей свои советы, как следует писать. В общем, Алексей Максимович в какой-то степени стал ее заочным учителем.

Ее первая книга-роман «На Таити» была издана в России в 20-х годах.

Однако семейная жизнь не заладилась. Муж не интересуется ничем, кроме скачек и лошадей. Он заводит романы налево и направо. И Эльза разрывает этот брак. Андре Триоле, сын богатых родителей, оказывается добрым человеком и отваливает бывшей жене приличную сумму, чтобы ей было некоторое время на что жить. В Советскую Россию Эльза Триоле возвращаться не намерена. Она перебирается в Лондон, под мамино крылышко — Елена Юрьевна Каган работала тогда в советской торговой фирме «Аркос». Потом Эльза оседает в Париже.

Она поселилась в маленькой гостинице «Истрия», которая сохранилась до сих пор и мимо которой наша телевизионная группа не прошла. Кое-что из жизни Триоле я рассказывал около этого отеля, расположенного на улице Кампань-Премьер и увешанного множеством мемориальных досок, напоминающих о великих постояльцах. Среди них, разумеется, был упомянут и Маяковский. Здесь же всегда останавливалась и Лиля Брик, когда наведывалась в Париж. Эльза Триоле в Париже была всегда для Маяковского своеобразной «палочкой-выручалочкой». Когда он приезжал, то не отходил от нее. Она была и гидом, и переводчицей, и другом, и помощником. И Эльза тоже при нем как-то расцветала.

Париж 20-х годов был наводнен русскими. В кино, живописи, в литературе, балете мелькало множество русских имен. Выходцы из России вели богемный образ жизни, ютились в мансардах, без денег. Роль монпарнасских кафе в судьбе русской эмиграции огромна. Здесь встречались писатели, художники, поэты, обсуждали новости, ждали падения большевистского режима, работали. Возникали жаркие дискуссии, споры. Кстати, Илье Эренбургу направляли письма, скажем, с таким адресом: «Кафе “Куполь”, самому непричесанному господину». И письма, как ни парадоксально, доходили. Несколько кафе были расположены близко друг от друга: «Ротонда», «Селект», «Куполь» и «Клозери де Лила». Здесь проводили много, очень много времени.

Процитирую Илью Эренбурга, который, сидя в кафе, писал свои книги: «Внешне “Ротонда” выглядела достаточно живописно: и смесь племен, и голод, и споры, и отверженность (признание современников пришло, как всегда, с опозданием)... Поражала прежде всего пестрота типов, языков — не то павильон международной выставки, не то черновая репетиция предстоящих в будущем конгрессов мира»... Вот только несколько фамилий из длиннющего списка, который приводит Эренбург:

Эльза Триоле, Луи Арагон и Надя Леже

Два трудоголика отдыхают в своем саду, окружающем мельницу в Сент-Арну-ан-Ивелин

Аполлинер, Кокто, Леже, Вламинк, Пикассо, Модильяни, Диего Ривера, Шагал, Сутин, Ларионов, Гончарова, Архипенко, Цадкин...

Эльза влилась в этот мир, но она не удовлетворена той жизнью, которую ведет. В «Незваных гостях» она пишет о «...несчастьи людей, которые живут не там, где они родились... не иметь корней... быть срезанным растением... это всегда заведомо подозрительно, как татуировка на теле человека, у которого неприятности с полицией».

Случайные любовные связи, которые, вероятно, были у нее, как у любой молодой женщины, не удовлетворяли ее честолюбия. Книжки ее, изданные в Москве, большого успеха не имели. И тут наконец происходит событие, которое предопределило всю ее дальнейшую жизнь: в кафе «Куполь» она увидела Луи Арагона, молодого, красивого, элегантного. Арагон в это время был опален неудачной любовью. У него был роман с Нанси Кюнар, дочерью богатейшего человека. Арагон ездил за ней по всему свету. Нанси сорила деньгами, прожигала жизнь, кутила. И в конечном итоге предпочла Арагону какого-то негритянского джазиста. Именно в этот момент он встречается с Эльзой. Вскоре начнется новая жизнь, как для нее, так и для него. Эльза навела о нем справки и узнала, что он — незаконный сын французского аристократа и уже довольно известный поэт-сюрреалист. В следующий раз она увидела его в кафе «Клозери де Лила». И здесь произошло знакомство.

Добросовестность нашей съемочной группы не имеет границ. Разумеется, рассказ об их знакомстве ведется из кафе «Клозери де Лила».

За каким из этих столиков произошло судьбоносное событие, к сожалению, мы сейчас не знаем. Но вот как лихо описывает эту встречу французский журналист и писатель Гонзаго де Сен-Бри, один из авторов книги о русских музах художников и писателей Франции:

«Эльза Триоле в Париже. В ее жизни нет мужчины. У нее нет денег, у нее нет друзей. Она одинока и живет в маленькой комнатке в гостинице “Истрия” на улице Кампань-Премьер. Она в отчаянии, она только что развелась с французом Триоле (на самом деле семь лет назад. — *Э.Р.*), она хочет покончить с собой. Однажды она идет в “Куполь”. И там видит великолепного мужчину: шляпа заломлена назад, трость с драгоценным набалдашником, плащ, накинутый на плечи. Она спрашивает: “Кто это такой?” Ей говорят: “Это Арагон — поэт”. Два дня спустя она снова встречает его в “Клозери де Лила”. Тогда она решается спросить: “С кем он?” Ей отвечают: “Вон с той хорошенькой длинноволосой брюнеткой”. (Очевидно, брюнетка сидит в стороне, не рядом с Арагоном. — *Э.Р.*) Она садится напротив этой девушки и говорит: “Ну что? Ты спишь с Арагоном?” Несколько удивленная (еще бы! — *Э.Р.*) девушка отвечает: “Да, он хороший любовник. (О, откровенность француженок! — *Э.Р.*) Но главное, с ним я узнаю много нового. Он интереснейший человек”. Эльза спрашивает ее: “У тебя есть другие мужчины в Париже?” Та отвечает: “Париж — прекрасный город, тут полно мужчин”. Тогда Эльза пристально смотрит своими пронзительными глазами на девушку и говорит: “Для тебя он ничего не значит. Для меня он все! Уходи!” (Здорово, знай наших! — *Э.Р.*) Она подходит к Арагону и крепко целует его в губы. Это поцелуй навеки!»

Сия крутая версия была рассказана с убежденностью и пафосом очевидца.

Перенесемся снова на мельницу в Сент-Арну-ан-Ивелин и побеседуем с писательницей Лили Марку, которая посвятила три года жизни изучению биографии Эльзы Триоле и только что выпустила о ней книгу. Мы уединились в кабинете Эльзы, ибо на лужайке шумела большая толпа гостей. Праздник открытия музея продолжается.

Лили Марку: Конечно, она не стала сразу его целовать. Вы знаете, они сами всегда рассказывали об этой встрече с волнением. И даже сами создали некую легенду о том, как это случилось. Не думаю, что тогда они воспринимали эту встречу как нечто важное и окончательное.

Я не считаю Эльзу авантюристкой. Эта женщина оторвалась от родины и еще не прижилась во Франции. У нее был неудачный первый брак. Она всегда чувствовала себя несчастной, бедной и одинокой. Хотя очень много мужчин были в нее влюблены и просили ее руки. Роман Якобсон, Виктор Шкловский, может быть, и другие. Я знала от дочери лучшей подруги Эльзы, которая живет в Москве, что Эльза всегда говорила: «Я хочу выйти замуж за француза, поэта и красавца». Таковы были ее девичьи мечты.

Арагон был поэтом, правда, он не был еще знаменит, но уже написал несколько значительных произведений. Он был очень красив и был французом. Конечно, человеком, которого она любила больше всех, был Маяковский. И, потеряв его, она эмигрировала. Я уверена, что она покинула родину, которую так любила, не из-за революции, а потому, что ее сестра отняла у нее Маяковского.

Она любила его до самой смерти. Что не мешало ей любить и Арагона. Но поскольку она потеряла Маяковского, ей никто не был нужен, кроме французского поэта-красавца. Такого же красивого, как Маяковский. Хотя Арагон и не был на него похож. Но был по-своему очень красив.

В вечер знакомства 6 ноября 1928 года, после ужина, галантный Арагон проводил Эльзу в отель «Истрия»...

А наутро влюбленные Эльза и Луи, спускаясь к завтраку, столкнулись лицом к лицу с Маяковским. Он только приехал и остановился, как обычно, в знакомой гостинице. Так произошла первая встреча двух великих поэтов России и Франции. Я уже упомянул о мемориальных досках около входа в «Истрию». На одной из них выбиты строчки из поэмы Арагона:

«Все изменилось для меня, когда ты появилась в гостинице “Истрия” на улице Кампань-Премьер. Это было в 28-м году в полуденный час. С тех пор для меня не существует Париж без Эльзы...»

Лили Марку: Я думаю, что присутствие Маяковского в Париже и то, что он был «зятем» Эльзы, сильно повлияло на начало их любви. Это завораживало Арагона. Сейчас забыли, что представлял из себя Маяковский для поэтов-сюрреалистов во Франции.

Кроме того, Арагон в молодости вел довольно беспорядочную жизнь: богема, вино, много женщин. А Эльза прекрасно представляла, что такое работа и дисциплина. Она ввела эти понятия в жизнь их семьи. Это оказалось очень трудно, особенно вначале. Они часто были на грани развода.

Я всегда акцентирую внимание на огромной роли Эльзы, которая смогла упорядочить жизнь этого гения. И в интеллектуальном, и в духовном плане. Эльза просто спасла его. Их друзья говорили мне, что без нее он бы покончил жизнь самоубийством. Как и многие другие сюрреалисты.

Эльдар Рязанов: Арагон не сразу начал писать любовную лирику, посвященную жене. Роман начался в двадцать восьмом году, а писать любовные стихи, посвященные Эльзе, он начал в сороковом. Во время войны родилась поэма «Глаза Эльзы». Это нетипично для поэта. Обычно стихи возникают в начале, на старте любви.

«Ты в ноябре пришла и вдруг исчезла боль», — писал влюбленный стихотворец.

А в поэме «Неоконченный роман», которая написана, кстати, в пятьдесят шестом году, то есть они уже прожили двадцать восемь лет вместе и Эльзе уже шестьдесят, вдруг пишутся такие строчки:

Ты подняла меня, как камешек на пляже,
Бессмысленный предмет, к чему — никто не скажет.
Как водоросль на морском прибое,

Что, изломав, земле вернуло море,
Как за окном туман, что просит о приюте,
Как беспорядок в утренней каюте,
Объедки после пира в час рассвета,
С подножки пассажир, что без билета.
Ручей, что с поля зря увел плохой хозяин,
Как звери в свете фар, ударившем в глаза им,
Как сторожа ночные утром хмурым,
Как бесконечный сон в тяжелом мраке тюрем,
Смятенье птицы, бьющейся о стены,
След от кольца на пальце в день измены...

Лили Марку: Эльза и Арагон жили очень бедно в первые годы своей жизни. Те несколько произведений Арагона, которые были опубликованы, не могли принести много денег. Чтобы несколько облегчить положение семьи, Эльза изготовляла свои знаменитые бусы. Теперь их можно увидеть в некоторых музеях. Эти бусы пользовались успехом. Архитектор по образованию, Эльза прекрасно рисовала и обладала тонким вкусом.

Самое забавное, что продавать бусы ходил Арагон, к тому времени уже довольно известный писатель. Рано утром он выходил из дома и нес эти бусы оптовикам в бутики высокой моды, где все его презирали и называли «Триоле».

Эльдар Рязанов: Лили, а как вы оцениваете упреки и обвинения, что именно Эльза втянула Арагона в коммунистическое движение, втащила его в компартию, что благодаря ей он стал признанным поэтом французских коммунистов? А сама при этом оставалась в тени и в компартию не вступила...

Лили Марку: Арагон стал коммунистом в двадцать седьмом, то есть за год до знакомства с Эльзой. Но тогда это еще не стало его окончательным выбором. Он целиком посвящает себя партии с тридцать второго года, когда выходит из группы сюрреалистов и уезжает на год в Москву, чтобы работать в Коминтерне.

Арагон впервые приехал в Россию уже после самоубийства Маяковского и стремился поддержать Лилю в ее горе. Он был незаконнорожденным, а тут попал в русскую семью. Вы представляете, что это для него значило? В этом кругу была особая атмосфера. Для друзей Лили и ее тогдашнего мужа Виталия Примакова революция являлась смыслом жизни.

Ведь и сам Маяковский говорил: «Это моя революция!» Революционная атмосфера захватила Арагона, и он окончательно примкнул к коммунистам.

Эльдар Рязанов: А как Арагон относился к Эльзе как к французской писательнице? Высоко ли он ставил ее произведения? Помогал ли ей, правил ли рукописи, подсказывал ли темы? Или она была совершенно самостоятельна?

Лили Марку: Эльза посвятила совершенствованию своего французского литературного языка десять лет. Арагон даже не знал, что его жена пытается писать по-французски. Она сохранила полную тайну. Когда Эльза показала ему рукопись своей первой книги на французском, Арагон был восхищен.

Книга ему действительно очень понравилась. Известно, какую ревность испытывают друг к другу супруги-писатели. Вечные споры о том, кто и когда будет творить. Ведь невозможно писать одновременно. Арагон всегда был выше этого, наоборот, он всячески поощрял Эльзу, всегда внимательно читал ее рукописи, иногда даже правил их. Он всегда держал руку на пульсе ее творчества.

Первая ее книга на французском, «Добрый вечер, Тереза», — сборник рассказов. Сначала Эльза не решалась взяться за роман. Затем она написала свои воспоминания о Маяковском. Ее отношение к этому произведению было очень трогательным, она неоднократно подчеркивала, что это не просто очередная книга. Публикация воспоминаний имела для нее огромное значение. И личное в том числе...

В 1940 году немецкие войска вторглись во Францию. Арагона на следующий же день призвали в армию. Он сразу попросился на фронт и попал в танковую дивизию. За Эльзой следили шпики, в их квартире проводились обыски. Арагон отступал вместе с дивизией, через Дюнкерк попал в Англию, потом через Брест вернулся на французский берег.

В конце июня 1940 года Эльза и Арагон буквально чудом нашли друг друга в так называемой Zone libre (свободной зоне). То есть в той части Франции, которая не была оккупирована фашистами.

Эльза в письме Лиле Брик пишет (уже после войны): «Жили мы тогда еще легально, Арагошу было неловко сажать, т.к. с фронта он вернулся героем, весь в орденах, а героев тогда было мало...»

На нелегальное положение они перешли в ноябре 42-го, когда итальянские фашистские войска оккупировали Ниццу. Арагонов переправили через демаркационную линию. Тут их схватили немцы и посадили. Конечно, им очень повезло — немцы их не опознали: ведь Эльза — еврейка, а Арагон — коммунист. Смерть была рядом. Но Эльзу и Арагона продержали десять дней как бы для острастки. Потом выпустили. Движение Сопротивления подыскало им домик в деревне, откуда они два–три раза в месяц выезжали в Париж, Лион, в другие города. Арагон выпускал нелегальную газету «Les Etoiles» и основал подпольное издательство «Французская библиотека». Эльза помогала Арагону и написала несколько книг. Военное время стало для нее мощной писательской школой. Она выпустила сборник рассказов «Тысяча сожалений», роман «Конь белый» и повесть «Авиньонские любовники». В самом конце войны вышел еще один сборник новелл, озаглавленный: «За порчу сукна — штраф двести франков». Эта фраза, взятая из объявлений, висевших во французских бильярдных, служила паролем для соратников де Голля. Произнесенная по радио, она означала, что высадка союзников началась и голлисты должны переходить к активным выступлениям. Вот что Эльза сообщала в письме сестре:

«Если б не писанье, я бы, кажется, руки на себя наложила, так временами бывало трудно и тяжело. Я очень пристрастилась к этому делу, оно заменяет мне друзей, молодость и много чего другого, чего не хватает в жизни... Арагоша стал совсем знаменитым, за эти годы вышло два романа и несколько томов стихов (легально и нелегально). Партизаны его чтут и любят, только его стихи и читают, публика своя и чужая принимает, как принимали Володю. Пишет он все лучше и лучше...»

Жили голодно, вылазки из деревни были опасными, но больше Арагоны в руки фашистам не попадались. Они вернулись в освобожденный Париж 25 сентября 1944 года. За годы, что их не было, несколько обысков провели гестаповцы, да и французская полиция тоже наведывалась регулярно. Дом был разгромлен, но они были счастливы, что кончается война, что они снова дома.

А 3 июля 1945 года Эльза получила Гонкуровскую премию за книгу «За порчу сукна — штраф двести франков». Это было полное безоговорочное признание ее как французской писательницы.

«Сегодня во всех без исключения газетах моя физиономия на первой странице и столько цветов, что ни встать, ни сесть...» — тоже из письма Лиле Юрьевне.

Начались мирная жизнь. Случались и поездки в Москву. Сестры наконец получили возможность видеться. Эльза живет активной литературной жизнью. Сочиняет прозу на французском, переводит с русского, участвует в написании сценария для постановки совместного фильма «Нормандия – Неман». Ее соавторами стали Константин Симонов и Шарль Спаак, режиссером фильма был Жан Древиль. Это сценарий о дружбе французских и советских летчиков во время войны, о французской эскадрилье, которая воевала против немцев на советской территории.

Эльза награждена престижнейшей
Гонкуровской премией в области литературы за книгу
«За порчу сукна – штраф двести франков»

Лили Марку: На протяжении всей своей жизни Эльза стремилась как можно глубже познакомить Францию с Маяковским. Рассказать еще и еще раз о своей молодости, о своей дружбе с великим поэтом.

Эльдар Рязанов: Эльза очень много сделала как переводчик. Она переводила пьесы Чехова, составила антологию русской поэзии от Пушкина до Вознесенского. Это был титанический труд, ведь она очень многих поэтов привлекала к переводам.

Лили Марку: Да, она занималась переводами до самой смерти. Она стремилась донести до французов великую русскую культуру.

Эльдар Рязанов: А как они переживали разочарования в коммунистических идеях? После пятьдесят шестого года, когда были опубликованы материалы о злодеяниях Сталина? После вторжения советских войск в Чехословакию? Я знаю, что Эльза писала сестре: «...мы не были фальшивомонетчиками, но мы, сами того не подозревая, распространяли фальшивые монеты...»

Лили Марку: В пятьдесят втором году они в Москве. И там испытывают шок. Это дело врачей, антисемитизм. Тогда у Арагона случается первый сердечный приступ. Думаю, не из-за больного сердца, а потому, что он понимает, что всю жизнь поддерживал страшный и лицемерный режим.

Тогда, с зимы пятьдесят второго — пятьдесят третьего года, он начинает критиковать советские порядки, еще до смерти Сталина. И все-таки до своей последней минуты Арагон остается коммунистом, членом Центрального Комитета Французской Компартии. В то же время, насколько позволяли силы, — ведь он был уже и стар, и болен, — он протестует против преследований Шостаковича, Солженицына, способствует освобождению кинорежиссера Параджанова, делает все, что в его силах.

Но ничто не отвратило его от выбора, сделанного в двадцать седьмом году. В то время как Эльза полностью отреклась от коммунизма. Впрочем, она никогда и не была членом компартии, ни советской, ни французской.

Когда Арагон резко осудил советское вторжение в Чехословакию, он понимал, что в Советском Союзе у него заложники — Лиля Брик и ее муж Василий Абгарович Катанян. Но Лиля Брик написала Арагону, развязывая тем самым ему руки:

«Арагошенька! Прошу тебя совсем не думать о нас (мы уже старые), о том, что твои высказывания могут отразиться на нас. Делай ВСЕ так, как ты считаешь нужным. Мы этому будем только рады. Все мы достаточно долго были идиотами. Хватит!..»

(письмо от 7 ноября 1968 года)

В 60-х годах в Советском Союзе началась по распоряжению главного идеолога страны Суслова травля Лили Брик. Маяковского «очищали» от еврейского окружения Бриков. В прессе появлялись лживые статьи, фальсифицированные фотографии, из сочинений Маяковского убирались посвящения Лиле Брик. Все напоминало известный исторический анекдот про Сталина и Крупскую. Сталин был недоволен самостоятельными высказываниями Надежды Константиновны Крупской и, встретив ее в коридоре, сказал: «Если вы и впредь будете вести себя так же, мы подыщем Ленину другую вдову!» И Крупская больше не открывала рта. Так и Маяковскому подыскали другую «музу» — Татьяну Яковлеву... Арагоны тяжело переживали гонения на близких, лишний раз убеждаясь в чудовищной сути советского строя...

Лили Марку: Эльзу и Арагона очень огорчало то, как поступали с памятью Лили. Вырезали ее из фотографий, убирали посвящения ей. Арагон говорил: «Я не хочу, чтобы такое произошло во Франции с Эльзой». Он всегда думал, что умрет первым. Именно поэтому они создали совместное сорокадвухтомное (!) собрание сочинений. Во многом из-за того, что произошло в России с Лилей и Маяковским...

На празднике открытия музея присутствовала и Эдмонда Шарль Ру — легендарная женщина, участница Французского сопротивления.

Эдмонда Шарль Ру: Необычное желание соединить в одном собрании сочинений произведения двух разных писателей лучше всего можно объяснить словами самой Эльзы, начертанными на ее могиле: «Наши книги не позволят разлучить нас после смерти».

Эльдар Рязанов: Я знаю, что вы были другом Эльзы и Арагона и сделали немало, чтобы открылся этот музей, этот литературный центр. Я поздравляю вас и всех почитателей литературы и поэзии с радостным событием, которое происходит сегодня.

Эдмонда Шарль Ру: Благодарю. В честь открытия этого музея во Франции провозглашены дни поэзии. Но я была не одинока во время осуществления этого проекта. Целая группа друзей Арагона начала работать над ним сразу после смерти поэта. Надо сказать, что мы встретили понимание со стороны правительства, будь то правые или левые, которые сменяли друг друга в течение всего этого времени.

Эльдар Рязанов: Арагон и Триоле не принадлежат какой-либо партии, они принадлежат Франции.

Эдмонда Шарль Ру: А Эльза в первую очередь принадлежит России. Она была русской и никогда об этом не забывала. Достаточно посмотреть на ее комнату, где на стенах развешаны русские гравюры, на огромное количество русских книг. Она была русской до глубины души.

Эльдар Рязанов: И при этом смогла стать французской писательницей?

Эдмонда Шарль Ру: Да, да, и это чудо! Она была совершенно самостоятельным писателем, Арагон ее не вытягивал. У нее была своя огромная аудитория. Я присутствовала при том, как Эльза подписывала свои книги многочисленным почитателям. Она входила в число наиболее издаваемых и продаваемых французских писателей.

Эльдар Рязанов: Скажите, на творчество Арагона Эльза как-то влияла своими сочинениями, своими мыслями, идеями?

Эдмонда Шарль Ру: Арагон всегда подчеркивал, что Эльза больше влияла на него, чем он на Эльзу. Мне кажется, их совместное сорокадвухтомное собрание сочинений говорит об их огромной творческой близости.

Арагон еще до войны выучил трудный русский язык из ревности. Ему не нравилось, когда с его женой, его возлюбленной, говорили о чем-то, а он этого не понимал. Он выучил язык в два месяца. Это говорит и о силе его любви, и о ревнивом характере.

Эльза Триоле и Арагон были, конечно, уникальным явлением как супружеская пара. Они прошли рука об руку всю свою жизнь. Они были товарищами, друзьями, единомышленниками, литературными соратниками, просто любовниками, мужем и женой. Подобное сочетание встречается крайне редко. Всемирно известной стала поэма Арагона, написанная в 1942 году во время Сопротивления, которая называется «Глаза Эльзы». Здесь любовная лирика сплелась с патриотизмом, с борьбой против фашизма. Популярность этой поэмы была такова, что появились даже духи «Глаза Эльзы».

Если мир сметет кровавая гроза
И люди вновь зажгут костры в потемках синих,
Мне будет маяком сиять в морских пустынях
Твой, Эльза, дивный взор, твои, мой друг, глаза...

Почти полвека вместе

Лили Марку: Доказательством огромной роли Эльзы в жизни Арагона является то, что произошло после ее смерти в семидесятом году. Арагон вернулся к тому образу жизни, который он вел во времена своего увлечения сюрреализмом. Хотя, конечно, он никогда не забывал ни Эльзу, ни Лилю, ни Маяковского, ни Москву. Просто он был очень несчастлив после смерти жены и, чтобы отвлечься от этого горя, чтобы не покончить с собой, вернулся к образу жизни своей молодости.

И действительно, Арагон, если можно так выразиться, пустился во все тяжкие. Сдерживающего его бурную натуру человека не стало. Он устраивал загулы, в его жизни появились мальчики, он к концу жизни сменил сексуальную ориентацию. Лишенный опоры в лице Эльзы, ужаснувшийся тому, что всю жизнь поддерживал «империю зла», он записал грустные признания в «Вальсе прощания» в 1972 году:

«Конец конца моей жизни. И пусть не напевают мне, как была она великолепна, пусть не полощут меня в лохани моей легенды. Моя жизнь — страшная игра, в которой я проиграл. Я испортил ее с начала до конца».

Один из его «мальчиков» — Жан Риста, ставший его литературным секретарем, получил после смерти Арагона в наследство все: и квартиру на улице Варрен в Париже, и мельницу, и бесценные живописные полотна, и семейные драгоценности Эльзы, которые ей дарила Лиля, и авторские права на все произведения Триоле и Арагона. Я разыскал его на празднике в толпе и взял у него небольшое интервью.

Эльдар Рязанов: Жан, я вас поздравляю с сегодняшним праздником. Понимаю, что в том, что он состоялся, немалая доля вашего труда.

Жан Риста: Я познакомился с Эльзой и Арагоном в шестьдесят пятом году. И тесно общался с этой семьей в течение пяти-шести лет. Именно мне довелось присутствовать при последних минутах поэта в восемьдесят втором году. По сути, моя заслуга, которую вы так любезно отметили, состоит в том, что я исполнил последнюю волю покойного поэта. В своем завещании он оставил мне некоторые поручения, которые мне и удалось благополучно выполнить.

Эльдар Рязанов: А в наши дни Арагон и Триоле по-прежнему популярные писатели? Их во Франции читают так же, как раньше? Или все-таки есть спад?

Жан Риста: Отнюдь. Их читают как никогда. В последние годы интерес к творчеству обоих значительно повысился. Никогда во французской прессе, да и в европейской, не появлялось такое количество статей, посвященных Арагону и Эльзе. Мне это кажется совершенно естественным. Потому что они работали на будущее.

Эльдар Рязанов: Как вы относитесь к тому феномену, что женщина из России стала французской писательницей?

Жан Риста: Это действительно феномен. Я думаю, она стала французской писательницей из-за любви... Вы знаете, почему мы находимся сейчас на мельнице Сент-Арну-ан-Ивелин? Мне как наследнику Эльзы и Арагона нужно было выбрать, что сохранить — их квартиру в Париже на улице Варрен или мельницу. И я выбрал это место. Не только потому, что здесь находятся могилы обоих, но и потому, что Арагон купил это место специально, чтобы Эльза владела кусочком французской земли. И сегодня мы должны помнить, что собрались на земле Эльзы...

Эльза Триоле завещала похоронить себя в нескольких десятках метров от любимой мельницы, на холме, откуда открывается дивный вид. С холма видны далекие поля. Дом — бывшая мельница, речка, текущая по участку и проходящая через жилые апартаменты, мостики через речку и цветочные клумбы. Арагон выполнил просьбу жены. На похороны он пригласил опального тогда в Советском Союзе Мстислава Ростроповича, который играл печальные, страстные, траурные мелодии. Вскоре Арагон воздвиг над могилой Эльзы памятник, на котором были начертаны ее имя и даты рождения и смерти: «1896–1970». А рядом, на том же камне, было выбито: «Луи Арагон. 1897–...» После смерти его должны были положить рядом с Эльзой. Он приготовил место и для себя. В 1982 году супруги вновь соединились...

Вечерело. Гости разъехались с праздника. Рабочие складывали палатки, где угощалась интеллигенция. Столы и стулья грузились в фургоны. Мусорщики подбирали с газонов бумажные стаканчики, бутылки, обрывки бумаги. Темнота надвигалась. Лишь в одном из окон мельницы горел свет. Мы молча стояли над могилой Эльзы и «Арагоши». Откуда-то издалека, будто по заказу, доносился еле слышный колокольный звон. Почему-то было очень грустно. Приходили мысли о тщете жизни, о бессмысленности суеты. А на могильной плите были высечены слова Эльзы:

«Мертвые беззащитны. Но если нас попытаются разлучить после смерти, наши книги придут к нам на помощь».

Звезды французского кино

Жан Маре:

«Я считаю себя человеком, несправедливо одаренным судьбой»

Роман Полански:

«Я не несчастен, это уже большое достижение...»

Роже Вадим:

«Со съемочной площадки в больницу меня везли четыре жены. Из них три — бывшие»

Шарль Азнавур:

«Я иду так быстро, что возраст не может меня догнать»

Клод Лелуш:

«Кино в прямом смысле спасло мне жизнь»

Анни Жирардо:

«Может быть, я кого-нибудь еще встречу в жизни. Моя дверь открыта...»

Филипп Нуаре:

«Я всегда готов начать приключение»

Анук Эме:

«Феллини научил меня любить кино...»

Пьер Ришар:

«Я достаточно глубок, чтобы понять, что мне не хватает глубины...»

Марина Влади:

«Я хотела написать, почему Володя умер в сорок два года...»

При рассказах об актерах и режиссерах здесь, в книге, по сравнению с телевидением происходят наибольшие потери. Артисты ведь не просто рассказывают, они часто проигрывают в лицах какие-то сценки, копируют человека, которого вспоминают. При этом каждая рассказанная ими история еще и иллюстрируется фрагментом из фильма. Эмоциональное воздействие на зрителя в этом случае несопоставимо с эффектом читательского впечатления. И все-таки я решил опубликовать мои беседы. Хотелось дать представление о некоторых талантливых личностях, хотелось познакомить читателя с их взглядами на искусство и на жизнь. Не говоря уже о целостности и полноте книги, где мои парижские встречи с актерами и режиссерами составляют важную часть. К сожалению, кое-кто, с кем довелось встречаться, остался, что называется, за бортом. Ибо книга, как и трамвай, — не резиновая. Не попали сюда такие неслабые персонажи, как Брижит Бардо, Изабель Юппер, Клаудиа Кардинале, Робер Оссейн, Жан-Поль Бельмондо и другие.

Жан Маре: «Я считаю себя человеком, несправедливо одаренным судьбой»

В городке Валорисе, что раскинулся на берегу Средиземного моря на юге Франции, мы заглянули в магазинчик, который принадлежит Жану Маре. Там торгуют авторскими работами хозяина: картинами, скульптурами, керамикой. Тут понимаешь, что великий актер к тому же еще и замечательный художник и скульптор. Восхищает керамика: вазы, подсвечники, лампы, барельефы, посуда, расписные тарелки. Все изысканно, полно фантазии, формы гармоничны, цвета элегантны. На каждой вещи выдавлен автограф создателя: «Jean Marais». Еще десять-пятнадцать минут езды, и мы на маленькой, скромной вилле, спрятанной в зелени. Нас встречает красивый, седой старик, легенда мирового и французского кино. Встречает радушно, с сердечной улыбкой, с неподдельной радостью. С первых же минут возникает необыкновенно теплый дружеский контакт — будто мы знакомы уйму лет и давно любим друг друга. Впрочем, с нашей стороны — это безусловно. Мы восхищены Жаном. Должен сказать, я, пожалуй, за всю жизнь не встречал такого потрясающе обаятельного, искреннего, доброго человека. Мы думали, заедем к звезде максимум на два часа, а потом уедем, чтобы не утомлять старикана. Мы пробыли с Жаном весь день, часов, пожалуй, семь. И признаюсь, не мы его ухайдакали, а, скорее, он нас. Он был все время энергичен, носился по дому, охотно рассказывал обо всем, с радостью показывал свои картины и керамику, подарил мне бесценную монографию своих живописных творений: эскизов декораций и театральных костюмов, портретов, пейзажей, керамических работ. И сопроводил подарок трогательной надписью: «Эльдару А. Рязанову — мое удовольствие и моя дружба. Жан Маре». День, проведенный у Жана

Маре, — один из самых замечательных дней моей жизни. Опущу слова любви, благодарности и нежности, которые мы обрушили на потрясающего человека, и перейду прямо к беседе.

Эльдар Рязанов: Дорогой Жан, на какие две категории вы делите человечество?

Жан Маре: Я думаю, человечество можно разделить на две части: на тех, кто остается детьми, и на тех, кто вырастает.

Эльдар Рязанов: А сами вы к какой части относитесь?

День, проведенный у Жана Маре, – один из самых ярких дней моей жизни

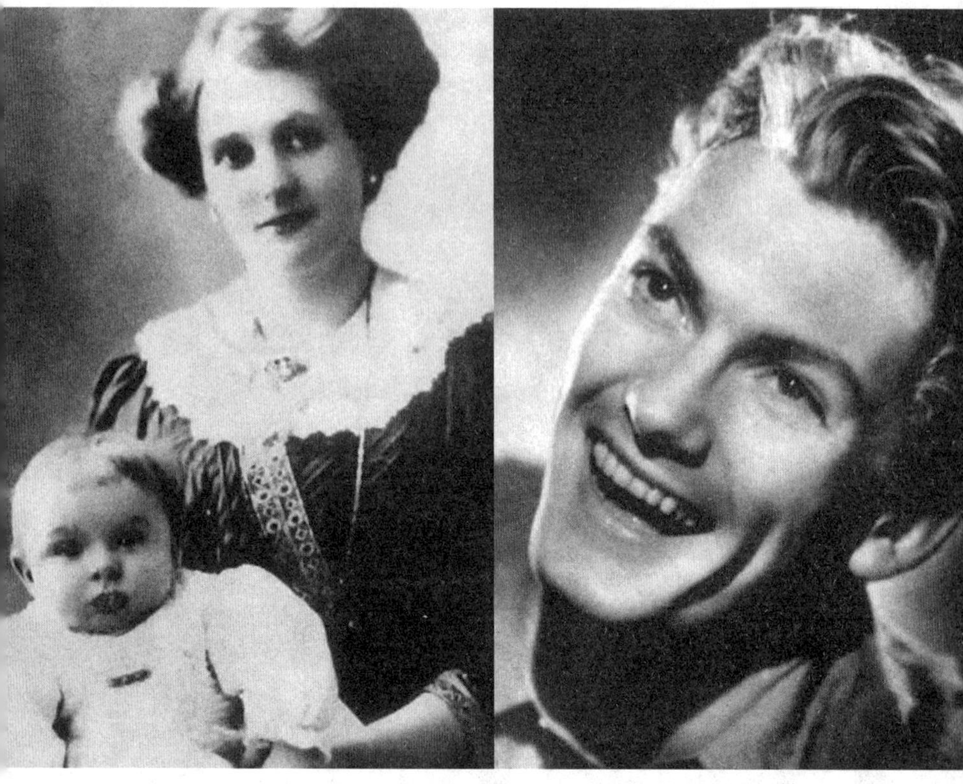

Жан Маре: Я — актер, а актером может быть только человек, до самой своей смерти остающийся ребенком.

Эльдар Рязанов: Раз мы заговорили о детстве, вспомните свои детские годы. И расскажите о своей матери.

Жан Маре: О моей матери? Ну, может, это и нескромно так говорить, но она меня прекрасно воспитала. Моя мать была очень красива и элегантна. Каждый день с ней превращался в праздник. Мы с братом, который был на четыре года старше меня, каждый день получали подарки. И я очень гордился моей матерью. Но меня всегда удивляли некоторые вещи. Думаю, что в глубине души я просто не хотел знать, чем она на самом деле занимается, ведь у нас в семье происходили достаточно удивительные

Очаровательный пупс – Жан – со своей очаровательной мамой

Из толстого карапуза выросло такое чудо, совершенный образец человека

вещи. Например, когда в детстве меня спрашивали, что бы я хотел получить в подарок на Рождество, то я обычно просил или электрический поезд, или большую игрушечную крепость. А мать почему-то возмущалась: «Он всегда хочет получить самые большие игрушки!» Я не понимал, какая ей разница, большая игрушка или маленькая. Моя мать периодически уезжала в длительные путешествия, иногда на полгода, а иногда и на год и на два, и я был очень несчастен, что ее так долго нет дома.

Позже, работая учеником фотографа, я однажды сопровождал его в тюрьму Сен-Лазар, как обычно, нес кофры с аппаратурой. При входе в тюрьму необходимо было предъявить документы, что я и сделал, поскольку был заранее предупрежден об этом. Когда мы фотографировали, ко мне подошел работник тюрьмы и сказал, что я должен уйти. Я спросил: «Почему?» «Дело в том, — ответили мне, — что это женская тюрьма, и вы, молодой человек, можете смутить покой заключенных». «Но ведь фотограф, — возразил я, — тоже молодой мужчина, он всего на три или четыре года старше меня». «Послушайте, — сказали мне, — не спорьте, а просто уходите». Я ушел. На следующий день хозяин фотоателье объявил, что увольняет меня. Огорченный, я пошел к себе домой, в Везинэ. Когда бабушка и тетя увидели меня дома после полудня, они удивились и стали спрашивать, что случилось. Я ответил просто: «Я был в Сен-Лазаре». Они поняли, что я был в тюрьме. И тогда бабушка сказала: «Да, мой бедный малыш, твоя мать — клептоманка». Вот так я об этом узнал. Я уже давно что-то подозревал, но не хотел признаваться себе в этом. Я совершенно не стыдился своей матери. Наоборот, она стала для меня героиней. Я думал только о том, как она, должно быть, несчастна. И хотел одного — заработать много денег, чтобы ей не нужно было больше воровать. Мне говорили, что клептомания — это болезнь, но я этого не понимал. Ведь моя мать воровством добывала средства к существованию. Она уходила

из дому в восемь утра и возвращалась в семь вечера, как будто работала в какой-нибудь конторе. И воровала целыми днями: и у ювелира Картье, и у кутюрье Ланвена, и в домах моделей и так далее. Она занималась только этим. Конечно, потому она и могла дарить нам с братом каждый день подарки, которые где-то крала. Не знаю почему, но мне это не показалось позорным, я ее просто очень жалел. В тот момент, когда я побывал в тюрьме Сен-Лазар, она отбывала четырехлетний срок, четыре года — это очень и очень долго. Так объяснились многие странности. Например, то, что, получая письма от мамы, я никогда не видел конвертов, а те письма, которые писал сам, должен был отдавать бабушке, чтобы она отсылала их. От меня скрывали, где была моя мама, мне говорили, что она путешествует. Все это было очень тяжело для меня. Мне не

Не знаю точно, что это, но ясно одно – это театр!

«Жан, я люблю тебя». Этими словами, обращенными к умершему Кокто, кончается книга Маре «История моей жизни». Они прожили вместе двадцать шесть лет

удалось сразу заработать достаточно денег. Как начинающий актер, я зарабатывал десять франков в день, столько же стоило проехать на такси от Восточного вокзала до моего театра. Конечно, я не мог помогать матери. Когда же я стал прилично зарабатывать, у нее, разумеется, отпала необходимость красть, но она, тем не менее, продолжала. Все это очень странно. Потом я взял ее к себе, и она прекратила это занятие. Ее руки стали деформироваться. Когда я смотрел на них, то думал, что Небо искалечило ее руки за то, что она использовала их во зло. Я всегда любил свою мать, хотя на определенном этапе она стала злоупотреблять своей материнской властью, стала ненавидеть всех тех людей, которых я любил.

Эльдар Рязанов: Боже, какая грустная история.

Может быть, матери не нравились мужчины, которых любил Жан. Ведь его сексуальная направленность не была традиционной. И, вероятно, мать от этого страдала, отсюда и этот конфликт. «Она ненавидела тех людей, которых я любил». Но, конечно, это всего лишь предположение.

Эльдар Рязанов: Как вы пришли к актерской профессии?

Жан Маре: Мне захотелось стать актером в четыре года. Родители отвели меня на немой фильм «Тайны Нью-Йорка», в котором играла Перл Уайт. И я захотел быть актером, чтобы когда-нибудь познакомиться с ней. Позже мне посчастливилось встретиться с моим учителем Клодом Дюлленом, который и привил мне любовь, даже страсть к театру. На курсах Дюллена преподавал великолепный русский актер Соколов, который был в свое время учеником Станиславского. Таким образом, я в некотором роде являюсь внуком Станиславского. К тому же я обожаю русскую литературу, в особенности Достоевского.

Эльдар Рязанов: В вашей книге «История моей жизни», которая недавно издана и у нас, самые теплые, самые проникновенные, самые душевные страницы посвящены Жану Кокто, вашей дружбе с ним. Вы считаете его своим учителем. Расскажите, пожалуйста, о встрече с этим замечательным поэтом, писателем, художником, режиссером, эссеистом, человеком невероятной одаренности. Расскажите о том, какое влияние он оказал на вас, как он вас сформировал.

Жан Маре: Я познакомился с Жаном Кокто в тридцать седьмом году, и, считаю, это было моим вторым рождением. Знакомство произошло на прослушивании пьесы для его постановки «Царь Эдип». Надо сказать, что его ви́дение этой пьесы было чрезвычайно неординарным, а костюмы и жесты актеров — совершенно необычными. Например, я стоял на пьедестале посреди зала, обмотанный бинтами, как тяжело раненный, и играл роль античного хора, был гласом народа. Я изображал говорящую статую, неподвижно стоя на своем возвышении прямо посреди публики. Перед началом спектакля в зале и на сцене гас свет, я поднимался на пьедестал, принимал надлежащую позу, свет зажигался, актеры начинали играть, а я стоял. Как я уже говорил, постановка была столь удивительной, что некоторые зрители были шокированы и протестовали. Например, каждый жест актеров изображал цифру. Они внезапно рисовали в воздухе тройки, четверки, семерки. Публика не очень хорошо это принимала. И я резко поворачивался к кому-нибудь, кто громко разговаривал в зале, и смотрел ему в глаза до тех пор, пока он не умолкал, затем я так же резко оборачивался на другого болтуна, одновременно играя свою роль и произнося текст. Так я заставлял умолкнуть всех. И мне кажется, что Кокто понравилось, как молодой начинающий актер заставляет замолчать целый зал. Он проникся ко мне теплыми чувствами и предложил роль рыцаря Галахада в спектакле «Рыцари Круглого стола». Эта роль была очень важна для начала моей актерской карьеры. Чуть позже, в тридцать восьмом году, Кокто написал специально для меня пьесу «Ужасные родители», которая стала самым крупным успехом в моей творческой жизни. Это было что-то невероятное; в то время было принято аплодировать актерам после каждой сцены, а не только после каждого акта. Так вот, во втором акте я завершал играть еще до его окончания. На премьере после моей сцены публика поаплодировала мне, и я ушел в гримерную весь потный, чтобы снять костюм и умыться. Потом я услышал аплодисменты в конце акта, и вдруг прибежали партнеры и сказали, что публика требует меня на сцену. Когда я вышел к рампе, весь зал поднялся, зрители аплодировали и кричали «Браво!», и тут я расплакался. Вы только представьте себе, что значит такой прием для начинающего актера. Это был самый волнующий момент в моей жизни.

Позднее мне начали предлагать много ролей, но Жан Кокто был в ярости, видя, какие это роли. Он говорил: «Пойми, ты — типичный герой-любовник, и ты должен играть такие роли. Со времен рождения литературы появились две великие истории о любви: “Тристан и Изольда” и “Ромео и Джульетта”, поэтому я напишу для тебя роль современного Тристана». Так он написал «Вечное возвращение». И если пьеса «Ужасные родители» стала моим первым театральным успехом, то «Вечное возвращение», которое было, по сути, «Тристаном и Изольдой», послужило трамплином для всех моих будущих достижений.

Эльдар Рязанов: В одном из интервью я читал, что вы говорили, будто, снимаясь у крупных, очень талантливых режиссеров, вы не блеснули там как артист. А снимаясь у второстепенных режиссеров, выходили на крупный план, и огромная популярность пришла к вам именно после этих ваших работ...

Жан Маре: Нет, нет, я так не говорил. Мне кажется, что я наилучшим образом себя проявлял в фильмах

Кокто, а он отнюдь не второстепенный режиссер, а, напротив, великий.

Эльдар Рязанов: В вашей гостиной, дорогой Жан, висит замечательный портрет Жана Кокто. Скажите, пожалуйста, а кто автор этой работы?

Жан Маре посмотрел на меня и улыбнулся моей наивности. Ясно, что портрет принадлежал его кисти. Потом он, тем не менее, вернулся к разговору о режиссерах.

В мастерской живописца Жана Маре

Жан Маре: Дело в том, что, снимаясь в молодости у Жана Ренуара, который тоже был великим режиссером, я был несколько разочарован. Я ожидал многое почерпнуть, работая под его руководством. Однако его режиссерские указания были крайне скупы, то есть практически отсутствовали. А вот работая с великим Лукино Висконти, как в кинематографе, так и в театре, я пребывал в восхищении и воспринял очень многое из его указаний по актерскому мастерству.

Эльдар Рязанов: Расскажите, пожалуйста, о ваших ранних театральных работах.

Жан Маре: После премьеры «Ужасных родителей», когда весь парижский свет пришел ко мне в гримерную, чтобы меня поздравить, одна великая актриса сказала мне: «Вы, без сомнения, неплохо сыграли эту роль, но не сможете сыграть ничего другого». Поэтому я всегда самостоятельно работал над ролями, которые мне не предназначались, например над ролью Нерона в пьесе «Британик». Но, отработав роль дома, захотел сыграть ее на сцене. Однако я знал, что ни один режиссер не возьмет меня на эту роль, и мне пришлось самому стать и режиссером, и художником-постановщиком. Спектакль имел огромный успех, но это происходило во время оккупации, и все коллаборационисты были против меня. Один молодой журналист пытался напечатать в газете хвалебный отзыв о моей постановке, однако ему вернули статью, перечеркнутую красным карандашом, со словами: «Вы можете публиковать любые материалы, но лишь при условии суровой критики Маре».

Театр никогда не утомлял меня, за исключением двух ролей: первая — Сирано де Бержерак, а вторая — король Лир. Эти две работы вымотали меня настолько, что мне пришлось полгода приходить в себя. Театр стал моей настоящей страстью, почти пороком. Я счастлив на сцене, когда исполняю роль, которая мне нравится.

Потом меня призвало кино, я много снимался, мне предлагали много ролей. Самое любопытное, что меня считали очень спортивным, хотя я вовсе не занимался спортом. И, когда я стал старше, Господь, должно быть, сказал себе: «Старина Маре не хочет заниматься спортом, пошлю-ка я ему трюковые фильмы, коль скоро для него в жизни имеет значение лишь кино и театр». И я очень много снимался в фильмах, требовавших спортивной подготовки. Мои товарищи, каскадеры, считали меня за своего, поскольку у каждого каскадера своя специализация, а я мог делать практически все что угодно. Начало моим съемкам в трюковых фильмах положил цирковой номер. Дело в том, что каждый год происходил гала-концерт Союза артистов, и там актеры показывали цирковые номера. Я исполнял номер под названием «Газовый рожок»: выходил на арену, играя пьяного, и просил у служителя прикурить. Тот отвечал, что у него нет спичек, и показывал мне газовый рожок на вершине гибкого восемнадцатиметрового шеста (то есть на высоте пятиэтажного дома). Я с пьяным упорством несколько раз пытался туда забраться и вдруг подымался на самый верх с ловкостью обезьяны. Оказавшись там, я опускал рычажок, и шест начинал качаться из стороны в сторону. Я изображал, что падаю, балансировал на руках, ногах и голове. Наконец прикуривал, стоя на голове, и спускался. Вот, собственно, и все. На следующий день мне позвонил режиссер Андре Юнебель и предложил сыграть роль горбуна в фильме, который он собирался снимать. Я согласился, но при одном условии — у меня не будет дублеров. Юнебель ответил, что был накануне на нашем представлении и понял, что я актер, не нуждающийся в каскадерах. Так я и начал сниматься во всех этих фильмах: «Горбун», «Капитан Фракасс», «Парижские тайны» и так далее.

Эльдар Рязанов: Фильмы романтического направления, которые вы только что назвали, и «Рюи Блаз», и еще фильмы по Александру Дюма «Граф Монте-Кристо»

В роли Рюи Блаза

и «Железная маска» принесли вам во всем мире бешеную популярность.

Жан Маре: Да, я просто обожаю Дюма. В детстве моей любимой актрисой была Перл Уайт, а любимым актером — Дуглас Фэрбенкс, потому что он много снимался в трюковых фильмах, в фильмах «плаща и шпаги». И мечтой моего детства было участие в подобных кинолентах. Эту мечту мне удалось реализовать благодаря режиссерам.

Эльдар Рязанов: Вы всегда, во всех фильмах делаете трюки сами, без дублера?

Жан Маре: Да, конечно. Я всегда сам себе каскадер. Меня это забавляет. Я начал делать трюки еще на сцене. Например, в спектакле «Двуглавый орел» я в течение года каждый вечер падал с лестницы, не касаясь перил,

Обладая роскошной внешностью, можно сыграть и урода. Жан Маре – горбун

не касаясь вообще чего бы то ни было. И ни разу не сделал себе больно. Но теперь я за это плачу́. Теперь у меня проблемы с позвоночником. Когда делаешь сложные трюки, позвоночник получает серьезные удары.

Но я обожал делать каскады. Например, я научился ездить на лошади, чтобы сниматься в фильме «Кармен», — не знаю, видели ли вы «Кармен» в России, я играю там роль Хозе. Потом мне уже много приходилось скакать на лошадях в разных фильмах. И считалось, что я хороший наездник, но на самом деле это не так. Тут требуется особое искусство тела. А мне никогда не хватало времени его по-настоящему освоить.

Зато у меня существует взаимопонимание с лошадью. Я всегда мог заставить ее делать то, что я хочу. Но без сомнения, я не был большим специалистом по лошадям.

Я люблю всех животных, без исключения. Всех. Хотя, конечно же, для человеческого существа значительно проще держать собаку и кошку. У меня бывало до восьми собак. Но та, которая у меня сейчас, она последняя.

Мне восемьдесят два года. И я говорю себе: если я возьму еще собаку, то умру раньше собаки, и ей будет очень грустно...

Эльдар Рязанов: До встречи с вами я читал о том, что вы прекрасный художник. Сейчас по дороге к вам мы заехали в небольшой магазин, где продаются ваши авторские работы. И я был просто потрясен тем, какие они прекрасные.

Я теперь понимаю: Пикассо не шутил, когда говорил, что с таким мастерством художника, рисовальщика, как у вас, незачем заниматься пустяками вроде киносъемок.

Жан Маре: Пикассо никогда не утверждал, что я очень талантлив в живописи. Он просто сказал, увидев одну из моих картин, что охотно купил бы ее, если бы увидел где-нибудь в продаже. Но он никогда не говорил, что я талантливый художник.

Рисунок Жана Маре

Эльдар Рязанов: Как вы пришли к занятиям керамикой, а потом к скульптуре?

Жан Маре: И Пикассо, и Кокто занимались керамикой забавы ради. Вот и я, переехав на юг Франции, решил попробовать это занятие. Я поехал в Валорис к торговцу глиной. Тогда я не представлял себе вес глины и заказал ему двести килограммов. Он посмотрел на меня с некоторым удивлением и сказал: «Я не знал, что вы профессионально занимаетесь керамикой!» Я ответил ему, что еще не занимаюсь, но начинаю завтра. Он посоветовал мне взять несколько уроков, чтобы овладеть техникой этого дела.

«Но я купил книги, где все объяснено!» — ответил я.

Торговец глиной все же сказал, что лучше, если кто-нибудь покажет, как работать именно с глиной, и предложил познакомить меня с одним человеком. Так я встретился с Джо Паскали и договорился, что он приедет ко мне на следующий день, но он не появился. То, что я актер, смутило его. Ему понадобилось десять дней, чтобы преодолеть свою робость. Но коль скоро я сказал, что начинаю работать завтра — а я всегда считаю себя обязанным делать то, что говорю, — я начал на следующий день. Однако не так просто положить кусок глины на гончарный круг и что-то из него сделать, если у тебя нет опыта. У меня получалось нечто бесформенное. Но поскольку я очень старался, делая эти бесформенные вещи, мне было жаль их ломать. И тогда я стал думать, что же можно сделать с этими бесформенными кусками глины? И решил заняться лепкой, чего, впрочем, тоже никогда не делал. Так я стал лепить. Но я не считаю себя скульптором. Я — горшечник. Если бы я был скульптором, то был бы более требовательным к своим произведениям, нежели сейчас. Тем не менее, слово «скульптор» стали передавать из уст в уста. Таким образом, в мэрии Восемнадцатого округа Парижа узнали, что Жан Маре — скульптор. И заказали мне статую Марселя Эме. Я изобразил его выходящим из стены, поскольку был уверен, что не смогу сделать настоящую статую. А так мне было значительно проще. Ведь моя скульптура состоит как бы из трех частей. Я лепил отдельно голову с рукой, отдельно ногу, отдельно другую руку. В общем, мне повезло, что на этой площади была стена. Потом мне начали заказывать другие скульптуры. Вот так в семьдесят пять лет я стал скульптором. Но я не считаю себя и художником. Я — типичный представитель той категории людей, которые остаются детьми до самой своей смерти. А что делает ребенок? — он развлекается. И я развлекаюсь. Я развлекаюсь, играя в театре и кино, развлекаюсь, рисуя, и развлекаюсь, занимаясь керамикой и живописью, развлекаюсь, ставя спектакли и создавая декорации, — я просто развлекаюсь!

Эльдар Рязанов: Дорогой Жан! Господь Бог и природа наградили вас очень щедро. Они дали вам прекрасную внешность, здоровье, они дали вам море энергии, обаяния и множество талантов: и писателя, и актера, и поэта, и скульптора, и художника. Вы прожили в искусстве большую и плодотворную жизнь.

Жан Маре: Я считаю себя человеком, несправедливо одаренным судьбой. Мне так везло в жизни, как мало еще кому. Уже когда я учился на актера, со мной рядом были ученики, которых я считал значительно талантливей меня, но они ничего не добились. И это несправедливо. А мне, за что бы я ни брался, все удавалось, не знаю, по праву или нет.

И когда теперь, в моем возрасте, я иногда страдаю от болезней, я считаю, что это естественно, это своего рода расплата. Я мало платил в жизни за свое везение. И если начинаю расплачиваться в восемьдесят два года, это более чем справедливо.

Эльдар Рязанов: Жан, вы ощущаете себя счастливым человеком?

Жан Маре: Счастье... Детей еще в школе надо было бы учить быть счастливыми. Счастье — быть

Amicalement
Jean Marais

в согласии с самим собой. Счастье порой бывает очень странным. Например, иметь недостатки — это счастье, потому что исправлять их — интересно. Это вопрос человеческой натуры, с которой рождаешься, и ее уже не изменить. К примеру, я всегда умел быть счастливым, какие бы драмы ни происходили вокруг меня. Но мне кажется, что для этого нужно быть в определенной степени эгоистом. И теперь я упрекаю себя в том, что, как страус, прятал голову в песок. Я поступал так, чтобы не видеть то

Эта лампа, сделанная по эскизу Жана Маре и купленная в Валорисе, всегда напоминает мне замечательного артиста и человека

 плохое, что происходит вокруг меня. Наверное, это не очень хорошо, но я умел быть счастливым. Счастье — быть окруженным любимыми людьми и уметь наслаждаться прекрасным, а это особый дар. И вместе с тем, как ни горько, но, по-моему, счастье — это несправедливость по отношению ко столь многим несчастным людям. Говорят, что я очень милый, приятный человек, а на самом деле я просто пытаюсь извиниться за то счастье и везение, которые у меня были.

Эльдар Рязанов: Как вы себя сейчас чувствуете? Как ваше здоровье?

Жан Маре: Здоровье? Я принимаю здоровье таким, какое оно есть, потому что это мой метод расплаты. В течение всей моей жизни у меня было прекрасное здоровье. Но это тоже ведь несправедливость. Я же говорю вам, что я — это воплощенная несправедливость.

Эльдар Рязанов: Дорогой Жан! Что бы вы хотели сказать русским зрителям? В нашей стране вас очень любят, помнят, верны вам.

Жан Маре: Я в первую очередь хочу поблагодарить моих зрителей в России, потому что без них, без публики, я бы не сидел сегодня здесь перед вами. И я вас благодарю за это от всего сердца! Спасибо! Спасибо! Спасибо! Спасибо! Спасибо! Спасибо! Спасибо! Спасибо!

На обратном пути мы снова заехали в магазинчик, который торгует авторскими работами Жана Маре. И уехали оттуда не с пустыми руками. Мы накупили себе множество очаровательных изделий. И теперь частица души Жана Маре всегда с нами.

P.S. Через два года после нашей встречи этого светлого человека не стало.

Роман Полански:
«Я не несчастен, это уже большое достижение...»

В нашем толстенном «Кинословаре», изданном в 1986 году, нет упоминания о герое этой передачи. Советское киноведение считало, что такого артиста и режиссера не существует. А он, между прочим, интереснейшая и противоречивая личность. Сегодня он улетает из Парижа в Испанию для подготовки съемок нового фильма, но по дороге в аэропорт обещал заехать в посольскую резиденцию

 на улице Гренель и дать нам интервью. Жду его с любопытством.

Вот он и появился на красном автомобиле. Мы знакомимся. И вскоре я соображаю, что он знает русский язык. Он понимает мои вопросы еще до перевода и часто не дает мне закончить мысль, ибо хватает, что называется, с полуслова. Ясно, их же в социалистической Польше в обязательном порядке учили русскому языку. Первые минуты уходят на притирку. Это его первое интервью русским. Наши журналисты не «досаждали» ему. Знали, что о нем у нас ничего не напечатают. Ибо это — режиссер и актер Роман Полански.

Эльдар Рязанов: Роман, я много читал о вас. И всюду о вас пишут как о фигуре демонической. Космополит, плейбой, герой судебных хроник, всяческих сплетен и домыслов.

Роман Полански: Это все правда.

Эльдар Рязанов: Все правда? Пишут о том, что вы употребляли наркотики, занимались групповым сексом. Это тоже правда?

Роман Полански: Нет. Здесь не все правда. Групповой секс, например, меня не интересует совершенно. Хотя, конечно, зависит от того, с какого числа участников вы называете секс групповым. Трое — это не групповой секс.

Эльдар Рязанов *(озадаченно)*: Перейдем к творчеству. Я знаю, что первый ваш блестящий успех был в роли Вани Солнцева в инсценировке повести Валентина Катаева «Сын полка». Спектакль возили даже в другие города, вы были тогда мальчишкой.

Роман Полански: Да. Мне было примерно тринадцать лет. И это был мой первый успех. Действительно. Благодаря этому я сейчас здесь с вами, в Париже. Без этого спектакля моя жизнь могла бы пойти по совершенно другой дороге. Спасибо Валентину Катаеву.

Эльдар Рязанов: Скажите, вы еще в юности понимали, что не останетесь в Польше? Когда еще учились в Лодзи в киношколе?

Роман Полански: И даже раньше. В то время, во время коммунизма, сталинизма, в Польше единственной мечтой всех молодых людей было выехать из страны и остаться в стороне от всего этого...

Эльдар Рязанов: Роман, ваш первый фильм вы сняли в Англии. Он назывался, по-моему, «Отвращение», с молоденькой Катрин Денёв в главной роли. Фильм имел большой успех?

Роман Полански: Он имел достаточный успех для того, чтобы дать мне возможность снять и другие фильмы.

Эльдар Рязанов: А что побудило вас сделать такую страшную картину?

Роман Полански: Мне было тяжело найти продюсеров, чтобы снять кино. Однако представилась возможность снять фильм ужасов. Я предложил проект триллера. Продюсеры рискнули, так как этот сценарий подавал коммерческие надежды. Я же попытался поднять качество фильма, придав ему некоторые психологические аспекты.

Эльдар Рязанов: Но потом вы вошли во вкус этого жанра?

Роман Полански: Дело в том, что у людей есть тенденция наклеить на вас определенный ярлык. И меня тут же отнесли к категории постановщиков, снимающих фильмы ужасов.

Поскольку наши зрители наверняка не видели ленту Полански «Отвращение», я попытаюсь сказать о ней несколько слов. Дебют Полански на Западе состоялся в 1965 году, в Лондоне. Это фильм-страшилка, в котором рассказывается о мучениях и страданиях лондонской косметички Кароль (Катрин Денёв). Квартира Кароль, куда

она забивается в одиночестве, превращается в своего рода комнату страхов, ужасов, задавленных комплексов. Надо сказать, что Полански добивается этого интересными приемами режиссуры.

Каждая вещь, каждый предмет начинает становиться зловещим, мистическим, страшным. Любое отражение в чайнике, детали мебели или туалета приобретают значительность, самодовлеющее значение.

Для этого используется широкоугольная оптика, которая очень увеличивает пространство. Декорации строятся в два, три раза больше, чем они были на самом деле, по жизни. Так создается ощущение, что маленькая фигурка Кароль загнана в центр огромного Лондона. Она переживает ужасы, доходит до такого состояния, что убивает парня, который, скорее всего, пытается за ней ухаживать. Но запуганная девушка не верит и наносит молодому человеку смертельный удар.

Картина может служить, с одной стороны, пособием по режиссуре. Она сделана очень изысканно, умело, с выдумкой. А, с другой стороны, может служить и учебником по патологической психологии.

Эльдар Рязанов: Роман, вы сами верите в те таинственные, мистические страшные силы, которые овладевают душой человека?

Роман Полански: Я вас остановлю сразу. Я не мистик совсем, я реалист и материалист. Я был воспитан на социалистическом реализме. Мои родители не были верующими. У меня нет никакой тенденции к мистицизму. Ни в моей философии, ни в том, что я делаю. Может быть, некоторые мои фантастические фильмы могут заставить публику подумать, что я немного мистик. Но это совершенно не так.

После фильма «Отвращение» Роман Полански создает картину под названием «Тупик», кстати, тоже

Роман Полански с Катрин Денёв, исполнительницей главной роли в фильме «Отвращение»

Настасья Кински в роли Тэсс в фильме «Тэсс из рода д'Эрбервиллей»

Один из самых нашумевших фильмов Полански –
«Ребенок Розмари». Режиссер с Миа Ферроу

мистический ужастик, где снимается в главной роли Франсуаза Дорлеак, старшая сестра Катрин Денёв. Эта лента получает «Золотого медведя» на Берлинском фестивале. И Полански отправляется искать счастья в Америку.

В Америке судьба к нему оказалась милостива. И он один из немногих европейцев, кто смог локтями растолкать очень сплоченную американскую гильдию кинорежиссеров. И получить постановку, что выходцам из Восточной Европы, как правило, не удавалось.

Эльдар Рязанов: Вы хотели завоевать Голливуд, утвердиться там? Это было трудно?

Роман Полански: Американцы предложили мне снимать фильм в Голливуде. И поэтому мне было легко. В то время я вовсе не мечтал о Голливуде. Скорее, я хотел снимать в Европе. Но мне предложили фильм в Голливуде — это был «Ребенок Розмари». И я принял это предложение. Так я начал работать в США.

Эльдар Рязанов: «Розмари», пожалуй, ваш самый знаменитый фильм?

Роман Полански: Этот фильм имел огромный успех в то время. Он позволил мне выбирать, он дал мне свободу. Знаете, в Голливуде говорят: «Ты настолько хорош, насколько хороша твоя последняя картина».

Попробую рассказать о содержании этого известного у них, но не у нас, фильма. Картина начинается бытово, как бы обыденно. Мистика входит в нее исподволь, постепенно. А потом поглощает всю ткань картины.

Молодожены поселяются в Бруклине, одном из районов Нью-Йорка, в многоквартирном доме. Постепенно завязываются какие-то знакомства. И вдруг Розмари, героиня ленты, выясняет, что сосед Роман Каставет, добродушный старый джентльмен, на самом деле колдун и сын колдуна. И как бы глава большой секты дьяволопоклонников.

И все, кто живет здесь в округе, жена Романа старуха Минни и прочие мерзопакостные субъекты, оказывается, поклоняются сатане. А Розмари как нормальная женщина хочет ребенка.

И вот однажды несчастная доверчиво выпила снадобье, которое ей предложила зловещая старушка Минни. И ушла в этакий полусознательный транс. В это самое

Свадьба Романа Полански и Шарон Тейт.
Какие они здесь счастливые!

время шустрый сатана ею овладевает. Розмари зачала ребенка от сатаны. Но она про это не знает. Про это знают только зрители. Ну и, разумеется, соседи. Героиня-то думает, что в ней растет нормальный человеческий плод. Но постепенно начинает догадываться, что на ее будущего ребенка все эти мерзкие колдуны имеют некие виды. Беременную, понятно, это очень беспокоит.

Шарон Тейт приводит в порядок шевелюру мужа

Наконец Розмари рожает это сатанинское отродье. Ее ребенка немедленно уносят. А ей говорят, что ребенок умер. У колдунов на радостях происходит свой шабаш. Ведьмачи кричат, что наступило царство дьявола. Но Розмари слышит за стеной плач ребенка и понимает, что на самом деле он жив. Кстати, в картине так и не показано, кого же она родила. «Родила царица в ночь не то сына, не то дочь, не мышонка, не лягушку, а неведому зверушку...» Так сказать, тот самый случай...

Но когда Розмари склоняется над колыбелью, появляется надежда, что материнские чувства, очевидно, победят. И царство сатаны не наступит. В роли Розмари снялась Миа Ферроу, которая после этой ленты стала популярной...

Все это рассказано с абсолютным серьезом, в стиле немецких экспрессионистских фильмов 20-х годов XX века. Картина имела оглушительный успех. Это кажется странным в наш век спутников, невероятного торжества техники.

И тем не менее, человечество все время испытывает какую-то потребность в этой самой чертовщине, в таинственности, в нечистой силе. Вспомним успех другой американской ленты, «Изгоняющий дьявола», появившейся примерно в это же время.

Затем Роман снимает мистический «Бал вампиров» с Шарон Тейт, своей новой женой, в главной роли. Невольно вспоминаются слова Романа, что он реалист, что мистицизм ему чужд. Однако он продолжает эксплуатировать однажды найденную удачную жилу. Хотя в «Бале вампиров» уже немало смешного. В ней просматриваются элементы пародии на жанр ужастика, присутствует определенная насмешка над легендой о Дракуле. Кстати, сам Полански играет нормального затурканного человека, вусмерть напуганного вампирами, которые хотят попить его кровушки.

После успеха «Ребенка Розмари» к Полански приходит широкая известность. Он начинает жить в Америке на широкую ногу, покупает дом. Вместе с женой Шарон Тейт устраивает вечеринки, не хочется говорить оргии, это, скорее всего, преувеличение.

Во всяком случае там покуривают травку, выпивают, веселятся, гуляют. Идет красивая, роскошная, сладкая жизнь.

Отец Романа часто говорил сыну: «Зачем ты так много тратишь денег черт-те на что?»

На это Роман отвечал: «Я не хочу быть самым богатым человеком на кладбище».

Образ жизни Полански довольно широко освещался в американской прессе.

И вот наступило 9 августа 1969 года.

Наступила ночь, самая страшная, черная в биографии этого режиссера. Его жена Шарон Тейт, которая находилась на девятом месяце беременности, и еще четверо друзей, бывшие в эту ночь гостями на вилле Полански, были зверски убиты, зарезаны.

На теле Шарон Тейт было найдено 26 ножевых ран. Пресса, сразу же почуяв сенсацию, стала подозревать в причастности к этому убийству Полански. Но вскоре нашли убийц. Ими оказались члены секты Чарльза Мэнсона. Была такая религиозная банда, где главарь, Чарльз Мэнсон, провозгласил себя Христом, Мессией. Эти фанатики и совершили страшное, зверское убийство.

После этого с Романа были сняты какие бы то ни было подозрения.

Эльдар Рязанов: Скажите, как вы узнали про это жуткое злодеяние? Где вы в это время были?

Роман Полански: Я узнал об этом в Лондоне, заканчивал сценарий. А Шарон поехала в США, потому что мы хотели, чтобы ребенок родился именно в США. А поскольку ее беременность подходила к концу, она плыла на корабле. Лететь на самолете ей не рекомендовали. А я должен был прилететь к ней на самолете. Я в

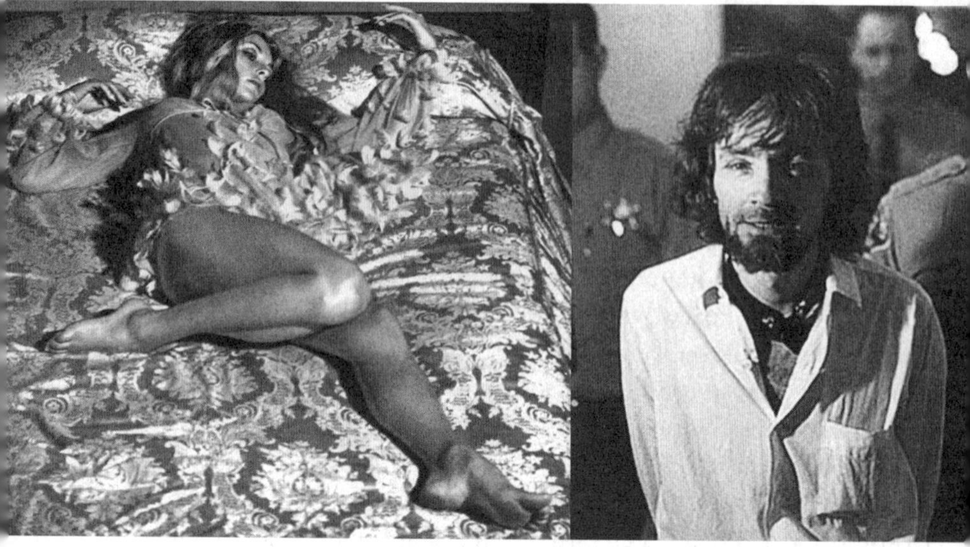

Трагически погибшая Шарон Тейт была самой сильной любовью Романа

Чарльз Мэнсон, убийца Шарон Тейт. Фотография из зала суда

Лондоне работал с писателем, сценаристом. Вдруг телефон зазвонил. Мой агент звонил из США. Он первым оказался там, на месте убийства. Увидел тела, позвонил мне и сказал, что произошла трагедия.

Эльдар Рязанов: Вы любили ее? Это был счастливый брак?

Роман Полански: Это были лучшие моменты моей жизни, когда мы жили вместе. Я тогда понимал, что действительно счастлив. Вспоминаю, что иногда говорил себе: обычно счастье видят в прошлом и будущем, но никогда в настоящем. А я тогда все время чувствовал себя счастливым.

Эльдар Рязанов: Нескромный вопрос, вы простите меня. Кто должен был родиться у Шарон Тейт, мальчик или девочка?

Роман Полански: Мальчик.

Эльдар Рязанов: До рождения ребенка оставалось буквально две недели?

Роман Полански: Да, это так.

Эльдар Рязанов: Как вы пережили это несчастье? Ушли в работу?

Роман Полански: Вы меня спросили, работал ли я после этого? Все говорят, что самое лучшее лекарство в такие моменты — это работа. Люди, которые так говорят, не отдают себе отчета. Откровенно говоря, невозможно работать в это время. Может быть, труд и хорошее лекарство. Но его невозможно применять...

В то время я готовил съемки нового фильма. Изображал, что продолжаю работать. Но через месяц или два понял, что это сплошная иллюзия. Я отказался от съемок фильма, вернулся в Европу и поехал в горы. И там катался на лыжах четыре месяца...

Эльдар Рязанов: Знаете, Роман, я читал много статей, где утверждалось, будто страшная история, которая случилась с Шарон Тейт на вашей вилле, — это следствие того, что вы в своих произведениях задевали какие-то силы зла, что это своего рода возмездие...

Роман Полански: К сожалению, трагедия случилась как раз в тот момент, когда «Ребенок Розмари» имел огромный успех. И поскольку темой фильма является история мистическая, более-менее связанная с колдовством, у людей возникла идиотская ассоциация. Многие, и даже пресса, воображают, что все показанное в фильме обязательно соответствует мировоззрению режиссера. Это глупая, поверхностная ассоциация...

Эльдар Рязанов: Когда началась война, вам было восемь лет?

Роман Полански: Шесть. В Польше она началась раньше.

Эльдар Рязанов: Как погибла ваша мать? Вы помните, как ее забрали? Где вы были после этого?

Роман Полански: Я находился в том самом гетто, которое воспроизведено в фильме Спилберга «Список Шиндлера», то есть в Краковском гетто. Надо сказать, что фильм «Список Шиндлера» очень точен. Я когда смотрел его, мне было страшно, потому что я вспомнил все. Там все показано так, как это было. Я не прошел через ликвидацию потому, что каждый раз, когда возникал слух об очередной депортации, я убегал. Я был маленький и мог убежать через заграждение. Я проводил ночь или две у друзей своего отца. Именно поэтому я остался жив. Однажды я убежал из гетто, а они схватили мою мать. Я не видел, как это происходило. И только когда я вернулся, отец сказал, что они забрали мать. И начал плакать.

Во время окончательной ликвидации я снова убежал. Отец остался и оказался в концлагере Маутхаузен. А мою мать увезли в Освенцим. И тут же отправили в газовую камеру.

Эльдар Рязанов: После войны вас воспитывал отец?

Роман Полански: Да. Мой отец вернулся после войны.

Эльдар Рязанов: Он женился снова?

Роман Полански: Да. Он снова женился.

Эльдар Рязанов: Скажите, а тяга к кинематографу появилась случайно или это было с самого детства? Что вас привело в киношколу в Лодзи?

Роман Полански: Меня кинематограф с самого детства завораживал. Даже во время пребывания в гетто я смотрел через колючую проволоку пропагандистские немецкие фильмы, которые немцы показывали на Рыночной площади. Это меня поглощало целиком...

Эльдар Рязанов: Вернемся в Америку. Расскажите о своем нашумевшем фильме «Китайский квартал», где главную роль сыграл ваш закадычный друг и восхитительный актер Джек Николсон.

Роман Полански: У меня были друзья — это Роберт Таун, сценарист, Джек Николсон — актер и Бобанс — продюсер и директор студии «Парамаунт». Я хотел работать с ними. Однажды они предложили мне сценарий Боба Тауна. Сценарий был чрезвычайно сложным. У него были определенные положительные качества, но он требовал доработки. Я очень долго сидел с Робертом

Тауном, чтобы придать сценарию форму более компактную, более пригодную для использования. Именно тогда в первый раз я снимал фильм не по своему собственному сценарию. Это принесло довольно неплохие результаты. «Китайский квартал» считается в Западном полушарии моим лучшим фильмом и самым популярным. Он включен в фонд Национальной библиотеки США, куда входит всего семьдесят один фильм...

Эльдар Рязанов: Расскажите историю, которая случилась с вами в доме Джека Николсона. Из-за которой вы вынуждены были уехать из Америки. Расскажите сами, потому что читал я про это много.

Роман Полански: Мне бы не очень хотелось говорить об этом...

Судьба продолжает преследовать Романа Полански. Он снова становится героем скандальных хроник. Случилось событие, которое переполошило всю Америку. Все газеты были заполнены этим.

Романа обвинили в том, что он, находясь в доме Джека Николсона с 13-летней манекенщицей Самантой, которую снимал для журнала «Вог», одурманил ее наркотиками и изнасиловал.

Обвинение это было очень серьезным, очень тяжелым. И Полански сразу же отправили в тюрьму. Друзья бросились на защиту. Они стали говорить о том, что посадили человека, недавно перенесшего жуткий удар судьбы, напоминали, что его мать погибла в Освенциме... Друзья вовсю хлопотали, чтобы Полански отпустили.

Тем не менее, ему пришлось пробыть в тюрьме 42 дня. По отзыву тюремщиков, он вел себя очень дисциплинированно, быстро адаптировался к этой среде, ладил с заключенными. Много читал и даже добровольно вызывался чистить места общего пользования. Короче говоря, тюремщики дали ему очень хорошую характеристику.

Тут судья сжалился над Полански и выпустил его из тюрьмы, чтобы тот закончил свой фильм «Ураган».

Но Полански повел себя несколько странно. Вместо того, чтобы отправиться на Таити, где должны были идти съемки, он занял тысячу долларов у Дино де Лаурентиса, своего друга, продюсера, и улетел в Европу...

Вскоре Полански объявился в Мюнхене на пивном празднике и был снят там с какими-то молодыми барышнями. Эти фотографии попали в газеты и вызвали невероятное негодование судьи Ротенбанда, который потребовал, чтобы Полански немедленно вернулся. Он жаждал объявить ему приговор.

В общем, отныне путь в Америку для Полански стал закрыт.

Сейчас газеты пишут, что Полански ведет переговоры с Самантой и обещает ей 225 тысяч долларов, если она откажется от обвинения. Этой женщине уже 34 года.

Саманта вроде бы согласна, но при одном условии — если Полански уберет из своей книги «Роман о Романе» рассказ об этом случае. А он там пишет, что на самом деле Саманта не была невинна. И в постели проявила много сексуальной изощренности.

Честно говоря, в данную минуту я себя чувствую каким-то желтым ничтожным писакой, смакующим нечто постыдное. Но фигура моего героя настолько неординарна и настолько любопытна, что просто нельзя не рассказать о том, о чем знает любой западный читатель.

Пресса относится к Полански очень недоброжелательно. О нем пишут: Роман — монстр, Роман — чудовище. И без конца вспоминают старую историю его любви втроем, вместе с пятнадцатилетней Настасьей Кински и ее семнадцатилетней подругой.

Эльдар Рязанов: Вы и сейчас не можете вернуться в Америку?

Роман Polански: Если я вернусь в Америку, надо будет снова заниматься расследованием того случая. А у меня нет намерения тратить на это время.

Эльдар Рязанов: Но вы огорчены, что разлучены с Америкой, с наиболее сильной кинематографией в наше время?

Роман Полански: Я продолжаю делать американские фильмы здесь. Американское кинопроизводство интернационально. Большая часть американских фильмов снимается не в США. Но, конечно, если бы я в течение всего этого времени жил в Америке, мой контакт с американским кино был бы более тесным. И я имел бы больше свободы в выборе сюжетов.

Эльдар Рязанов: Расскажите о своем втором европейском периоде. К примеру, о фильме «Тэсс из рода д'Эрбервиллей» по роману Томаса Харди.

Роман Полански: На этот фильм меня вдохновила Шарон Тейт — однажды она рассказала мне о книге Харди. И именно ей посвящен этот фильм. (В главной роли — Настасья Кински. — *Э.Р.*)

Я снимал его с большими трудностями. Это очень сложный фильм. Съемки заняли у нас девятнадцать месяцев. Во Франции фильм был встречен весьма холодно. А в США и других странах был принят великолепно.

Он получил три «Оскара» в США. И открыл передо мной массу возможностей потом.

Эльдар Рязанов: Я знаю, вы играли спектакль по роману Франца Кафки «Метаморфоза» или «Превращение». Вы были весь вечер на сцене один. Все газеты писали о том, как вы мастерски перевоплощались из человека в паука или в какую-то сколопендру. У вас, кстати, не снято это на видео? Чтобы мы могли показать. Нужно было иметь большую отвагу, чтобы решиться на такой спектакль.

Роман Полански: Я думаю, самое ценное в театре — что он живой. И не надо записывать это на пленку.

Театр — это экстаз, который возникает, когда вживую видишь прекрасный спектакль. Это уникальное мгновение.

Эльдар Рязанов: А вы не можете сейчас показать хотя бы два-три движения? Как вы двигались на сцене?

Честно говоря, я не рассчитывал на успех своей просьбы. Но в мгновение ока шестидесятипятилетний Роман выскочил из кресла и опустился на пол. Он лег и начал показывать, как двигалось это членистоногое нечто. Показывал с удовольствием и очень здорово. Мало того, он еще и комментировал этот мини-спектакль.

Роман Полански: Были две принципиальные позиции в пьесе. Одна была вот такая. Вот так *(показывает)*. И была другая, где я держался так. И двигался вот эдак *(показывает)*. Голову надо было держать высоко, чтобы люди видели. Теперь я менее ловкий и не такой гибкий. А тогда через несколько месяцев репетиций и тренировок я показывал значительно более интересные результаты. А за шесть месяцев исполнения этого в театре, учитывая, что я давал по семь спектаклей в неделю, я уже прекрасно двигался, как паук.

Было много разных моментов, например, когда я висел наверху, как бы на потолке. Этот спектакль требовал больших физических затрат.

Эльдар Рязанов: Долго шел спектакль?

Роман Полански: Уже не помню. Я бы мог, конечно, играть и дольше. Но, честно говоря, после ста пятидесяти представлений мне стало скучно. Возбуждение спадает со временем. Представлений двести сыграл.

Эльдар Рязанов: Вы сейчас женаты? Я слышал, у вас есть дочь? Сейчас есть покой, тишина, счастье на душе?

Роман Полански: Я не несчастен, это уже большое достижение. Конечно же, ребенок доставляет мне больше всего радости в этой жизни.

Эльдар Рязанов: Кем вы себя ощущаете? Французом, американцем, англичанином или поляком?

Роман Полански: Во времена сталинской эпохи, когда я был ребенком, меня всегда считали космополитом. Что было ужасным непростительным грехом. Сегодня можно сказать, что это скорее достоинство.

Откровенно говоря, я не знаю, кем себя чувствую. Конечно, я поляк. Правда, я родился в Париже, но был совсем маленьким, мне было три года, когда родители увезли меня обратно в Польшу. Разумеется, мои корни в Польше, но я так долго жил во Франции, что уже проникся определенными привычками, которые делают меня французом. В любом случае, я не чувствую себя англичанином и я не американец. Несмотря даже на то, что многое, очень важное для моего художественного развития случилось именно в этих странах.

Эльдар Рязанов: Где бы вы хотели быть похороненным? Во Франции или в Польше?

Роман Полански: Откровенно говоря, у меня есть более существенные заботы. Туда не надо торопиться... Если честно, мне все равно.

Эльдар Рязанов: Вы прожили жизнь, в которой было много и страданий, и горя, и несчастья. Но были и радости, и счастье, и какие-то прекрасные минуты. Как вам кажется, чего вам Бог дал больше — страданий или счастья?

Роман Полански *(после долгой паузы)*: Пятьдесят на пятьдесят. Fifty-fifty.

Эльдар Рязанов: Это справедливо или нет?

Роман Полански: Думаю, это в порядке вещей. Да, я пережил много трагедий. Но когда я вижу, что происходит вокруг меня, сколько горя и страданий на этой земле, то говорю себе: я очень счастливый человек.

Роже Вадим:

«Со съемочной площадки в больницу меня везли четыре жены. Из них три — бывшие»

Прежде чем рассказывать о кинорежиссере Роже Вадиме, я хочу поведать вам, дорогой читатель, о Брижит Бардо. Эти два имени взошли на кинематографическом горизонте Франции одновременно. Итак, наша съемочная группа направлялась в офис Брижит Бардо, чтобы взять у нее интервью. Вообще-то она не общается с журналистами, но почему-то вдруг согласилась на встречу с нами. Наш микроавтобус ехал по набережной вдоль Сены. И тут мы увидели корабль — по-французски «бато-муш» — большой прогулочный туристский катер, который носит имя Брижит Бардо. Мы затормозили и вылезли из автомобиля. Рядом был пришвартован «Ив Монтан». Чуть дальше мы увидели корабли, названные именами Жанны Моро, Жана Габена и Жана Маре, нашего любимца, с которым у нас уже была сердечная беседа. Я решил, что это подходящее место, где можно рассказать об актерском, сексуальном, национальном, и не знаю еще каком, символе Франции 60-х и 70-х.

Традиция называть корабли именами не только умерших, но и живых артистов замечательна. Она говорит о том, что французы действительно любят свой кинематограф, считают его неотъемлемой частью культуры. Мне показалось, что нашим чиновникам было бы недурно последовать этому умному примеру.

Итак, немножко биографии. Брижит Бардо родилась в благополучной буржуазной семье в Нейи — это предместье Парижа. Как было тогда принято, родители отдали молодую барышню учиться балету. Не для того, чтобы наследница стала танцовщицей, а для того, чтобы хорошо двигалась. Брижит оказалась чрезвычайно

Молодой Вадим Племянников – еще не Роже Вадим – ухаживает за очаровательной барышней – Брижит Бардо

Кадр из первого фильма Роже Вадима «И Бог создал женщину». Родилась звезда французского кино – Брижит Бардо

талантливой. Она прошла по конкурсу одна из очень немногих. И попала в класс Бориса Князева, русского педагога, который славился и своей суровостью, и тем, что был замечательным учителем балета. Борис Князев приходил на занятия в училище с хлыстом. Иной раз он стегал нерадивых девушек-танцовщиц. Балетные барышни называли его «русский тиран». Тем не менее именно он заложил в Брижит Бардо ту пластику, по которой ее потом узнавали. Когда она была уже очень известной актрисой, ей приходилось прятаться от репортеров, надевая темные очки, парики, шляпки. Но папарацци «раскрывали» ее по походке, по неповторимой пластике.

Своим появлением в кино она была обязана другому русскому, которого звали Вадим Племянников. Так случилось, что фото Брижит попало на обложку журнала «Эль», и Вадим Племянников, который ныне известен всем любителям кино под именем Роже Вадима, обратил внимание на ее портрет. Как он сам потом писал: «Когда я ее увидел, я просто понял, что это инопланетянка». И он начал преследовать девушку. Приезжал за ней к балетному училищу, ездил за ней на машине, провожал издали до дома... Вадим был тогда репортером и работал ассистентом режиссера у некоторых известных французских мастеров. Он пригласил Брижит на кинопробы. Но ее родители дали гневный отпор: мол, шуты, комедианты, киношники — это люди второго сорта для богатой буржуазной семьи Бардо.

Однако перспектива попасть в кино привлекла девушку. Она стала встречаться с Роже Вадимом. Впервые она снялась в 1952 году (ей было 18 лет) в кинокартине режиссера Буайе «Нормандская дыра». Потом мелькнула в крошечной роли, в эпизодике, в знаменитой ленте Рене Клера «Большие маневры», где блистательно играли Жерар Филип и Мишель Морган.

Роже Вадим не отставал от девушки, опекал, помогал, протежировал. Началась любовь. Через несколько лет молодые люди уломали родителей. И Брижит стала мадам Племянниковой.

Вместе с мужем она приехала на Каннский фестиваль в 1953 году. Ей было 19 лет, ее еще никто практически не знал. И тем не менее, была в ней какая-то магия. Когда она входила в кафе или в отель, то и мужчины, и женщины невольно оборачивались на нее. Помимо того, что она была очень красива, в ней еще чувствовалась внутренняя независимость и сила.

На Каннский фестиваль чета Племянниковых приехала без приглашения. Они были незваными гостями.

А в это время на рейде Канн стоял американский авианосец, куда и явились на экскурсию Брижит и Роже. Там, как вы понимаете, огромное количество мужчин-моряков. Вдруг на палубе появляется молодая очаровательная блондинка с идеальной, безупречной фигурой. И тут произошло нечто такое, из-за чего Соединенные Штаты чуть не лишились своего авианосца! Вся команда корабля перебежала на тот борт, где находилась Брижит Бардо. Авианосец едва не затонул. Пришлось командирам срочно устанавливать равновесие на палубе.

В 1956 году Роже Вадим снял свою первую ленту «И Бог создал женщину», где Брижит сыграла свободную, раскованную, без сексуальных тормозов, молодую, прелестную женщину.

Говорят, что когда этот фильм шел в Техасе, то полиция не пускала в кинотеатры черных — боялась, что они слишком возбудятся и разнесут все вокруг. А в Нью-Йорке священник, бедный, несчастный священник, купил на один сеанс все билеты, чтобы никто из его паствы не увидел обнаженную Брижит. После ленты «И Бог создал женщину» к Брижит Бардо пришла неслыханная слава. Она стала легендой.

Надо честно сказать, что тут в роли бога выступил Роже Вадим. Именно он научил Брижит самым тонким нюансам поведения на экране: как надо говорить, как надо двигаться. Короче говоря, в результате Бог и Роже Вадим создали секс-символ эпохи. Брижит Бардо сразу же заняла важное место в жизни миллионов молоденьких барышень. Они стали ей подражать. Земная женщина, в каких-то свитерках, которые надевались прямо на обнаженную грудь, в затрепанных джинсах, она была понятна и похожа на своих сверстниц. Нельзя было стремиться стать такими, как персонажи Даниэль Дарье или Мишель Морган. Это были недостижимые красавицы, графини, принцессы французского кинематографа. А Бардо сразу стала своей для молодого поколения многих стран.

На наши экраны Брижит Бардо ворвалась картиной «Бабетта идет на войну» и мгновенно покорила сердца наших зрителей и зрительниц.

Фильм был поставлен Кристианом Жаком, замечательным мастером комедии, которому присуще истинно французское чувство юмора. Фильмы его шли у нас и были очень популярны («Фанфан-Тюльпан», «Закон есть закон», «Если парни всего мира»).

В некоторых фильмах Брижит Бардо снималась иной раз довольно элегантно раздетой или недостаточно одетой. Это вызывало большую волну возмущения у пуритански настроенных французов. Оказывается, во Франции есть и такие.

Был, например, случай. Брижит навещала свою подругу в больнице, и в лифте с ней ехала медсестра. При виде актрисы лицо медсестры перекосилось от злости, и она вилкой, которую почему-то держала в руке, стала ее колоть. Кричала, что Брижит развратила ее сына своими фильмами, своими ролями. И та в испуге выскочила из лифта. Это был шок! А следы от вилки до сих пор остались у Брижит на руке. И подобного случалось немало. Ей плевали в лицо, угрожали по телефону, ее преследовали.

Ее работа в кинематографе постоянно сопровождалась какими-то сплетнями, репортерской грязью. Это внушило ей отвращение к своей профессии.

Когда Брижит исполнилось 34 года, она начала серьезно подумывать о том, что надо уйти из кино. Но осуществила свое желание только в 1972 году, когда ей было 38 лет. После малоудачного фильма Роже Вадима, с которым она уже давным-давно развелась, «Дон Жуан-73, или Если бы Дон Жуан был женщиной», Брижит Бардо поставила на кинематографе крест.

Внешняя сторона ее жизни была прекрасна. Мировая слава, нежно-ласково-фамильярное отношение к ней соотечественников, все ее называют инициалами «Б.Б.». Фестивали, поездки, преклонение мужчин, богатые мужья — все замечательно. Во всех мэриях всех французских городов стоят бюсты или статуи Марианны — женщины, олицетворяющей Францию. Ее лепили с Брижит Бардо. В 60–70-х она была символом Франции. И лишь в 80-х годах ее сменила Катрин Денёв.

Но в душе актрисы была страшная пустота. Брижит Бардо — трагическая фигура французского кинематографа. Она не любила свою работу, но все время снималась. Душевный разлад угнетал ее. Недаром у нее было шесть попыток самоубийства. Шесть! Она принимала снотворные таблетки, и резала себе вены, и совала голову в духовку, чтобы задохнуться от угарного газа. Каждый раз ее как-то удавалось вытащить. Упорное желание умереть не было маниакальной идеей. Просто каждый раз ее допекали и доводили до такого состояния, что она была готова расстаться с самым главным сокровищем — жизнью.

Расскажу, почему Бардо приняла нашу съемочную группу. Последние тридцать лет своей жизни она посвятила защите животных. Занимается этим неистово, фанатично, с полной отдачей. И телевизионное интервью для России показалось ей замечательной попыткой обратиться к Российскому Президенту и Правительству нашей страны с призывом прекратить промышленную охоту на котиков, моржей, песцов и прочих представителей фауны. «Я понимаю, — говорила Брижит Бардо, — что в России холодно, что носить меха — русская традиция». Но она умоляла хотя бы прекратить убивать зверей, чтобы посылать их шкуры на экспорт. Весь свой темперамент, искренность, убежденность вложила она в свое прошение. Ее слова прозвучали в телевизионном эфире, но, боюсь, нашим правителям было не до того. Куда более важные проблемы — усидеть на своем месте, утопить политического соперника, расправиться с конкурентом и недругом — были для них ближе, нежели донкихотские призывы стареющей звезды...

Однако глава у нас все-таки не о Брижит Бардо, а о ее первом муже Роже Вадиме. Ибо его брак с молоденькой барышней, из которой он сделал кинематографическую диву, был только стартом в его режиссерской и брачной карьере. После развода они сохранили добрые дружеские отношения. Роже Вадим говорил, что у него всегда было ощущение, что они с Брижит как бы близнецы. И он всегда чувствовал, когда с ней происходит что-то неблагополучное.

Однажды был такой случай: Вадим ехал в поезде и вдруг почувствовал, что с Брижит неладно. Он позвонил домой, подошел отец, Племянников-старший. Роже сказал, что с Брижит сейчас что-то случилось. Отец ответил: «Да нет, она у нас совсем недавно была. Мы с ней ужинали». Роже попросил: «Поезжай к ней, узнай, в чем дело». И отец поехал. Оказалось, что Брижит пыталась покончить с собой, и бывший свекор спас ее от неминуемой смерти. И подобные ситуации возникали не один раз.

Итак, пора нашей съемочной группе отправляться домой к господину Племянникову, в самый центр Парижа, на улицу Риволи, между Лувром и площадью Согласия. Центрее не бывает.

Эльдар Рязанов: Дорогой Роже! Я хочу вас поблагодарить за то, что вы нас приняли и уделили нам время. Честно говоря, в нашей стране вас знают мало. И это, по-моему, несправедливо. Мы хотим исправить эту ошибку. Тем более ваш отец родился в России. Давайте с него и начнем!

Роже Вадим: Давайте начнем с моего отца. История проста. У моей семьи было имение недалеко от Киева. Как многие русские, которые воевали на стороне белых, родители должны были покинуть страну после революции. Мой отец приехал во Францию, стал французским гражданином и французским дипломатом, консулом Франции.

Когда отец был ребенком, у них в доме жила гувернантка-француженка. Она полгода работала в России, где занималась с моим отцом, полгода трудилась в Париже, в другой семье. Гувернантка часто говорила отцу: «Ты совершенно невыносим. А вот во Франции я преподаю одной маленькой девочке, просто замечательной». И мой отец был совершенно убежден, что он — чудовище, в отличие от какой-то милой русской девочки, живущей в Париже. А девочке, как выяснилось потом, она говорила: «Вот ты здесь плохо учишься, а в Киеве у меня есть мальчик, очень послушный, очень вежливый, который прекрасно занимается».

Лет через десять-двенадцать этот мальчик и эта девочка познакомились в Школе восточных языков в Париже. Когда они заговорили о детстве, то поняли, что у них была одна и та же гувернантка. Наверное, это их сблизило еще больше. Таким образом родился я.

Эльдар Рязанов: Это правда, что ваш отец происходил из княжеского рода, начало которого идет от Чингисхана?

Роже Вадим: Семейные архивы, которые находятся сейчас в Венеции, так утверждают. История такова. Когда Чингисхан разделил свою империю между девятью сыновьями и племянниками, та часть, где сейчас находятся Венгрия и Польша, отошла к одному из племянников.

Отсюда и происходит наша фамилия «Племянников». То есть мой отец на самом деле происходил от какого-то племянника Чингисхана.

Эльдар Рязанов: В вашем лице монголы добрались все-таки и до Парижа. Правда, более цивилизованным путем, чем в эпоху Чингисхана. Скажите, пожалуйста, как вам пришла вообще в голову мысль стать кинорежиссером?

Роже Вадим: Обычно матери не посылают ребенка учиться на актера, а скорее желают, чтобы дети стали докторами, дантистами, юристами. А мне мама сказала: «Ты создан для искусства. Попробуй поучиться на актера».

Я поступил в школу драматического искусства Шарля Делона, замечательную школу. Это было сразу после войны. Мне очень понравилась театральная среда. Но хотя обо мне и говорили, что я хороший актер, я думал, что это не то, чем мне следует заниматься. Мне хотелось быть по другую сторону сцены или камеры. При этом я много писал. Не публиковался, но писал повести, драмы, сценарии. И стал из актера сценаристом. Я продал свой первый сценарий, когда мне было восемнадцать лет, — самый молодой сценарист Франции. И приблизительно в это же время я встретил потрясающую девушку, которой должно было исполниться пятнадцать лет. Это была Брижит Бардо. Она совсем не думала, что станет актрисой. Ее родители, буржуа, не хотели, чтобы мы были вместе. Они сказали: «Вадим, если вы хотите в будущем жениться на нашей дочери, вы должны составить себе какое-то положение».

Для начала я стал журналистом в «Пари-Матч». Там у меня была масса друзей журналистов, совершенно замечательных, не то что сейчас. Потом я начал работать театральным режиссером. Это был случайный ход вещей. Мысль отважиться стать кинорежиссером пришла ко мне постепенно.

Эльдар Рязанов: Это правда, что вы увидели портрет Брижит Бардо на обложке журнала «Эль», она вам очень понравилась, и вы решили познакомиться с ней?

Роже Вадим: Это правда. Часто легенды выдумывают, но это правда. Она не была фотомоделью, но редактор журнала «Эль» была подругой матери Брижит и сказала ей: «Мне нужна девушка, которая не фотомодель, не актриса. Обычная французская девушка». Таким образом Брижит попала на обложку журнала. А я в то время писал сценарий о молодежи, и нам нужна была героиня семнадцати-восемнадцати лет. Я показал режиссеру обложку и сказал, что такая барышня нам и нужна. Режиссер написал родителям, но те слышать не хотели о кино. А Брижит это было интересно: сняться в кино, посмотреть на режиссера, увидеть всю киношную атмосферу. Она пилила родителей до тех пор, пока ей не позволили встретиться с режиссером. И именно когда она приехала к режиссеру, я с ней и познакомился.

Эльдар Рязанов: Значит, именно вы увлекли ее кинематографом?

Роже Вадим: Да, это так. Если бы я не увидел Брижит на обложке журнала, думаю, она никогда не стала бы сниматься в кино. Она всегда считала, что ее предназначение — танцы. Брижит была прекрасной балериной, очень одаренной. Танцевать — это была ее страсть. Думаю, она решила стать актрисой, чтобы выйти за меня замуж. Ибо поняла: мое призвание — кино. Наверно, поэтому Брижит никогда по-настоящему не любила профессию актрисы. Она была роскошная звезда, с прекрасными внешними данными. Но не хотела углубляться, вникать по-настоящему в ремесло актрисы. Когда в ответ на вопросы, любит ли она кино, репортеры слышали: «Нет, меня оно раздражает»,— они считали, что актриса ломается. Но на самом деле Брижит говорила правду. Конечно, у нее были прекрасные моменты в ее киножизни, интересные роли. Но кино ее не завораживало.

Эльдар Рязанов: Сценарий фильма «И Бог создал женщину» вы писали специально для Брижит, чтобы проявить ее особые уникальные качества?

Роже Вадим: Это не совсем верно. Когда я встретил Брижит, я уже написал много новелл, сценариев. Но поскольку я хорошо ее знал, я смог адаптировать мой сценарий к ее манере игры. Надо было спрятать ее недостатки и выделить достоинства. Мне было очень приятно работать с ней, но я не писал сценарий специально для нее.

Эльдар Рязанов: В своей книге «От звезды к звезде» вы писали, что Брижит не требовался учитель, ей скорей требовался садовник, который должен был ее «поливать». Обламывать ее, уничтожать манеры, привычки — было бы бессмысленно и варварски.

Роже Вадим: Образ садовника совершенно справедлив. Ей надо было помогать, хвалить ее. Брижит не тот человек, которого можно было заставить делать что-то, чего она инстинктивно не хотела...

Но я хотел бы вернуться ненадолго в контекст той эпохи. В то время кино менялось. Это было еще до «новой волны», но чувствовалось — что-то произойдет. Классическое кино довоенной поры, которое создало массу шедевров, должно было измениться, эволюционировать. Тогда не было принято допускать к режиссуре молодых. Средний возраст постановщиков был такой, какой у меня сейчас — около шестидесяти. А мне было всего двадцать семь лет. Для того времени мой фильм стал новым, необычным. Во-первых, диалоги были более естественными, ближе к жизни. Кроме того, в ленте присутствовал определенный вызов традиционной буржуазной морали. И он дал толчок движению сексуального освобождения женщины.

Фильм имел огромный отклик во Франции. Критики сильно его ругали, уничтожали Брижит Бардо. Говорили, что у нее нет будущего в кино. С картиной случилось то, что называется «эффект эхо». Она стала в первую очередь очень известна за рубежом, и только тогда во Франции поняли, что прошли мимо важного явления в кинематографе, не заметили рождения настоящей кинозвезды.

Эльдар Рязанов: Поговорим о следующей жене, об Аннет Штройберг. Она — датчанка, живущая в Париже. Вы из нее тоже сделали актрису?

Роже Вадим: Поначалу она не думала об актерской карьере. У нас родилась дочь Натали. А потом я стал снимать фильм «Опасные связи» по роману Шодерло де Лакло. Главные роли играли Жанна Моро и Жерар Филип. Аннет иногда приезжала на съемки и постепенно заразилась этим вирусом. Она сыграла в этой ленте маленькую роль женщины, которая разрывается между необходимостью остаться верной мужу и страстью к другому мужчине. На эту роль требовалась артистка с чистым невинным лицом. Я рискнул, дал эту роль жене. Она сыграла очень хорошо. Потом сыграла еще в одной моей картине, в фильме ужасов. Играла роль женщины-вампира. Здесь она снималась уже под именем Аннет Вадим. После того как

Следующая жена Роже Вадима – датчанка Аннет Штройберг

В фильме «Умереть от удовольствия» Аннет уже выступала под фамилией мужа – Вадим. Кстати, она родила режиссеру дочь Натали, которую тот и воспитывал

мы расстались, она снялась в двух-трех средних фильмах в Италии. Но карьеры артистки так и не сделала.

Эльдар Рязанов: Итак, Аннет родила дочку Натали. Оставила ее вам. Как я знаю, вы ее и воспитывали. А потом Катрин Денёв была некоторое время замечательной мамой для Натали. Вы сами пишете об этом в своей книге... Когда вы встретились с Катрин Денёв, вам было тридцать два года, а ей семнадцать?

Роже Вадим: Думаю, да. Приблизительно может быть год туда-сюда. Она тогда не была актрисой. Прекрасной актрисой была ее сестра, Франсуаза Дорлеак, которая как раз начала завоевывать популярность. А Катрин в то время говорила, что не хочет сниматься в кино.

Эльдар Рязанов: По-моему, Катрин Денёв впервые снималась в фильме «Порок и добродетель», где в главных ролях были заняты Анни Жирардо и Робер Оссейн?

Роже Вадим: Да, я дал ей там маленькую роль. И потом немного помогал режиссеру, который работал с ней над другим фильмом. Но первая роль, которая у нее была, это действительно в фильме «Порок и добродетель».

Эльдар Рязанов: Сюжет этой картины был взят из книги маркиза де Сада и перенесен во времена оккупации Франции нацистами?

Роже Вадим: Да. Это на самом деле свободное изложение книги маркиза де Сада «Жюстина». Я перенес действие в период немецкой оккупации. Но де Сада, конечно же, нельзя привязать к какой-то одной эпохе. Он не является типичным продуктом только восемнадцатого века, он может существовать в любое время. Перенести сюжет в период оккупации, в совершенно сумасшедший ужасный мир было довольно сюрреалистично. Мне показалось, что это хорошая мысль.

Эльдар Рязанов: Почему вы были законным мужем Брижит Бардо, но не женились на Катрин Денёв? Она ведь тоже потом стала символом Франции?

Это не свадьба Катрин Денёв с Роже Вадимом.
Они так и не повенчались. Свадебный наряд на Катрин,
очевидно, по роли в кино

Роже Вадим: Первый раз я женился потому, что родители Брижит не хотели, чтобы мы жили вместе без брака. Во второй раз — потому, что отдавал себе отчет, что Аннет Штройберг, маленькая датчанка, затерянная в Париже, будучи только любовницей, страдает от этого. Я женился на ней, чтобы доставить ей удовольствие. А что касается Катрин Денёв... Несмотря на рождение Кристиана, мы не были убеждены, что будем всегда жить вместе. Мы чуть было не поженились на Таити однажды, но все-таки этого не произошло. Мы оба предчувствовали, что некоторое время спустя разойдемся.

Эльдар Рязанов: Вы писали в одной из своих книг, что из Нью-Йорка вам позвонила Аннет Штройберг и сказала: если вы женитесь на Катрин Денёв, то она заберет дочку Натали. Вы боялись, что она может выполнить свою угрозу, и предложили Катрин Денёв отложить брак на потом. Катрин согласилась. И вы тогда подумали, что для себя она решила: этот брак отложится навсегда. Так ли это?

Роже Вадим: Кто знает... Может быть...

Эльдар Рязанов: Я читал в вашей книге забавную историю. Когда вы уже были женаты на Джейн Фонда, она куда-то уехала. А вы загуляли с друзьями до утра...

Роже Вадим: Я всегда был очень рассеян. Но тут случился некий перебор. Хотя объяснить можно. Когда я встретился с Джейн Фонда и мы с Катрин расстались, я уехал жить в другие апартаменты. Это было в начале наших взаимоотношений с Джейн. Она уехала на два дня в Швейцарию. А я где-то провел вечер, видимо, весело. А потом вернулся к себе, на старую квартиру, где полтора года прожил с Катрин. Машинально. Ключи у меня были, я открыл дверь, вошел, начал раздеваться, чтобы лечь в кровать...

И услышал голос Катрин: «Что ты делаешь?» Эту ночь я завершил на диванчике в столовой.

Эльдар Рязанов: Что вы чувствуете в связи с тем, что две женщины, скульптуры которых при их жизни стояли в каждой мэрии Франции, принадлежали вам?

Роже Вадим: Думаю, я должен был баллотироваться в мэры. А может, и в президенты.

Эльдар Рязанов: Отдав дань французскому патриотизму, давайте перейдем к вашей американской странице, вернее, к вашей американской жене Джейн Фонда.

Роже Вадим: У нее уже была определенная известность. Ее главной проблемой было то, что она еще не стала Джейн Фонда, а оставалась дочкой Генри Фонда, одного из самых знаменитых актеров. В Голливуде она снялась в паре фильмов в милых, симпатичных ролях. Ее называли маленькая Брижит Бардо из Голливуда. Она была старлеткой, которую принимали за сексуальную кошечку и дочку своего папы. Ей только предстояло создать себе собственное имя. Джейн — удивительная женщина, с большим мужеством. Обычно актрисы начинают в Европе, а потом едут завоевывать Голливуд. А Джейн поступила наоборот: покинула Голливуд и поехала во Францию, чтобы завоевывать известность.

Когда я встретился с ней, мне не пришлось уговаривать ее стать актрисой, мне нужно было помочь ей найти свое место в искусстве. И я думаю, что в этом ей сильно помог. Я снял с ней четыре фильма. Один из них получился очень занятным. Он намного опередил свое время. Это была «Барбарелла». Фильм содержал в себе много условных, фантастических, странных вещей, которые потом взяли на вооружение американские режиссеры. Там была потрясающая сцена, где ее пытают птицы...

Эльдар Рязанов: Это было до фильма Хичкока «Птицы»?

Роже Вадим: По правде говоря, это было взято из французских комиксов. Тогда я не думал о фильме Хичкока. Но, конечно, есть аналогия.

Следующей женой Роже Вадима стала дочь знаменитого американца Генри Фонда – Джейн. Джейн Фонда в роли Барбареллы в одноименном фильме мужа

Если в предыдущих случаях Роже Вадим создавал актрис, то в случае с Джейн Фонда он помог молодой американке усовершенствовать свое мастерство

В Париже Джейн удалось преуспеть. Когда она покинула Францию, чтобы вернуться в США, то въехала в Голливуд уже как Джейн Фонда. Мои фильмы с ее участием сделали ее звездой.

Был и другой аспект, о котором люди не знают. Я еще занимался и ее политическим воспитанием. Она приехала из Америки с примитивными стереотипами и предубеждениями в политике. Благодаря встречам с людьми, с которыми я ее знакомил, например с Андре Мальро и другими моими друзьями, Джейн узнала, что пропагандистский обман в ее стране был таким же явным, как и в коммунистических государствах. Она смогла более критически оценить политику своей страны. А поскольку Джейн никогда ничего не делает наполовину, то стала заниматься политикой чересчур активно. Ее пришлось даже тормозить.

Эльдар Рязанов: Расскажите, как случилось, что, когда вы повредили на съемке плечо, вас везли в больницу ваши четыре жены. В том числе три бывшие. Думаю, не ко всякому мужчине была бы проявлена такая солидарность. Это о вас очень хорошо говорит...

Роже Вадим: Моя последняя жена Мари-Кристин Барро (кстати, племянница великого французского актера, мима и режиссера Жана-Луи Барро. — *Э.Р.*), с которой я счастливо живу, и я дружим со всеми моими бывшими женами. Например, три дня назад мы обедали у Брижит Бардо. Мы встречаемся и с другими моими бывшими супругами. Отношения между ними — прекрасные. Так вот в тот день, когда я разбил плечо, получилось смешно, потому что произошло совпадение: Аннет Штройберг приехала ко мне, Катрин Денёв снималась на соседней съемочной площадке, а Брижит заехала к какому-то своему другу. А у меня в павильоне находилась Джейн Фонда, которая тогда была моей женой. И когда они узнали, что я разбил плечо, все дружно сели в машину «Скорой помощи» и отвезли меня в госпиталь.

Эльдар Рязанов: Теперь деликатный вопрос. Вернее, неделикатный. Роже, наверное, для вас не секрет, что немало людей, среди них и обыватели, журналисты, считают вас, как бы сказать, луной, которая, как известно, сама не светит, а отражает чужой свет. Что, мол, вы как художник самостоятельной ценности не представляете. Вам наверняка известна подобная точка зрения?

Роже Вадим: Ну, если мы будем говорить только о моих женах, которых я сделал знаменитыми, так можно вовсе забыть о том, что я в первую очередь режиссер, сценарист и писатель. И еще, наверно, все задают вопрос: а чем он привлек таких замечательных женщин? Но это лучше у них спросить. Я прекрасно понимаю средства массовой информации, сам был журналистом. Гениев было много, великих режиссеров было много. Режиссеров, которые женились на известных актрисах, было много. Но я довольно уникальный случай в области кино. Я не женился на звездах. Я встречал девчонок, которые были совершенно не известны никому. У них даже не было особо яркой внешности. Когда я встретил Катрин Денёв, никто не считал, что мне повезло. Все говорили: «Ее сестра значительно лучше». Когда я встречался с Брижит Бардо, никто мне не говорил: «Ах, какая чудная невеста».

Но эти две женщины стали звездами. А потом я помог Джейн Фонда. С одной стороны, мне это приятно, ведь часть моего ремесла — создавать актрис. И уметь их найти. С другой стороны, это несколько затеняет мой талант режиссера. Но и льстит мне. Значит, у меня хороший вкус. И я умею делать женщину свободной, а не закрепощать ее.

Но рецензенты и некоторые средние журналисты просто ненавидят меня.

Практически вся критика моих фильмов очень субъективна. Кинокритики мне завидуют. Они ждут выхода картины, чтобы оскорблять меня. Разумеется, есть и такие, кто меня защищает. Они пишут, что я остаюсь самим

собой, что мои фильмы идут по всему миру. Но целая свора критиканов постоянно меня обхаивает. С этим ничего не поделаешь.

Эльдар Рязанов: Расскажите, пожалуйста, о ваших детях.

Тут, пусть простит меня читатель, я немного запутался. Роже начал сыпать именами. Потом выяснилось, что в 78–79-м годах, когда он работал в США, у него была еще одна жена — Катрин Шнайдер (слава богу, не актриса), которая родила сына Ваню. Поэтому я просто процитирую, что говорил этот симпатичный жизнелюб, женовед и многодетный отец. А читатель пусть сам разберется, если сможет.

Эльдар Рязанов *(уточняя)*: Четыре из ваших пяти жен подарили вам детей. Итак: Аннет — дочку Натали, Катрин Денёв — сына Кристиана, Джейн Фонда — дочку Ванессу и Катрин Шнайдер — сына Ваню. Скажите, как они между собой? Встречаются, дружат ли, приезжают ли к вам на ваш день рождения, чтобы поздравить вас? Как этот «колхоз» существует, очень интересно?

Роже Вадим: У моих детей и жен друг с другом прекрасные отношения. Это даже стало сюжетом моего последнего фильма. Ваня, мой младший сын, и его мама Катрин Шнайдер живут на третьем этаже нашего дома. У Мари-Кристин, моей нынешней замечательной жены, с Катрин полная симпатия. Мари-Кристин и Джейн Фонда дружат. Джейн и Брижит — тоже. Они все вместе в лучшем смысле слова прекрасная семья.

Все мои четверо детей, а также дети моих жен не от меня, — их сейчас более десяти — все они считают себя братьями и сестрами. Это очень приятно. Думаю, это произошло благодаря двум вещам. Я никогда не создавал драм в моменты расставания с женщинами. И я всегда

Мне кажется, что секрет любви замечательных, красивых женщин-актрис к Роже в том, что он прекрасный, сердечный и бесконечно добрый парень

Мари-Кристин Барро – последняя любовь неуемного Роже Вадима

 занимался с детьми. Мамы доверяли мне детей, и наших общих, и от других мужей. Они знали, что мне можно доверить самое дорогое. И поэтому у нас у всех дивные взаимоотношения.

В день моего рождения все, кто может приехать, всегда присутствуют. В последний раз была Ванесса, которая закончила университет в Америке, приехала Джейн Фонда, были Катрин Денёв, Катрин Шнайдер, Аннет Штройберг и, естественно, Мари-Кристин Барро. И новый муж Джейн Фонда — Тед Тернер, и бывший муж Джейн Фонда — Том Хейден, и все дети. Было человек тридцать. А готовили еду для всех я и Тед Тернер.

По-моему, пришла пора заканчивать эту симпатичную рождественскую сказку...

Во время создания этой книги пришло известие, что Роже Вадим скончался. Это был действительно добрый, простодушный и славный человек. Разговаривая с ним, я понял, почему его любили такие разные и такие блестящие женщины. Его глаза излучали тепло и доброту. А это встречается очень редко...

Шарль Азнавур:
«Я иду так быстро, что возраст не может меня догнать»

Шарль Азнавур принял нас в своем офисе, в центре Парижа. На стенах — афиши концертов и огромное количество золотых дисков.

— Это только половина моих золотых дисков, — сказал Шарль.

— Остальные находятся дома? — спросил я.

Шарль Азнавур: В моем доме нет ничего, что напоминало бы мне о профессии.

Эльдар Рязанов: Неужели вы ее так не любите?

Шарль Азнавур: Я не могу заниматься своей профессией двадцать четыре часа в сутки. В жизни есть другие важные вещи, кроме профессии.

Эльдар Рязанов: Спасибо вам, что согласились на интервью.

Шарль Азнавур: Россия — это страна, которую я очень люблю. Я не умею говорить по-русски, но для меня русский не иностранный язык, во мне есть немножко славянской крови.

Эльдар Рязанов: Шарль, расскажите, как вы приобщились к пению?

Шарль Азнавур: Я начал петь в девять лет. Вначале я пел в русских ресторанах. Мой дедушка был поваром, готовил русские блюда. И у моего отца в Париже тоже был русский ресторан, он назывался «Кавказ». Я начинал там. Мой отец был еще и певцом. А мать была актрисой. И я чисто автоматически стал певцом. Если бы мой отец был банкиром, я бы стал банкиром. А так мне ничего не оставалось делать, как запеть.

Когда случилась депрессия, в тридцатые годы, мой отец обанкротился. И стал держать небольшое кафе.

 Напротив этого кафе находилась маленькая театральная школа, куда дети ходили учиться: не только читать и писать, но и декламировать. Когда режиссеру нужен был ребенок, чтобы играть в пьесе или в кино, его обычно находили в этой школе. В первый же день, когда я поступил в школу, туда пришел режиссер. Он спросил меня: что я умею делать? Я скромно ответил, что умею делать все. Он поверил и взял меня. Именно тогда, в тридцать третьем году, и началась моя карьера, я стал заниматься своим ремеслом. Совершенно случайно, как видите. Но думаю, что моя сестра и я, — мы в любом случае пришли бы в искусство. Мы всегда хотели стать именно артистами.

Эльдар Рязанов: Расскажите, пожалуйста, о своем дуэте с композитором Пьером Роше.

Шарль Азнавур: Во время войны в Париже был клуб, который назывался «Клуб Песня». Туда однажды привела меня моя сестра. И мы с ней танцевали русские танцы, то, что называется «чечетка».

Пьер Роше играл там на пианино. Однажды конферансье ошибся, и меня объявили вместе с Роше. Мы с ним спели, это имело большой успех. И мы решили продолжать таким же образом. Роше сочинял музыку, а я тогда песен не писал. Репертуара не хватало. И я начал думать о том, что же нам исполнять. И нашел выход. Первая песня, которую я сочинил, имела огромный успех, получила приз как лучшая песня года. Потом мы вместе гастролировали и в Канаде, и в США. Пьер в Канаде женился, а я вернулся во Францию. Я хотел стать актером, я не хотел петь. Но драматические роли у меня не пошли. И я продолжал сочинять песни. Их пели другие артисты, песни имели успех, я стал известным во Франции. Потом начал карьеру певца. А уж затем песня привела меня в кино. И вот так всегда в жизни происходит. Одно связано с другим, и я проложил себе дорогу.

Эльдар Рязанов: Как вы встретились с Эдит Пиаф?

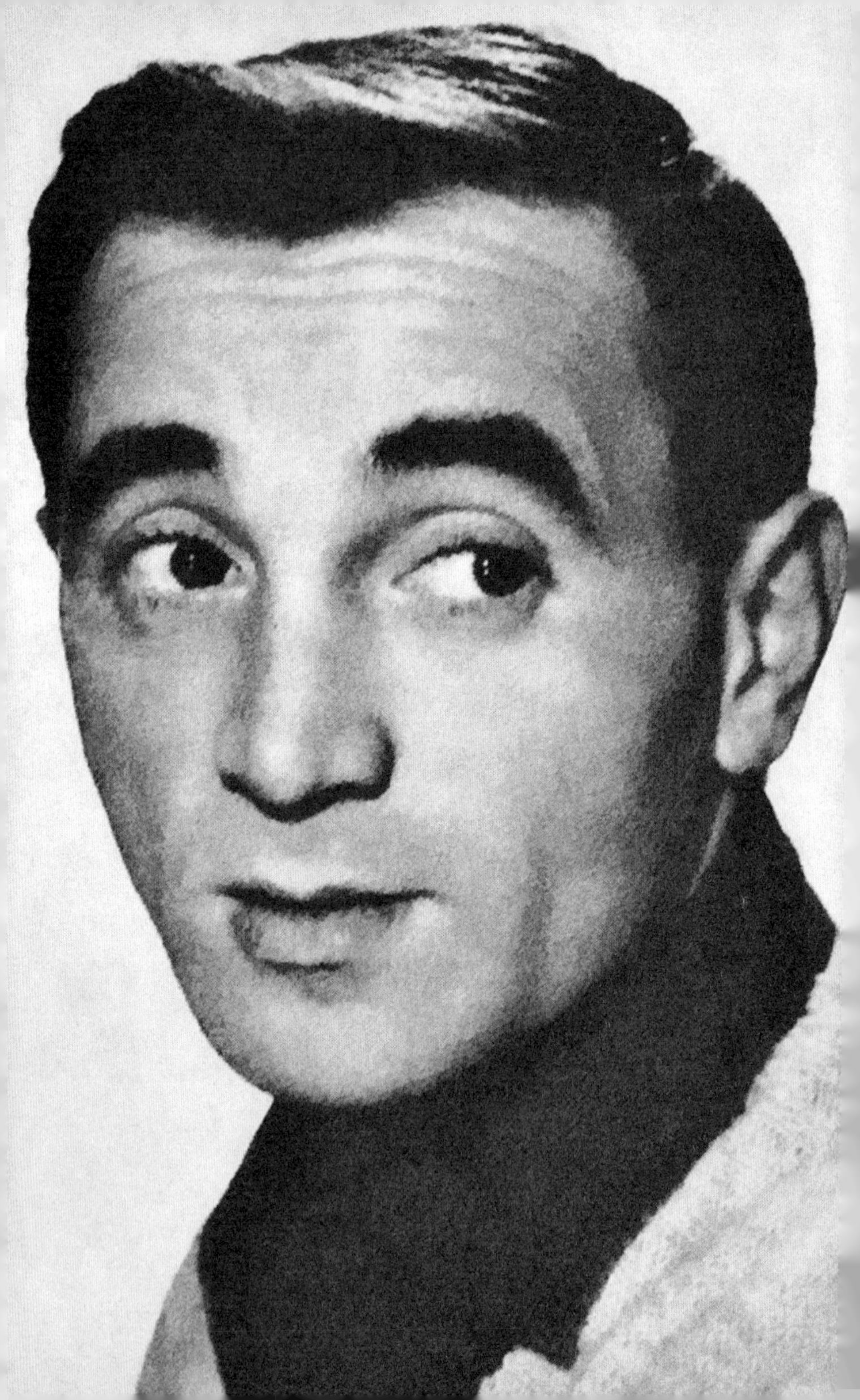

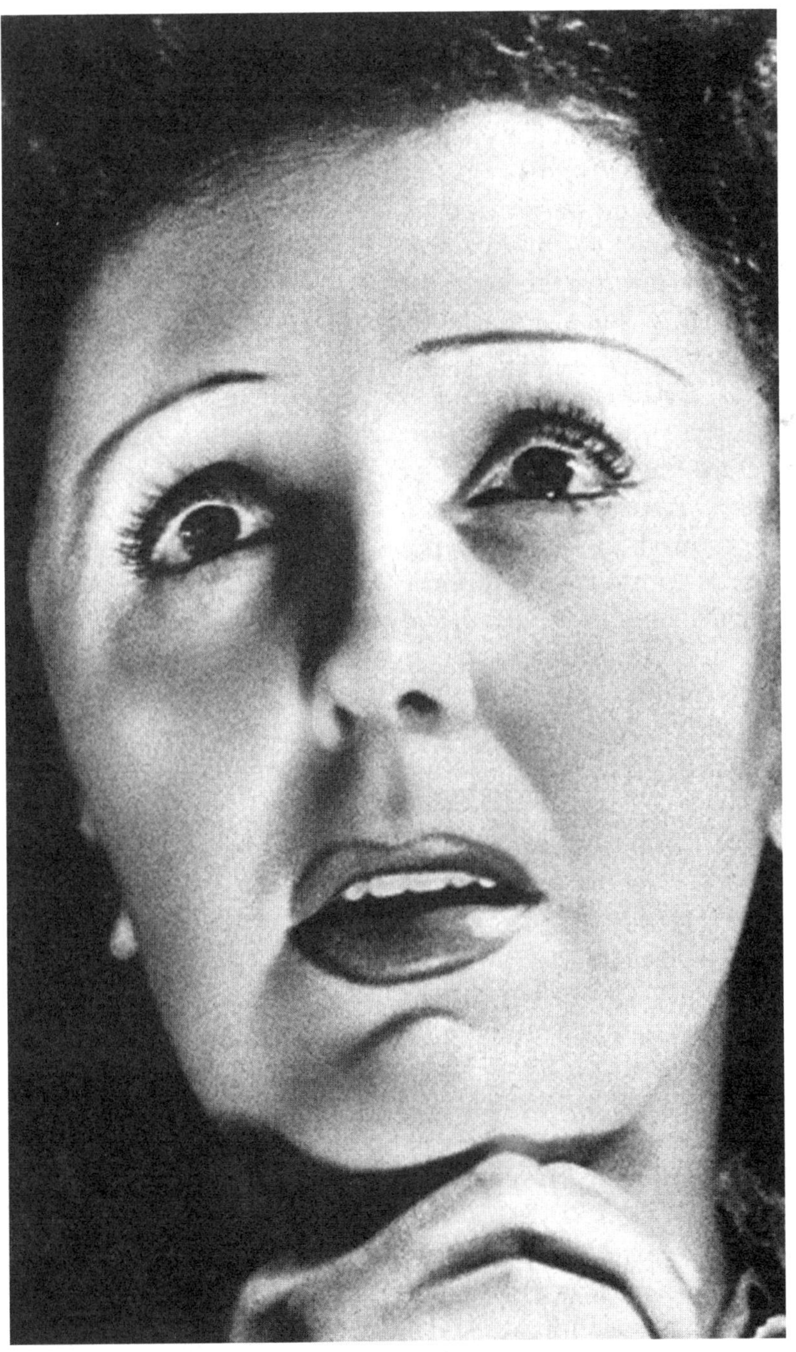

С Эдит Пиаф молодого Шарля связывала нежная дружба. Он не только сочинял стихи для ее песен, но и был ее учеником, учился петь

Шарль Азнавур: Я написал для нее одну вещицу и хотел петь с ней дуэтом, но она сказала мне, что лучше все-таки петь поодиночке. Дуэтом мы никогда не пели. Я несколько лет жил у Эдит Пиаф, до тех пор, пока не встал на ноги. Где-то в пятьдесят шестом – пятьдесят седьмом году я впервые выступил в зале «Альгамбра». Очень тяжело было в первый вечер. Но следующее выступление прошло прекрасно.

Я не очень привык говорить о себе. Я часто говорю о других и редко о себе.

Эльдар Рязанов: У вас было много провалов? Я читал, что публике нравились ваши песни, но не ваше пение. Вам предлагали даже выступать в роли мима. Расскажите о своих неудачах.

Шарль Азнавур: Я был единственным человеком, который верил в меня. У меня была масса трудностей с публикой. Во-первых, я пел необычные вещи. Тогда это было ново для Франции. А публика с трудом принимает непривычное. С другой стороны, моя внешность не соответствует представлениям о звезде. Я маленький, с грустными глазами. У меня сложное в произношении имя. Моя карьера развивалась медленно и тяжело. Но, может, трудные обстоятельства и обеспечивают надежность, прочность карьеры. Чем больше ты преодолеваешь трудностей, чем больше вкладываешь сил, тем добротнее результат. Я никогда не хотел идти навстречу публике, я хотел перетянуть публику на свою сторону. Не хотел опускаться до низких вкусов. Я был не один такой. Жорж Брассанс, например, имел те же проблемы. И Жак Брель тоже. Все-таки публику надо воспитывать, а это очень тяжело.

Эльдар Рязанов: Вы во многих своих песнях одновременно и автор стихов, и композитор, и певец. Как рождается песня? Что является первым толчком — строчка или мелодия? Или желание спеть?

Шарль Азнавур *(после большой паузы)*: Я сначала пишу текст. В первую очередь я автор стихов. Для меня музыка — это только нечто поддерживающее стихи. Я считаю, что нет французской эстрадной музыки. Когда я так говорю, французы расстраиваются, но это правда. Мы пользуемся басановой, славянской, еврейской музыкой, танго, джазом, рок-н-роллом. Французской эстрадной музыки нет, еще не изобрели. Не французы изобрели басанову, не французы изобрели танго, и так далее. И я пользуюсь музыкой всего мира как поддержкой. Но стихи французские, и все лучшие тексты всегда были французскими.

У французского шансона великие достижения. Он лучше остальных именно с точки зрения текста. У нас великие поэты-песенники. И я стараюсь быть частью этой группы, которая, кстати, не такая уж большая.

Эльдар Рязанов: Когда песня готова, долго вы ее репетируете, прежде чем выносите на публику?

Шарль Азнавур: Я начинаю петь сразу, не репетирую. Я ненавижу репетиции. Они создают какую-то механистичность, от которой я отказываюсь. После шести-семи месяцев исполнения подряд я перестаю петь песню. Чувствую, что начинаю делать те же жесты, повторять те же интонации. А я люблю спонтанность, чтобы каждый раз эмоции были новыми. Поэтому, как только я написал песню, сразу начинаю исполнять. Иной раз не помню слов. Потому что пишу сразу много. А потом я останавливаюсь и не пишу целый год. Иногда в первые дни исполнения новой песни пользуюсь шпаргалками.

Эльдар Рязанов: Вы в центре зрительского и слушательского интереса уже сорок лет. Как вы этого добиваетесь?

Шарль Азнавур: Есть только одна вещь — качество искусства. Коммерция и реклама, конечно, важны. Но есть великие артисты, которые не продали ни одной пластинки. Неважно, что эти артисты выступали только на сцене. В мире есть великие клоуны, например Крок или Карандаш. Их видели только те, кто ходил в цирк.

 Но все равно они остались великими клоунами на всю жизнь. Или русский певец, который пел любовные песни. Он обогнал свое время. Мой отец мне рассказывал о нем. Потом я наконец нашел его альбом. Не очень технически хороший. Его очень любил Ростропович. Он не смог найти его пластинку, я ему ее пошлю.

Эльдар Рязанов: Как же звали этого певца?

Шарль Азнавур: Вертинский. Качество его пения пережило годы. Только качество исполнения может сделать артисту подлинную карьеру. Никаких компромиссов!

Я писал песни для молодых исполнителей. Например, для Джонни Холлидея и других. Но я их не пел. Если бы я пел рок-н-ролльные песни, то предал бы себя и предал свою публику. Автор — это одно, а поющий персонаж — другое.

Эльдар Рязанов: Вы не только великий певец, но еще и глава фирмы, которая выпускает огромное количество пластинок, в том числе диски Эдит Пиаф, Шарля Трене и еще многих замечательных французских шансонье. Расскажите о работе издателя дисков.

Шарль Азнавур: Диски — это другое дело, совсем другой бизнес. Я купил эту фирму потому, что ее намеревались купить иностранцы. А она является национальным достоянием Франции. А национальное достояние нужно хранить. Новые хозяева не смогли бы понять творчество наших певцов. Если в России продадут музыкальные компании англо-американским, японским или немецким фирмам, то русская музыка перестанет исполняться. Кто может защитить русскую музыку? Только русский. Никто другой. Иностранцы будут тиражировать свои песни, и это опасно для национальной культуры. Я не хочу, чтобы с подобной опасностью столкнулись мои дети. Мои дети должны жить в той культурной среде, которую я защищал всю жизнь.

Я зарабатываю достаточно денег, чтобы тратить их ради страны, которая дала мне все, что я имею. Я — сын эмигрантов. Но родился здесь, во Франции. Эта страна приняла моих родителей, кормила их, дала им достойную жизнь, позволила воспитать детей. Я очень многим обязан Франции. И сделаю все, чтобы культура этой страны продолжала жить.

Эльдар Рязанов: Теперь поговорим о кино...

Шарль Азнавур: Я единственный актер, который снимается в кино только тогда, когда у него есть время. Я вынужден от многих предложений отказываться, ибо моя первая профессия — песня. А она отнимает много времени. Правда, без песни я бы никогда не снимался в кинематографе, мне очень повезло. Но работаю в кино я только во время отпуска. По сравнению со знаменитыми актерами у меня очень мало фильмов.

Например, я соглашаюсь играть роль вне зависимости от того, большая она или маленькая. Но в зависимости от того, что она дает мне. Иной раз я играю роль, которая длится две с половиной минуты. Но мне кажется, что она более важна, чем если бы я сыграл двухчасовую роль в другом фильме.

Надо играть все, не обязательно быть в фильме звездой. Это принцип репертуарного театра. Там иногда играешь маленькую роль, а иногда большую. Я поступаю так же в кино. Вначале меня за это критиковали. Но я считаю, что нужно выбирать роль вне зависимости от денег и размера. Нужно в первую очередь быть артистом. А уж потом — коммерсантом.

Эльдар Рязанов: Я вижу, вы пользуетесь каждой секундой для того, чтобы посмотреть какие-то бумаги, позвонить по телефону. Для вас, очевидно, самый главный дефицит — это дефицит времени.

Шарль Азнавур: Да, моя жизнь слишком коротка. Не знаю, успею ли я завершить свои дела до смерти. Всегда к концу дня выясняется, что я забыл что-то сделать. Письма, запросы, нужно всем ответить. Конечно, есть секретарь издательства. Но у меня нет своего личного секретаря. Я отвечаю на все письма сам. Пусть всего две строчки, но отвечаю. Многие артисты так не делают, но я отвечаю всем. Меня поздравляют с днем рождения, я отвечаю. Поздравляют с Новым годом, я отвечаю. Это очень важно, но для этого нужно время. Поэтому как только у меня есть свободная минутка, я открываю конверт или звоню по телефону.

Эльдар Рязанов: Но тем не менее, вернемся в кино. Расскажите о фильме Трюффо «Стреляйте в пианиста», где вы играли музыканта.

Шарль Азнавур: Фильм Трюффо был снят случайно. Трюффо хотел снять документальный фильм обо мне. Он очень любил мои песни и пришел ко мне спросить моего согласия на съемку документального фильма. Я согласился. Он мне показал свой короткометражный фильм. До этого он еще почти ничего не снимал. А через несколько дней принес книгу и предложил вместо документальной киноленты снять художественную.

Я прочел книгу и согласился на игровую картину. К тому же я не хотел петь в фильме. Я всегда отказывался петь в кино. Певца обязательно просят петь на экране. Это глупо, на мой взгляд, и смешно.

В фильме Франсуа Трюффо «Стреляйте в пианиста» Азнавур сыграл главную роль. И сыграл блестяще

Кино для меня, как бы это сказать, второе в жизни. Например, у режиссера Верне я снялся в очень короткой сцене. Мишель Морган окликает меня: «Шарль!» Я оборачиваюсь, говорю: «Здравствуй!» И все. У Шаброля я снимался в крошечной роли. Шаброль — мой друг, и я для него это сделал.

Иногда я предпочитаю сниматься бесплатно. Например, если фильм получился плохой. Или же потому, что помню: я значительно богаче режиссера и могу оказать ему такую любезность.

Эльдар Рязанов: В своем будущем фильме я это обязательно учту... Чем вы объясните ваш успех в кинематографе?

Шарль Азнавур: Я часто играл роли, близкие к пониманию простых людей. Какой-нибудь пекарь или фермер... Эти персонажи похожи на всех и на каждого. Я такой народный персонаж во Франции.

Эльдар Рязанов: Я знаю, вы посол Армении во Франции. Вы почетный посол или действующий?

Шарль Азнавур: Я — посол не во Франции, а, как бы сказать, во всем мире. Я — посол при ЮНЕСКО, представляющий Армению. Этот титул позволяет мне легче открывать какие-то двери, когда речь идет о помощи Армении, выполнять просьбы, которые были бы не под силу простому певцу. Вообще прежде армянский вопрос меня не волновал. Но после землетрясения я сказал себе: «Мои родители оттуда. Что я могу сделать, чтобы им было приятно? Что я должен сделать для страны моих родителей?» И сейчас я стал больше армянином, чем был раньше. Хотя никогда не отрицал того, что я армянин. Но раньше я был армянином второй категории, а теперь стал армянином первой категории.

Эльдар Рязанов: Я читал, что благодаря вам Армения смогла встретить Новый год с электричеством. Расскажите, как вы осуществили эту акцию.

Шарль Азнавур: Я очень многими вещами в Армении занимаюсь: и детскими домами, и аптеками, и так далее. Я каждый раз пытался выяснить, чего больше всего не хватает жителям. И понял, что больше всего люди нуждаются в электроэнергии. Энергию заводам, конечно, я не могу обеспечить, но для людей в их быту электричество — это очень важно. У них электричество часто отключают.

Я ездил в Брюссель, просил помощи в бюджете на электричество, хотя бы два часа в день, в конкретные часы. Чтобы женщины знали, когда будет электричество, и могли вести свое хозяйство. Не знаю, сколько времени мы сможем продержаться. Это дорого. Все время нужно много денег. А деньги найти — самое тяжелое...

Эльдар Рязанов: Скажите, вот вы себя считаете счастливым человеком?

Вереница ролей в кино: фильм «Переход через Рейн». Режиссер Андре Кайат

«Дьявол и 10 заповедей». Режиссер Жюльен Дювивье

«Завещание Орфея».
Режиссер не кто-то, а сам Жан Кокто

Шарль Азнавур: Да. Я, конечно, счастливый человек. Единственное, что меня сильно ранит, это когда люди, которых я люблю, несчастливы. Но сам я очень счастлив. Я получил в жизни больше, чем желал. Я не люблю людей, которые все время жалуются на бедность.

Мне хотелось бы давать людям — а я обращаюсь к миллионам — уроки надежды...

Сейчас издается около тридцати моих дисков. Будут опубликованы все мои песни и то, что я пел на испанском, итальянском, немецком. Это была не моя идея, но люди хотят получить все мои произведения. Я не смотрю назад, я всегда смотрю вперед. А позади — мои воспоминания, моя дружба с теми, кого я потерял по дороге. Но я не вспоминаю работу. Работа сделана, и все! Я сейчас в том возрасте, когда начинают получать награды. Я смотрю на это с улыбкой. В молодые годы хотелось все это иметь. Тогда бы и награждали. А теперь...

Эльдар Рязанов: Как вам удалось так сохраниться? Я ваш давний почитатель, слежу за вами много лет. Вы все такой же, вот только волосы побелели... Поделитесь секретом.

Шарль Азнавур: Я иду так быстро, что возраст не может меня догнать.

Эльдар Рязанов: Замечательный ответ.

Клод Лелуш: «Кино в прямом смысле спасло мне жизнь»

Студия «Фильм 13» принадлежит французскому кинорежиссеру Клоду Лелушу. Фильм «Мужчина и женщина», снятый в 1966 году двадцатилетним постановщиком, сделал его имя знаменитым во всем мире. Очень помогли ему в этом прекрасные артисты Анук Эме и Жан-Луи Трентиньян, а также волшебная музыка композитора Фрэнсиса Лея. Не стану скрывать, этот режиссер меня очень интересовал, мне казалось, у нас с ним есть нечто общее в подходе к кино и к жизни. Что именно — весьма скоро выяснилось в нашей беседе.

Клод Лелуш: ...Женщины мне значительно интересней мужчин. Когда я снимаю фильмы, то это только для женщин. Все мои фильмы посвящены женщинам, мужская публика меня интересует значительно меньше.

Если мужчинам нравятся мои фильмы, тем лучше. Но женские эмоции мне интересней. Я предпочитаю мир женщин, я предпочитаю женскую страсть. На мой взгляд, мужчины несколько глупы и претенциозны.

Если бы не было женщин, для меня жизнь не имела бы никакого смысла и интереса. Именно они делают жизнь приятной, жестокой, великолепной, именно у них есть страсть к приключениям. Не у нас, мужчин.

Я живу в мире женщин, и хотя именно они заставили меня страдать больше всего, я благодарю их за эти страдания, потому что они всему меня научили...

Мне было приятно, что многие мои ощущения были сформулированы Лелушем столь четко и категорично.

Эльдар Рязанов: Клод, всем известно, что вы начинали как кинолюбитель и в профессиональное кино пришли из дилетантов. Как это случилось? Когда?

Клод Лелуш: Начинать придется с тридцать седьмого года, еще до моего рождения. Незадолго до этой исторической даты мой отец купил маленькую восьмимиллиметровую камеру, чтобы снимать меня с самого первого дня мой жизни.

С самого рождения я видел эту любительскую камеру в руках моего отца, который снимал меня все время — и в год, и в два, и в три. Мои первые шаги, лепет и тому подобное. Меня буквально гипнотизировала камера, через которую на меня глядел отец. Я даже заметил, что на самом деле отцу было интересней разглядывать меня через видоискатель, чем невооруженным глазом.

Во время оккупации Франции фашистской Германией нас как евреев разыскивало гестапо. И моя мать, которая заметила, что я очень люблю кино, прятала меня в кинотеатрах. Так что кино в прямом смысле спасло мне жизнь.

Мама приводила меня в кинотеатр к двум часам дня и забирала в шесть-семь вечера. Я смотрел один и тот же фильм по четыре-пять раз в день.

Я вел себя в кинотеатре значительно лучше, чем дома или в детском саду. Таким образом, у меня очень рано сложились особые взаимоотношения с миром кино. Мне больше нравилось общаться с киногероями, чем с живыми людьми. Меня завораживал этот мир, он пытался походить на жизнь, но был значительно более совершенным.

Поэтому, естественно, мне очень хотелось самому взять в руки восьмимиллиметровую камеру моего отца. И когда он мне ее подарил на день рождения, это стало для меня огромным событием. Я был счастлив.

В восемь лет я почувствовал себя Наблюдателем с большой буквы, человеком, приобщенным к таинствам киносъемки. Так я начал заниматься любительским кино.

Я ведь настоящий самоучка, нигде и никогда не учился киноискусству. Я научился всему сам с помощью маленькой любительской камеры.

Кроме того, еще перед войной мой отец, мелкий парижский торговец, купил один из первых во Франции телевизоров. Кажется, то был седьмой по счету из выпущенных в стране телеприемников. Тогда это было очень заметным событием. Так что вдобавок я один из первых детей в мире, которые выросли у телевизора.

В школе я учился довольно плохо — все время думал только о том, как бы сбежать с уроков в кино. Меня это занимало больше всего. Так я дожил до восемнадцати лет и в этом возрасте стал оператором, кинорепортером «Новостей».

Я ездил с небольшой камерой практически по всему миру и снимал различные события. Именно так я и познакомился с Россией в пятьдесят седьмом году.

Это стало важным событием в моей жизни. Я снимал документальный фильм о Москве. Это был один из моих первых опытов в кино.

«В три года меня звали "Петушок". На снимке мужчина и женщина моей жизни: Симон и Евгения, мои родители...»

Тогда я попал на съемки фильма «Летят журавли» Михаила Калатозова. И был просто потрясен. Когда я был на съемочной площадке, Калатозов снимал сцену с Татьяной Самойловой на высокой винтовой лестнице, которую соорудили в студии. В центре лестницы находился специальный подъемник для оператора, и камера по спирали следовала за персонажами. Я был просто загипнотизирован этим зрелищем.

Именно тогда я решил, что стану режиссером. Вернувшись во Францию, сразу позвонил в Оргкомитет Каннского фестиваля и рассказал им о фильме Калатозова. Ну а потом, это вы, конечно, знаете, «Летят журавли» получили «Золотую пальмовую ветвь» в Каннах. А для меня, для меня лично эта картина до сих пор остается одной из культовых. Ведь это она помогла мне окончательно определить свою профессию.

Я все это говорю не потому, что вы — русский, я не раз повторял это во многих интервью, в разных странах мира.

Подписи к фотографиям в этой главе сделаны ее героем – Клодом Лелушем

Эльдар Рязанов: Клод, а теперь расскажите, пожалуйста, леденящую душу историю о том, как вы в пятьдесят седьмом году тайно проникли в Мавзолей Ленина.

Клод Лелуш: Да, мне в ту поездку удалось поснимать внутри Мавзолея. Буквально несколько кадров, совсем немного, но тем не менее эти кадры стали сенсацией. До этого момента ни одна камера не могла проникнуть в Мавзолей. Парадоксально, но это так.

В то время в СССР было полно мест, где снимать запрещалось. Иностранцы находились под постоянным наблюдением, поэтому я повесил камеру на грудь под пальто, наружу выглядывал только объектив, а сам ходил согнувшись, как горбун.

Так я снимал во многих местах, где было запрещено. Единственной проблемой было то, что камера шумела. И поэтому мне приходилось все время кашлять, так что в Мавзолее я был основательно «простужен»!

Еще раз повторю, что за иностранными туристами постоянно следили, чтобы мы не наделали недозволенного. Поэтому я два-три раза менялся одеждой с москвичами, которые были тогда рады получить взамен парижские вещи. Я был одет как русский, а они как туристы-иностранцы.

Благодаря этому маскараду удавалось раствориться в толпе. Ну, вы, наверное, все это и без меня прекрасно понимаете. В итоге у меня получился уникальный сорокапятиминутный фильм о Москве, которым я до сих пор горжусь.

Этот фильм я продал крупнейшим телекомпаниям мира. Ведь в то время таких материалов о России практически не было.

А на заработанные деньги организовал фирму «Фильм 13», где мы сейчас и находимся и которая продюсировала в дальнейшем все мои ленты.

Эльдар Рязанов: Клод, мне просто совестно спрашивать вас о фильме «Мужчина и женщина». О нем столько сказано и написано. У вас, наверно, мозоль на языке. Спрошу только одно: как вы его оцениваете сейчас?

Разумеется, в телепередаче каждый раз, когда речь заходила о какой-либо киноленте, мы показывали сцены и фрагменты из нее. Читателям же хуже. Им остается только надеяться на свою память.

Клод Лелуш: Я очень, очень люблю этот фильм. Эта картина — символ моей свободы. Именно благодаря «Мужчине и женщине» я стал независимым кинорежиссером. Это самый важный фильм в моей жизни. В том смысле, что он позволил мне добиться всех моих успехов, а также совершить все те глупости, которые я совершил. А потом я не удержался и снял продолжение этого фильма — «Мужчина и женщина. Двадцать лет спустя».

Я промолчал, ибо продолжение было во много раз слабее. Думаю, что мой собеседник и сам это прекрасно понимал.

Эльдар Рязанов: Самым трудным всегда оказывается следующий фильм, который снимается после огромного оглушительного успеха предыдущего. Поэтому я спрашиваю вас о ленте «Жить, чтобы жить», которую вы ставили сразу вслед за «Мужчиной и женщиной».

Клод Лелуш: Думаю, что если бы я снимал этот фильм после неудачи, то он был бы значительно лучше.

Я не знал, было ли известно Лелушу, что фильм «Жить, чтобы жить», снятый в 1967 году и вышедший на экраны в 1968-м, не шел в нашей стране. Не шел из-за того, что в этой картине играл Ив Монтан. После вторжения в Чехословакию Ив Монтан резко осудил советскую агрессию и, естественно, был подвергнут у нас остракизму. Упоминать о нем стало запрещено, фильмы с его участием были изъяты из кинопроката. Огромная держава вычеркнула замечательного певца и артиста из списка существующих.

«Именно благодаря “Мужчине и женщине” я стал независимым кинорежиссером. Это самый важный фильм в моей жизни…»
Каннский кинофестиваль. «Золотая пальмовая ветвь». 1966 г.

Клод Лелуш: В фильме «Жить, чтобы жить» блистательно сыграла Анни Жирардо, которая для меня остается самой великой актрисой Франции и одной из величайших актрис мира.

Мне повезло, я много работал с ней на протяжении всей жизни. *(Мечтательно.)* Кроме того, в то время я был влюблен в Анни Жирардо. И этот фильм — прекрасная история нашей любви. Теперь уже можно говорить об этом, ведь прошло тридцать лет.

На самом деле фильм рассказывает о нас, о том, что мы с Анни переживали в то время.

Сначала сценарий был совершенно другим, но то, что мы оба испытывали тогда, было так прекрасно... В результате я совершенно поменял сюжет...

И перед телезрителем прошли финальные кадры этой картины. Сцена в кафе. В ней нет никаких диалогов, слов. Только нежная и грустная мелодия того же Фрэнсиса Лея. Персонажи Ива Монтана и Анни Жирардо среди

«Я очень, очень люблю этот фильм...»
Кадр из фильма «Мужчина и женщина»

посетителей, своих друзей и знакомых. Они не разговаривают друг с другом. Ясно, что они расстаются. Монтан сидит за столиком, а Жирардо танцует с одним мужчиной, потом с другим. Монтан исподволь наблюдает за ней, так, чтобы она не заметила. Она собирается уходить. Прощается с партнером по танцу. Уходя из кафе, дружески целует другого приятеля. Монтана она как бы не заме-

чает. Тот в одиночестве по-прежнему сидит за столиком кафе, не поворачивая головы.

Вечер. Из кафе, которое расположилось высоко среди снежных гор, выходит Ив Монтан, запахивая дубленку. Он подходит к заснеженной машине и рукой стряхивает снег с ветрового стекла перед шоферским местом. Потом он обходит автомобиль и принимается голой ладонью счищать снеговую целину со стекла, открывая место пассажира. Внутри машины сквозь полузанесенное стекло мы видим прекрасное женское лицо. Это Анни Жирардо. Ив Монтан смотрит на нсс. Она смотрит на него.

«1967. На съемках фильма “Жить, чтобы жить”. Ив Монтан на пике своей карьеры заставляет меня и Анни Жирардо плакать от смеха»

Описать, как они играют, трудно. Но мы, благодарные, понимаем, что эти люди останутся вместе. В этом нас еще убеждает и изумительная музыка композитора...

Эльдар Рязанов: ...Поговорим сейчас о других актрисах, о ваших героинях, которые одновременно являлись и вашими женами — Анук Эме, Эвелин Буа, Мари-Софи Эл. Они очень похожи друг на друга. Вы просто склонны к такому типу женщин или, может быть, они напоминали вам вашу мать? В чем дело?

Дальше последовал тот монолог о женщинах, который я привел в начале.

Клод Лелуш принял как само собой разумеющееся, что Анук Эме была не только его актрисой, но и женой. А вот как прореагировала Анук Эме (кстати, более подробно о «Мужчине и женщине» — в беседе с ней) на то, что она стала женой Лелуша.

Анук Эме: Мы никогда не были женаты! Вообще не было никакой любовной истории между Клодом и мной...

Но вернемся к разговору с Лелушем.

Эльдар Рязанов: В восемьдесят втором году вы, Клод, поставили фильм о великой любви. Героями стали подлинные персонажи — Эдит Пиаф, грандиозная французская певица, и Марсель Сердан, знаменитый боксер, кумир Франции. Вернее, они стали прототипами, их роли исполняли артисты...

Клод Лелуш: В детстве меня увлекали три вещи — кино, боксер Марсель Сердан и Эдит Пиаф. И в этом фильме я соединил эти три мои страсти. Кинолента «Эдит и Марсель» наиболее полно отражает меня. В этом фильме есть бокс, который играет важную роль в моей жизни. Я считаю, что каждый бой в боксе, — квинтэссенция всего, что происходит с нами в жизни. Это самый жестокий спорт, но и более всего похожий на жизнь.

В фильме есть Эдит Пиаф — народная песня, музыка, доступная всем, даже самым простым людям. И наконец — это кино, а кино — это моя память...

Далее в телепрограмме шел эпизод из фильма, от которого по коже бегали мурашки. Оккупированный немцами Париж. В центре огромного зала на десять тысяч зрителей боксерский ринг. Среди публики бо́льшая часть французов. Но немало и немцев в эсэсовских кителях. Развешены нацистские флаги. Вооруженные германские солдаты охраняют зал. А на ринге готовятся к схватке два боксера — француз Марсель Сердан и окруженный парнями со свастикой на рукавах немецкий спортсмен. В зале мертвая тишина, ибо сражение предстоит не между двумя соперниками в спорте, а между представителями двух наций — победителей и побежденных. И вдруг в зале раздается мычание, мычание множества людей. Постепенно в этих странных звуках начинает явственно слышаться мелодия «Марсельезы» — гимна Франции. В огромном зале ни один человек не раскрывает рта, все сидят с плотно сомкнутыми губами, но при этом все поют. Немцы озираются, но ни одного зрителя невозможно обвинить, схватить, арестовать. Зал как бы безмолвствует, но звуки «Марсельезы», нарастая, звучат все более гневно и страстно. Замерли перед схваткой боксеры. Лицо Марселя Сердана выражает отвагу и решимость...

Клод Лелуш: Этим вечером Марсель Сердан и десять тысяч его болельщиков доказали под аккомпанемент «Марсельезы», что победоносная германская армия тоже может терпеть поражения.

Фильм «Эдит и Марсель» совершенно не имел успеха, это был полный провал сразу же после выхода на экран.

Но теперь, со временем, он стал практически классикой, и каждый раз, когда его показывают по телевидению, он имеет большой успех. *(Улыбнулся.)* С некоторыми фильмами надо быть терпеливым.

В 1995 году Лелуш работает над «Отверженными» по роману Виктора Гюго. Кто только не экранизировал этот прекрасный классический роман! И американский режиссер Фрэнк Ллойд в 1918 г., и немецкий постановщик Герхард Лампрехт в 1925 г., и египетский режиссер Камаль Селим в 1944 г., и итальянец Р.Фреза в 1947 г., и американец Льюис Майлстоун в 1952 г., и элегантный француз Жан-Поль Ле Шануа в 1958 г., и популярнейший Робер Оссейн в 1985 г. Среди тех, кто играл Жана Вальжана, и Чарльз Лоутон, и Жан Габен, и Лино Вентура. Клод Лелуш придумал собственное решение для постановки «Отверженных». Действие фильма происходит в двух временны́х пластах: в том времени, как это написано у Гюго, и в двадцатом столетии. Лелуш предположил, как бы написал эту историю великий французский классик, если бы он родился в самом конце девятнадцатого столетия и стал бы современником многих событий двадцатого века. В частности, такого, как Вторая мировая война. Я не сторонник буквалистских экранизаций, и идея Лелуша показалась мне интересной и плодотворной, о чем я ему и сказал.

Клод Лелуш: «Отверженные» — это своего рода универсальная история, история всех людей. Роман Виктора Гюго — самое точное отражение мира, в котором мы живем.

Эльдар Рязанов: Тема «Отверженных» в вашей картине нашла свое воплощение в истории еврейской семьи, которую переправляют за границу, чтобы спасти их от немцев. В какой степени жизнь ваших родителей во время оккупации послужила основой для этой линии?

Клод Лелуш: Да, действительно, судьба моей матери во время немецкой оккупации легла в основу истории семьи Земан... Мадам Земан немного напоминает мою мать. Однако мы, конечно же, не испытали всего того, что пережили герои фильма. Я обобщил в «Отверженных» судьбы разных людей во время войны. Что же касается нашей семьи, однажды во время оккупации, когда мне было шесть лет, мы с мамой ехали в поезде. Когда мы пересекали демаркационную линию, разделявшую вишистскую Францию и оккупированную немцами зону, полицейский заметил, что у моей матери поддельные документы, и собрался ее арестовать. И тогда она сняла с руки часы и отдала ему. И он оставил нас в покое. А мама сказала: «Настоящий Тенардье». Конечно, в шесть лет я не знал, кто такой «Тенардье», и именно в тот вечер мать впервые рассказала мне историю «Отверженных».

В фильме Лелуша каторжника Жана Вальжана играет любимец Франции Жан-Поль Бельмондо. В современных сценах кинокартины он — шофер, который переправляет за границу семьи еврейских беженцев, спасая их от фашистов.

В последний раз я увидел на экране блистательного, очаровательного Жана Маре, у которого, как я уже упоминал, мы провели восхитительный день в его доме в Валорисе, когда делали про него телепередачу. Он очаровал всех нас тогда своей живостью, умом, легкостью, остроумием и гостеприимством. У Лелуша он играет небольшую роль доброго старого епископа, который оказывает гостеприимство каторжнику. Знаменитая хрестоматийная сцена сыграна Жаном Маре столь органично и безупречно, наверное, и потому, что доброта, сердечность, нежность к ближнему — естественные качества самого актера. В моем сердце он останется навсегда как человек, который сочетал в себе красоту как внешнюю, так и внутреннюю. Природа была щедра к нему, наделив

«Эвелин Буа и Марсель Сердан-младший воскресили блестящую легендарную пару – Эдит Пиаф и Марселя Сердана». Фильм «Эдит и Марсель». 1982 г.

«Мой Жан Вальжан – это он! После других гигантов экрана настала очередь Жана-Поля Бельмондо взвалить на свои плечи эту гигантскую роль»

 не только даром актера и художника, но и замечательным человеческим талантом.

Эльдар Рязанов: Теперь перейдем к вашей последней ленте: «Мужчина и женщина. Способ употребления».

Почему вы на главную роль в этом фильме пригласили не актера, а известного политического деятеля, финансиста Бернара Тапи? Этот бизнесмен — фигура очень скандальная. Человек, который находится, так сказать, на грани пребывания на свободе. Над ним все время висит угроза тюрьмы. Чем это было вызвано? Требовалась какая-то дополнительная реклама или вы просто верили в то, что Тапи замечательно сыграет?

Клод Лелуш: Я хотел выйти на новый для себя уровень, под иным углом отразить жизнь. Поэтому я пригласил на главную роль непрофессионального актера. Но в жизни он, пожалуй, еще больший актер, чем любой лицедей-профессионал. Тапи построил всю свою политическую и спортивную карьеру на умении играть, обаять толпу. Этот человек зачаровывал Францию в течение десятилетий своими эскападами и актерским талантом.

Я всегда думал, что Бернар Тапи великий актер, который мог бы играть в художественных фильмах. С другой стороны, я считал, что, войдя в фильм, он привнесет с собой все то, что о нем изначально знает зритель.

Мне кажется, что во всех фильмах можно снимать как профессионалов, так и непрофессионалов. И я мог бы, например, снять в своем фильме Сталина, если бы у него, конечно, был актерский талант. Но он им не обладал. Я видел его на экране. Вот Муссолини, тот был прекрасным актером. Если, к примеру, снимать Муссолини, то, кроме сюжета, «бесплатным» дополнением к фильму будет все, что он натворил.

В истории есть персонажи, которые добились чего-то только благодаря своему актерскому таланту. Саша

Гитри говорил: «Все люди лицедеи, кроме некоторых актеров». Что я и попробовал доказать.

Эта лента разделила Францию на два лагеря. И ее критиковали больше, чем любую другую мою картину. Дело в том, что у Тапи ужасная репутация во Франции. Люди не хотели, чтобы он заработал большие деньги. Когда стало известно, что он получает процент с прибыли

«Мужчина и женщина… взгляд, которым она смотрит на меня, одновременно нежен, критичен и страстен… Алекс становится звездой моей жизни»

от фильма, то начались пикеты кинотеатров. В залы подбрасывали бомбы, чтобы публика не ходила на этот фильм. Так что зрители приняли его плохо. На мой взгляд, Тапи своей персоной полностью затмил само произведение. Его репутация подмяла фильм под себя. И очень жаль, так как, по-моему, это одно из лучших моих созданий...

Я в двух словах расскажу о сюжете картины. Бернар Тапи играет делового человека, бизнесмена. Играет как бы самого себя. А персонаж актера Лукьяни — человек, который прежде был артистом, но не состоялся. Сейчас он работает в полиции, его внедряют в разные структуры, в том числе и преступные. Персонаж Лукьяни очень мнителен. Он считает, что у него рак. По сюжету случается, что Бернар Тапи и Лукьяни встречаются у доктора, а доктор — женщина. Эту женщину в свое время когда-то соблазнил Бернар Тапи и как-то нехорошо бросил. Докторша, сделав своим больным анализы, решает отомстить персонажу Бернара Тапи, — она меняет анализы. На самом деле у персонажа Тапи нет никакого рака, а Лукьяни интуиция не обманула. Но врачиха нехороший анализ отдает Бернару Тапи, а тот, где все в порядке, — Лукьяни. И в результате человек, которому дали анализ больного, то есть Бернар Тапи, умирает. А тот, который был на самом деле поражен смертельным недугом, получив анализ здорового человека, остается жив. Вот такой перевертыш...

Эльдар Рязанов: Ваши фильмы, дорогой Клод, всегда находятся в центре внимания и публики, и прессы. О них разные мнения, иногда дело доходит даже до каких-то скандалов. И это замечательно. Потому что самое страшное — это забвение.

В этом году вам шестьдесят лет. Что вы готовите? Какие сюрпризы? Какие грандиозные проекты нас ждут?

Клод Лелуш: Да, мне исполняется шестьдесят лет. И я собираюсь сделать в своей жизни еще три фильма.

ORGANISATION

 Но не буду с этим торопиться. Я, конечно, постараюсь, чтобы эти три фильма получились как можно лучше, но на этом и остановлюсь, потому что нужно уметь вовремя остановиться.

Эльдар Рязанов: Я читал, в свое время ваш отец учил вас: все, что ты делаешь, нужно делать так, как будто в последний раз. Кстати, очень напоминает то, что говорил Сергей Михайлович Эйзенштейн — один из моих учителей.

Клод Лелуш: Все, что делаю в жизни, я делаю согласно этим словам. Но, тем не менее, предпочитаю делать все так, как в первый раз, а не в последний. Я снял тридцать пять фильмов, и все с одинаковым энтузиазмом. И удачные, и неудачные. Но я думаю, что больше обязан своим неудачам, чем успехам. Неудачи научили меня многому, они заставляли меня совершенствоваться. А успех? Успех не учит ничему. А если учит, так только плохому. Но, конечно, и он тоже очень важен. Мне повезло. Всю жизнь у меня чередовались успехи и неудачи, что позволило мне учиться непрестанно. Я до сих пор считаю себя учеником в кино. Все мои фильмы основаны на личном опыте.

Например, моя личная жизнь — настоящая катастрофа, но с другой стороны — это мой оборотный капитал, основа моих фильмов. Это многих раздражает. Но другие именно за это любят мое кино. И я считаю, людям надо говорить, что в жизни все очень сложно. Это мой девиз. Но добиться можно всего. Абсолютно всего...

Я не мог бы снять фильм с плохим финалом. Именно поэтому меня и называют «Режиссер-Надежда».

Анни Жирардо:
«Может быть, я кого-нибудь еще встречу в жизни. Моя дверь открыта...»

Телевизионный рассказ об Анни Жирардо начался с площади Вогезов в центре Парижа. Одна из самых старинных площадей города представляет собой прямоугольник из трехэтажных особняков шестнадцатого-семнадцатого веков. В центре сквер, где высится статуя Людовика XIII, известного всем в нашей стране по роману Дюма «Три мушкетера». Да и площадь эта неоднократно являлась в романе местом действия для д'Артаньяна и его дружков — Атоса, Портоса и Арамиса. Только в те времена она называлась «Королевская площадь». В годы Великой Французской революции короля казнили, и площадь, разумеется, переименовали. В это время департамент «Вогезы» не то аккуратно заплатил налоги революционному правительству, не то оказал какую-то другую услугу якобинцам. Короче, «Вогезы» поощрили тем, что присвоили имя департамента площади. Узнаете родные установки? После реставрации монархии название почему-то сохранилось. Может, было не до этого? На площади жил Виктор Гюго, и в одном из особняков его музей. И сегодня здесь живут многие современные деятели культуры. Люди искусства любят селиться в старинных кварталах, но при условии, что внутри все соответствует комфорту двадцатого столетия.

Пока я рассказывал что-то этнографическое, подбежал парижский полицейский и стал запрещать съемку. Здесь с этим строго. Нам, оказывается, надо было получить разрешение районной мэрии. Пока часть съемочной группы вешала полицейскому на уши лапшу, мы с оператором успели снять мое вступление и, сделав вид, что уходим получать разрешение на съемку, направились

в квартиру замечательной актрисы Анни Жирардо... В 1983 году я возвращался через Париж с Каннского кинофестиваля. Фильм «Вокзал для двоих» ничего там не получил. Хазанов на моем вечере по этому поводу продекламировал:

Нам на фестивале в Каннах
Приз не дали ни один.
Пусть они в Москву приедут —
Мы им тоже хрен дадим.

Во время трехдневной остановки в Париже я тогда не удержался и снял два сюжета для своей любимой «Кинопанорамы», где был ведущим. Один рассказывал о «королеве французского кино» Мишель Морган, а второй сюжет был посвящен «самой французской актрисе» Анни Жирардо. С первой я беседовал по-английски, со второй на итальянском языке, который ныне ввиду отсутствия практики совершенно забыл...

И вот новая встреча. Мы в квартире Анни Жирардо. Мы не виделись пятнадцать лет, и меня горько поразило то, как она постарела. Но грустное впечатление сразу же исчезло, когда актриса начала говорить. Я уже упоминал о потерях читателя по сравнению с восприятием зрителя. В случае с Жирардо это особенно ощутимо. Анни очень артистична и выразительна. Она сопровождает рассказ балетом рук, танцами жестов, непрерывной мимикой, богатством интонаций.

Эльдар Рязанов: Анни, ваша человеческая натуральность, естественность, чистота, правдивость в сочетании с невероятным талантом — большая редкость в двадцатом веке.

Анни Жирардо: Спасибо за прекрасный комплимент. Он меня очень тронул. И в театре, и в кино, и в жизни я всегда остаюсь сама собой. Иногда я совершаю глупости, но не жалею о них, потому что делаю все от чистого сердца.

Эльдар Рязанов: У меня к вам просьба. Вспомните тот светлый период вашей жизни, когда вы встретились с Лукино Висконти, великим итальянским режиссером кино и театра.

Анни Жирардо: Начну с начала. Я поступила в театральный институт при «Комеди Франсез». Надо сказать, что после двух лет учебы я не сыграла еще ни одной роли. Именно тогда Жан Кокто предложил мне сыграть в своей пьесе «Пишущая машинка».

В «Комеди Франсез» у меня было амплуа субретки, травести, хохотушки. Узнав об этом предложении, многие говорили: «Жирардо — субретка. Глупо давать ей драматическую роль». Некоторые так и до сих пор считают. Для меня же работа над этой пьесой стала настоящим событием. Сыграв эту роль, я начала получать массу предложений — в театре и кино. Стала много сниматься. Это было своего рода открытие. Я снималась с Жаном Габеном. Моя карьера пошла стремительно вверх. И в этот момент администрация «Комеди Франсез» захотела, чтобы я подписала с ними контракт. По этому контракту я двадцать пять лет обязана была работать в этом театре. Вне стен «Комеди Франсез» я должна была бы делать все под псевдонимом. То есть находиться в полном подчинении у художественного совета, который решает, что ты должна играть. Это был самый знаменитый театр, но я отказалась. Вообще-то жизнь артиста такова, что он не знает, что с ним будет на следующий день. Я рисковала. Но, тем не менее, решила, что только сама буду отвечать за свои успехи и неудачи.

На мой взгляд, я поступила правильно, отказавшись от кабального контракта. Если бы я подписала его, то никогда бы не познакомилась с Лукино Висконти.

Как раз после всей этой истории, после моего дебюта у Кокто, мне предложили сыграть в пьесе Уильяма Гибсона «Двое на качелях». В пьесе всего два действующих лица. Моим партнером был Жан Маре, а режиссером — Лукино Висконти. Не правда ли, это великолепное предложение. Это было просто здорово!

Эльдар Рязанов: А потом Висконти пригласил вас в свою, ставшую очень известной, картину «Рокко и его братья», где вы замечательно сыграли Надю. После этой ленты вы стали всемирно известной актрисой. И, насколько я помню, вы тогда познакомились с Ренато Сальватори...

Анни Жирардо: Знакомство с Висконти стало для меня настоящим откровением. Он делал в театре сверхъестественные вещи. В то время он уже в течение нескольких лет готовил съемку фильма «Рокко и его братья», подбирал актеров и так далее.

После пьесы «Двое на качелях» я около года была занята в других спектаклях. Однажды Лукино позвонил мне и сказал: «Приезжай в Рим, я тебя жду». Я всю жизнь об этом мечтала — поехать в Италию. Помню, как мама провожала меня в аэропорт. Тогда я открыла для себя Рим. Когда я туда прилетела, то сразу поехала к Лукино Висконти. И меня встретил великолепный мужчина, настоящий сказочный принц, это был Ренато Сальватори. На следующий день я должна была возвращаться в Париж. Я играла в театре, у меня был свободен только один вечер. Целый месяц — никаких известий от Висконти. Но наконец он позвонил и сказал: «Приезжай, ты снимаешься в “Рокко”».

Это был настоящий переворот в моей жизни. Начало всего...

Ренато Сальватори стал моим мужем. Отцом моей дочери, моей судьбой...

Поставленный по роману Дж. Тестори «Мост Гизольфы» фильм Висконти открыл для итальянцев острейшую социальную проблему — миграцию нищих крестьян с юга в промышленные и, следовательно, богатые

«Рокко и его братья». В роли Симоне Ренато Сальватори, ставший мужем Анни Жирардо

Великий фильм Лукино Висконти «Рокко и его братья». Рокко – Ален Делон, Надя – Анни Жирардо. 1960 г.

северные районы. Страшная сцена, где на глазах у братьев старший брат Симоне (Ренато Сальватори) насилует любимую девушку Рокко (Ален Делон), стоит у меня до сих пор перед глазами. Трагически сыграла Анни Жирардо и ту сцену, когда Рокко отказывается от любимой и любящей его Нади ради старшего брата Симоне. «Рокко и его братья» — многоплановый семейный роман-фильм, запечатлевший развал патриархального крестьянского рода. Потом эти мотивы мы встречали довольно часто в разных итальянских лентах.

Эльдар Рязанов: Ваши персонажи в фильмах очень разные, они отличаются и характером, и внешностью, и пластикой. Вы наблюдаете за женщинами, их походкой, их манерой говорить, их повадками и потом это претворяете в своих ролях или это происходит интуитивно?

Анни Жирардо: Нет, я никогда никого не копировала. Когда я работаю с талантливыми актерами, происходит какое-то обогащение роли, но я всегда остаюсь сама собой.

Эльдар Рязанов: В одном из своих интервью вы говорили, что фильм «Доктор Франсуаза Гайян» был снят по вашему предложению. Я знаю, вы сами из медицинской семьи, ваша мать — акушерка, и вы в молодости тоже работали медицинской сестрой. Медицинская тема близка вам?

Анни Жирардо: Этот фильм поставлен по роману писателя Нейла Лорио (или Ларье. — *Э.Р.*) «Крик». Агент, с которым я работала, прочел книгу и предложил снять по ней фильм. В то время на тему рака в кино было наложено своего рода табу. То же самое, что сейчас со СПИДом. Я считаю, нельзя снимать фильмы о СПИДе, ведь ты не можешь помочь людям вылечиться.

Я встретилась с женщиной, которая была прототипом, и она рассказала мне о том, что ей пришлось

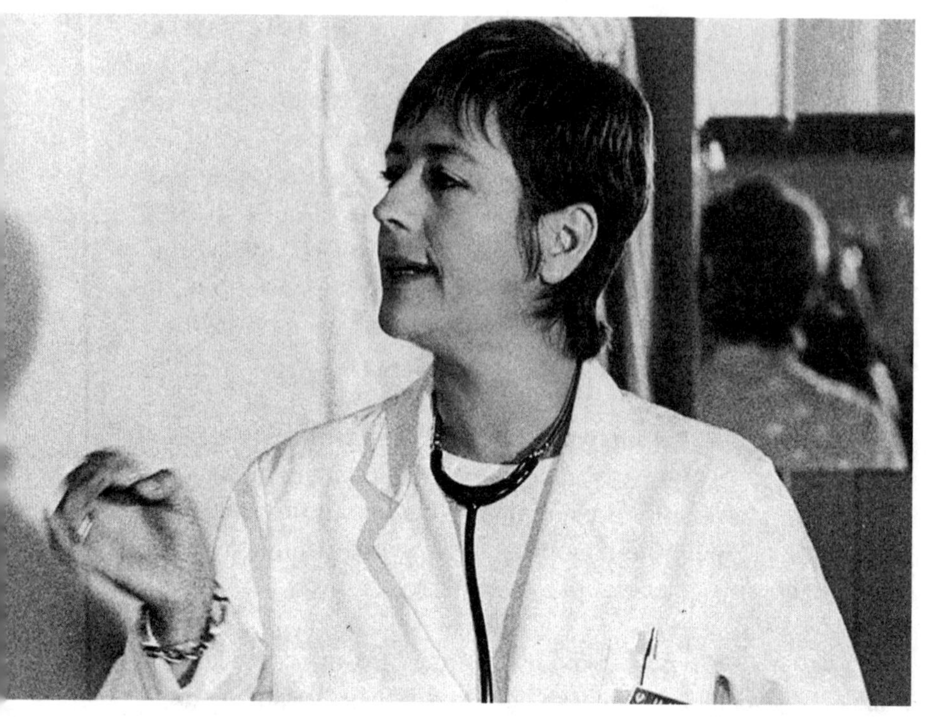

перенести, о всех ужасных методах лечения. Оказалось, что роман описывает это все совершенно точно, а сценарий, который предложил мне режиссер под названием «Доктор Франсуаза Гайян», не имел ничего общего с действительностью.

Одна из кульминационных сцен книги — момент, когда героиня (врач-онколог) случайно узнает, что у нее самой рак. Это как гром среди ясного неба. Но ей удается собраться с силами, и она вылечивает себя, так же как вылечивала других людей. Ведь она знает, как надо реагировать на удары судьбы. Поэтому я считала, что очень важно снять такой фильм. Но сценарий был ужасный, безвкусный. И я отказалась подписывать контракт на съемки этого фильма, и автор книги тоже. Он хотел бросить эту затею. Но я сказала ему: «Для меня очень важно снять фильм по твоему роману, давай возьмем все на себя».

Фильм «Доктор Франсуаза Гайян»

Надо сказать, что режиссер Бертунелли нам нисколько не помогал, он оказался довольно вредным человеком. Мы — автор романа и я — подписали контракт, переделали сценарий и сняли фильм. Самое трогательное то, что после выхода фильма мы стали получать много писем и от тех, чьи родственники умерли от рака, и от тех, кому мы дали надежду.

Эльдар Рязанов: Я сам — комедиограф, и меня интересует ваше отношение к комедии. В чем для вас отличие и особенность комедийной роли?

Анни Жирардо: Комедия — моя специальность. В комедии надо всегда попадать в яблочко и ни на миллиметр в сторону. Комедия — это прежде всего жесткая дисциплина. И нужно играть совершенно естественно и искренне. Чем смешнее отрывок, тем больше требуется дисциплины и уважения к тексту. Кроме того, важно чувствовать ритм персонажа, иначе будет полный провал.

В фильме «Мужчина моей мечты» партнером Анни был Жан-Поль Бельмондо

Чем правдивее сыграна сцена, тем она смешнее. Если ты этого не понимаешь, все кончено. Вообще сниматься в комедиях очень сложно. Например, на съемках «Старой девы» у режиссера Блана мне все время хотелось рассмеяться. Филипп Нуаре один из любимейших моих партнеров. Я не вижусь с ним годами, но при встрече кажется, что мы никогда не расставались. У нас с Нуаре был прекрасный дуэт. И полное взаимопонимание на съемочной площадке.

Эльдар Рязанов: А как вы репетируете? В полную силу или в полноги? Как происходит переход от репетиции к съемке?

Анни Жирардо: Когда речь идет об эмоциях во время репетиции, то я ничего не показываю. Я очень скупа на это. Просто смотрю на площадку. А потом, когда начинаешь сниматься, вдруг тебя осеняет. И ты испытываешь какое-то счастье, чувствуешь какую-то неведомую силу, могущество. Ты расслабляешься. И поехало. И происходит чудо.

Вы знаете, нет никаких расчетов в голове. Ничего. Это только нюх. Это нечто, как у животного. Инстинкт.

А, черт! Может, я услышала что-то, что не слышат другие. В этот момент я хочу доставить удовольствие себе. Но и зрителям тоже. Тут важно попасть в нужный момент в нужный тон.

Эльдар Рязанов: Какие отношения складываются у вас с режиссером во время съемок?

Анни Жирардо: Настоящий диалог с режиссером происходит на съемочной площадке. Ты чувствуешь этого режиссера, видишь его, понимаешь его, вы переглядываетесь. Возникает взаимопонимание. Что-то детское в этом есть. Все мы дети в конце концов. Думаю, здесь много любви, иногда скрытой любви. Когда кто-то меня снимает, то в этот момент он — мужчина моей жизни. Потом все кончено. Потом я говорю: «Конечно, да, это мужчина моей жизни, но у меня есть и своя жизнь.

К сожалению, у меня нет времени»... И становишься другом со всей съемочной группой. В киноэкспедициях дружба особенно важна. А однажды ты возвращаешься домой, съемки окончены, и делается грустно...

Эльдар Рязанов: Не очень приятный вопрос. Режиссеры «новой волны», авангардисты, очень известные и талантливые, такие, как Жан Люк Годар, Ален Рене, Луи Маль, Франсуа Трюффо, вас не снимали. Они прошли мимо вас. Почему? Как вы думаете?

Анни Жирардо: Я очень жалею об этом. Не могу этого объяснить. Я не стала частью их мира. Они нашли своих муз. Конечно, мне было обидно. Но я не испытывала чувства ревности. Режиссер свободен в выборе своих героев и героинь. Моей «новой волной» стал Клод Лелуш.

Эльдар Рязанов: Я делал программу о Клоде. Он там с такой нежностью рассказывал о вас, признался в том, что у вас был роман во время съемок фильма «Жить, чтобы жить».

Анни Жирардо: Для меня Лелуш — это волшебный принц, который разбудил спящую красавицу. У меня была пауза в кино, я играла в театре, в Париже. И в этот момент он предложил мне главную роль в «Жить, чтобы жить» с дивным партнером — Ивом Монтаном.

Эльдар Рязанов: Я видел эту картину лет тридцать назад, но до сих пор помню ваш длинный крупный план в поезде, как будто смотрел вчера. Сыграно было потрясающе. Такой крупный план могла сыграть только актриса, которая переживала в это время большую любовь...

Анни Жирардо: Да, конечно. Это очевидно. Принц же не станет просто так будить спящую красавицу, если нет ничего больше. Для меня Клод был как детонатор. Он меня заставил стать такой, какая я есть на самом деле. Что касается эпизода в поезде, то снималось это таким образом: Монтана в купе не было, на верхней полке стоял магнитофон с записью его монолога. Мне не надо

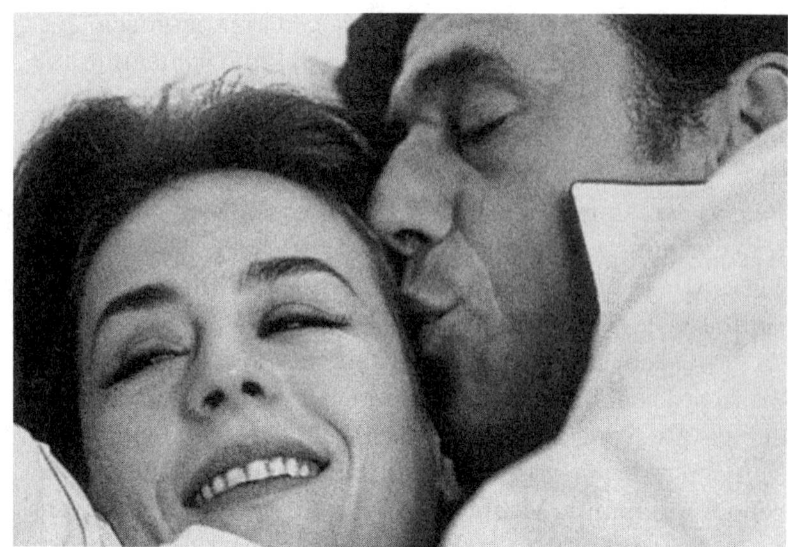

было учить текст, я все сыграла молча. По сценарию, герой Ива Монтана мне изменил, он в этой сцене становится для меня чужим. А я это прекрасно чувствовала, ибо то же самое переживала в жизни со своим мужем. Мужчины уходят, он ушел, и я очень страдала...

Нет ничего лучше лица, по которому текут слезы. Это своего рода электрический удар. Сцена получилась действительно замечательная, несмотря на то, что моим партнером был магнитофон... Лелуш любит пускать актеров в настоящую толпу и снимать тайно, без криков «мотор» и «стоп». Он любит неожиданности. В том же фильме, в сцене, где мы с Монтаном завтракаем, Лелуш попросил меня неожиданно для Ива задать ему вопрос, которого не было в тексте сцены: «Скажи, ты обманывал меня уже?» Я спросила. Монтан обалдел. Он не понял: фильм это или жизнь? Речь идет о Симоне Синьоре? Он испугался, не знал, что сказать. В таких подходах весь Лелуш...

Эльдар Рязанов: Анни, любите ли вы экспромт, импровизацию? В кино это труднее, чем в театре. По-моему, это высшая форма раскованности исполнителя. (Ответ был для меня неожиданным. — *Э.Р.*)

Кадр из фильма «Жить, чтобы жить».
Анни Жирардо и Ив Монтан. 1967 г.

Анни Жирардо: Актер не имеет права импровизировать, иначе все бы стали нести черт-те что. Если ты играешь в пьесе или в фильме, у тебя есть текст диалога. Надо уважать автора и публику. Если ты импровизируешь, значит, упиваешься собой. Это ошибка, недостаток элегантности. Текст вещи питает меня как актрису, я должна передать его людям. Импровизировать не надо!

Эльдар Рязанов: Скажите, а какую роль играет музыка в вашей жизни, в вашей работе, в ваших ролях?

Анни Жирардо: Огромную. Я люблю самую разнообразную музыку, и классическую, и оперу. В особенности люблю авторскую песню. Музыка необходима мне все время. Я настолько люблю музыку, что в шестьдесят шестом или шестьдесят седьмом году даже приняла предложение сыграть в театре Ла Скала в Милане. Это была «Персефона», музыка Стравинского, а либретто Андре Жида. Мне казалось, что это будет прекрасно. Я не пела, я была чтицей. Нужно отметить одну особенность Ла Скала. На дирижера там всем наплевать, абсолютно всем. Как будто он на Мадагаскаре, а вы в Милане.

Роман между режиссером и актрисой во время съемок не редкость. Анни Жирардо и Клод Лелуш. 1967 г.

Однако существует некий господин суфлер, который сидит в своей будке, так вот он — настоящий фашист! Он сидит и приказывает тебе, и ты должен его слушаться. До такой степени, что даже танцовщики постоянно смотрят на суфлерскую дыру. Всем заправляет этот неприятный господин. (Все это сопровождалось жестами, декламацией, мимикой, показом всех действующих лиц, пением, дирижированием. Эмоции были бурными. — *Э.Р.*)

Мой конфликт с ним начался из-за того, что я очень быстро говорю. Я не могу читать так медленно, как принято в такого рода спектаклях. Это сложно, а музыку я знала лучше хористов. Впрочем, они ее совершенно не знали, им все время подсказывали.

Кроме того, на сцене была зеленая лампочка, которая отсчитывала, как метроном, — это ужасно, это отупляет. И раз, и два, и три, и четыре. Старички на фисгармониях все время фальшивили и постоянно пробовали ноты. Просто тупицы. И вот я на сцене, начинаем репетировать, и суфлер мне говорит: «Нет, вы должны начать с такой-то ноты». Я ответила: «Месье, я знаю, что говорю очень быстро. Я, конечно, попытаюсь говорить помедленнее. Но я прекрасно знаю музыку. Кроме того, я люблю танец и замечательно чувствую ритм. И в театре и в кино необходимо чувство ритма». Но, тем не менее, он прошипел, чтобы я начинала в определенный момент, чего я, конечно, не делала.

Он злобно ругался в своей дыре. На каком-то этапе я даже сказала ему: «Месье, вы меня бесите. Музыку я знаю прекрасно, мне не надо ее суфлировать, я ее слышу. Я сама знаю, когда мне удобнее начинать, чтобы закончить вовремя. Лучше будет, если я начну чуть-чуть позже и закончу вместе с музыкой». Ну, он ничего не хотел знать! Это было ужасно. Так мы и боролись!

Тенора и другие певцы смотрели только в эту дыру суфлера. Певицы — толстые коровы, просто дикий ужас. Потом появились танцоры. Я надеялась, что хотя бы они не станут меня беспокоить. Но нет! У них в Ла Скала танцоры как будто исполняют таблицу умножения. Когда они появились, я вообще перестала слышать музыку. Отовсюду неслось: «И раз, и два, и три, и четыре...»

Режиссером спектакля была какая-то знаменитая не то певица, не то танцовщица. Так вот, эта милая дама хромала. Почему же? Оказывается, она упала в будку суфлера. И на репетиции я поняла, как это произошло. Если бы она глядела по сторонам, а не была прикована взглядом к суфлеру, то заметила бы эту чертову дыру и не упала бы туда, и не сломала бы себе ногу, и не хромала бы. А вообще хористам и всем остальным было на все наплевать, они хотели только поесть спагетти.

Наконец я полностью погрузилась в музыку, но какой-то шум вернул меня к реальности. И я заметила, что все, даже оркестранты, куда-то ушли, потому что начался обеденный перерыв...

Когда я после этого полетела в Рим, рядом со мной в самолете сидела Мария Каллас. Конечно, я была знакома с ней и раньше, благодаря Лукино Висконти, и неоднократно видела ее на сцене. Она сказала мне: «Я видела вас вчера в “Персефоне”. Не расстраивайтесь, Анни, так происходит не только в Ла Скала, но и во всех театрах мира. Но надо идти своей дорогой, даже если тебя окружают хромые танцовщицы и глухие певицы, которым необходим метроном...»

Эльдар Рязанов: Анни, я с наслаждением наблюдал ваш рассказ. Вы больше чем актриса, вы — женщина-театр.

Анни Жирардо: Вы очень добры ко мне.

Эльдар Рязанов: Критика часто писала о ваших ролях, что Анни Жирардо самая французская из французских актрис. Как вы сами думаете, почему?

Анни Жирардо: Я как-то не задумывалась об этом. Мне кажется, что я просто становлюсь членом семьи каждого человека, неважно, во Франции, в Албании, в России или в Чехословакии. Для кого-то я мать, для кого-то невестка, для кого-то дочь. Это большая, большая семья, и это прекрасно.

В фильме Валерия Ахадова «Руфь» Анни Жирардо сыграла французскую пианистку, которая полюбила русского, вышла замуж и стала жить в Советском Союзе. Но начались сталинские репрессии, муж погиб, и ее, несмотря на то, что она была французская подданная, тоже отправили в лагеря. Она вышла на свободу только спустя 20 лет и решила остаться в этой стране, где познала и счастье, и беду.

Анни Жирардо: Когда в восемьдесят девятом году я приехала в Россию, чтобы сниматься у Ахадова, мама уже не очень себя хорошо чувствовала. Вспоминаю, как я каждый день ей звонила *(плачет)*, а в то время нужно было очень долго дозваниваться, и потом нас соединяли, она брала трубку, и я говорила себе: «Господи, сделай так, чтобы я всегда могла дозвониться до мамы». Мама умерла позже. Ахадов приехал в Париж, чтобы доснять кое-какие сцены, и мама скончалась сразу же после его отъезда в Москву...

Вся моя жизнь перевернулась. Потом, через год, я снова приехала в Россию на премьеру фильма. Приехала вместе с дочерью, и она была просто поражена тем приемом, который мне оказывали здесь. Она не могла себе представить ничего подобного, ведь я никогда не рассказывала ей об этом.

Эльдар Рязанов: Анни, если бы у вас была возможность прожить жизнь еще раз, вы бы выбрали другую дорогу или согласились бы с той жизнью, которую уже прожили?

Анни Жирардо: Кто знает. Я родилась такой, какая я есть. Жизнь прожила такую, какой она была. Я, конечно, хотела бы прожить еще одну жизнь. Очень

надеюсь, что мы потом все-таки возвращаемся на эту землю. Если бы я вернулась, то была бы совсем другой, может, была бы мужчиной, не знаю. Не знаю, где стала бы жить.

Но то, что прожито, переделать нельзя. И это прекрасно. Это как прямой эфир. Или как в театре, например. В театре я принадлежу каждому конкретному вечеру. Назавтра я еще я, но уже другая.

Эльдар Рязанов: Что такое, по-вашему, счастье? Счастливы ли вы?

Анни Жирардо: Да. Но счастье так хрупко. Надо стараться быть счастливым. Если ты несчастлив, тогда надо уметь радоваться маленьким вещам, цветочкам, взгляду, улыбке. Я счастлива, когда просыпаюсь утром и думаю: «Я еще жива». Для меня это как отсрочка приговора. Как будто я в тюрьме, как будто мне сейчас скажут: «Ну, пора»... Я обожаю луну. Конечно, я несколько одинока сейчас...

Нужно быть легким человеком и уходить надо налегке. Моя мать говорила мне: к смерти нужно готовиться

Анни Жирардо и Алексей Петренко в фильме Валерия Ахадова «Руфь»

 довольно долгое время. Нужно привыкнуть к этой мысли. Самое тяжелое в смерти — это переход. Надо помогать этому переходу, чтобы он был более приятным. Есть боль, но надо иметь прозрачную душу, отбросить всяческое зло, чтобы не было низости в душе. Не стоит заниматься бесполезными вещами. На самом деле наша профессия — это не ремесло, это боль...

Каждому дана Богом часть благодати. Кто-то превращает этот дар в кино или металлургию, в живопись или в самолеты, в открытия или в полеты на Луну. И тогда сам начинаешь подниматься...

Может, я кого-нибудь встречу в жизни, а может быть, нет. Кто знает? Моя дверь открыта. Если никто не войдет — неважно... Можно быть счастливой и по-другому...

Эльдар Рязанов: Дорогая Анни! Вы даже не представляете, какое вы чудо!

Анни Жирардо: Тем лучше. Это меня радует. Но вы сами тоже чудо. С такими людьми, как вы, нужно быть на высоте...

Эльдар Рязанов: Я вам очень, очень, очень благодарен.

Анни Жирардо: На днях я уеду в Италию, буду сниматься в Риме. Я вернусь туда как домой. После того как Ренато умер, я продала дом. В Риме у меня есть друзья. Мне не хватает Рима, я прожила тридцать пять лет своей жизни между Римом и Парижем. Я создала для себя столицу, которая называется «Рим-Париж» или «Париж-Рим». Я привыкла к этому дуализму. Постоянным для меня были путешествия. Я очень много летала. Больше, чем любой профессиональный пилот. У меня столько часов полетов, просто ужас...

Хочу поехать в Рим к дочери и ко внукам, которые живут в Риме, мне их так не хватает...

P.S. А года через полтора Анни Жирардо прибыла в Москву. На этот раз со спектаклем «Водопады

Замбези» по пьесе молодого писателя и актера Д.Сулье. Спектакль с большим успехом был показан в помещении Вахтанговского театра. Мы опять встретились, и во французском посольстве в Москве я взял у нее еще одно интервью. Приведу из него только то, что относится к ее впечатлениям о нашей столице, о москвичах.

Эльдар Рязанов *(старый дамский угодник)*: Анни, вам удалось то, что не удалось Наполеону. Наполеон вошел в Россию с оружием и был изгнан отсюда. А вы покорили огромную страну, огромное количество людей без единого выстрела, только благодаря вашему таланту.

Анни Жирардо: Это настоящая радость. Ваш народ замечателен. Снимаясь в фильмах, я всегда думала о женщинах. И во Франции, и в Европе много работала, адресуя свой труд им. И сказала себе: «Господи, у них так мало хорошего в России. Пусть хотя бы мои фильмы приносят им радость». Мои фильмы как бы любовные письма, которые я посылала в Россию. И я поняла, когда приехала сюда, что мои письма дошли до адресата. У вас в России, где народ так много страдал, особенно хочется дарить удовольствие публике со сцены и с экрана...

Москва полностью изменилась, вы сейчас можете смотреть любое телевидение. Это очень важно. Когда я приезжала в Россию много лет назад, все было ужасно. А теперь вы живете совсем по-другому, и я счастлива. Теперь у вас в России есть все то же, что у меня во Франции. И это справедливо. Вы пережили ужасные годы. Даже в простой жизни вы все были ограничены. А теперь у вас есть свобода, вы живете, как мы, можете выезжать за границу, не нужно больше никаких для этого разрешений. На улицах люди стали свободней. Все говорят: «Эй, привет!» Это замечательно!

Филипп Нуаре:
«Я всегда готов начать приключение»

Встреча с одним из крупнейших артистов Франции Филиппом Нуаре происходила в киностудии «Булонь» в одноименном предместье Парижа. Там шли съемки фильма «Пальмовая ветвь для месье Шутца», где одну из главных ролей, а именно месье Шутца, исполнял Филипп Нуаре. В перерывах между кадрами или же во время съемок эпизодов, где не был занят прославленный актер, и состоялась наша беседа. Признаюсь, и в жизни Филипп оказался обаятельным, славным, дружелюбным человеком, о чем я ему и сказал прямо в середине нашего разговора.

Эльдар Рязанов: Филипп, догадываетесь ли вы сами, что вы очень симпатичный парень?

Филипп Нуаре: Кто, я? Нет, не знаю.

Эльдар Рязанов: Вам про ваше обаяние никто не говорил?

Филипп Нуаре: Может, я достаточно симпатичен для тех, кто меня не знает. Но если меня узнать получше, это чувство пропадает.

Эльдар Рязанов: Человек, который с иронией относится к самому себе, не только приятен, но и умен.

Филипп Нуаре: Говорят, французы — остроумный народ. Но я-то живу здесь. И не уверен, что это так. Однако для иностранцев будем стараться сохранять этот образ.

Эльдар Рязанов: А я как иностранец буду находиться в заблуждении. Филипп, с вашим участием снято более ста десяти фильмов. Есть ли в вашей биографии фильм, который вы сами не видели?

Филипп Нуаре: Фильмов с моим участием, которые я не видел, немало. Некоторые я даже не хотел смотреть. Снимаясь, я иногда отдаю себе отчет, что фильм не будет таким, как я надеялся. И поэтому не хочу видеть результат. Но это происходит достаточно редко. И кроме того, не страдаю нарциссизмом. Поэтому в отличие от многих актеров не люблю смотреть на себя.

Эльдар Рязанов: Но иногда все-таки вы получали от себя удовольствие на экране, бывали такие случаи?

Филипп Нуаре: Нет, никогда, никогда. К счастью, бывает так, что фильмы, в которых я снимался, мне нравятся. Но я никогда не получаю удовольствия от того, что вижу себя. Наоборот, это своего рода страдания. Первый фильм, в котором я снялся в пятьдесят четвертом году, был фильм Аньес Варда. Когда я впервые стал просматривать, что мы сняли накануне, мне пришлось выйти из комнаты. Мне физически стало плохо. Меня затошнило. И не удалось сохранить свой завтрак. Но сам процесс съемок, актерская работа, чувство, что ты являешься частью команды, — все это мне нравится.

Эльдар Рязанов: Известно, что все мы формируемся в детстве. В какой степени ваше детство, в том числе и оккупация немецкой армией Тулузы, сформировало ваши человеческие взгляды?

Филипп Нуаре: Нашей семье повезло, она напрямую не пострадала от немецкой оккупации, то есть никто не погиб и никто не мучился физически. Но, конечно же, жизнь в оккупированной стране невозможно забыть. Когда пришли оккупанты, мне исполнилось десять лет, а когда они ушли — стукнуло четырнадцать.

Одно из самых ярких воспоминаний моего детства — это вход немецких войск в Тулузу. Это произошло в восемь утра, в то время, когда я шел в школу. Я помню, как в город въехали автомобили, танки, появились солдаты в черной форме. И флаг со свастикой. Это воспоминание остается навсегда вписанным в память. С тех пор я не могу даже позволить себе купить немецкую машину.

Эльдар Рязанов: Вы играли в фильмах, которые рассказывали об истории войны. С явной антифашистской направленностью. К примеру, «Старое ружье». Очень крепкая лента. Какие-то детские впечатления подстегивали вас, определяли ваш выбор?

Филипп Нуаре: Я не могу так сказать. Там была мощная драматическая тема. Думаю, что «Старое ружье» — это прекрасная мелодрама. И я всегда очень жалел о том, как были выведены немецкие войска в этом фильме. Они были окарикатурены. Я не испытываю уважения к фашистской армии, но на мой вкус для живого фильма немцы были слишком гротесковыми. Думаю, самое ужасное в войне — это не то, что плохие, извращенные люди занимаются убийствами с удовольствием. Самое страшное то, что она превращает обыкновенных людей в жестоких и лишенных всякой человечности существ.

Эльдар Рязанов: Скажите, Филипп, как отнеслись родители к тому, что вы решили стать артистом?

Филипп Нуаре: Они были несколько удивлены. Но у меня была беседа с отцом, который был достаточно краток: «Если это то, что ты хочешь попробовать в жизни, то попробуй. У тебя будет всегда что есть и пить. И ты всегда можешь жить с нами в доме, в нашем общем доме так долго, как захочешь».

Отец был готов к нашему разговору. Дело в том, что один из моих учителей, священник, написал моим родителям письмо. В нем говорилось, что я явно хочу быть актером, что это прекрасная профессия. Что священнику кажется — у меня есть талант к этому. И было бы хорошо, если бы родители по крайней мере позволили мне попробовать стать актером.

Эльдар Рязанов: Это был какой-то особенный лицей?

Филипп Нуаре: Нет. Это был обыкновенный пансион, правда, самый старый во Франции. Он был создан католическими священниками в тысяча пятьсот каком-то году рядом с Парижем. Там до меня учились очень знаменитые люди, такие, как Монтескье, Жером Бонапарт и даже, говорят, д'Артаньян. И я. Компания хорошая, а главное разнообразная.

Эльдар Рязанов: А потом вы попали в Народный театр Жана Вилара, одного из великих реформаторов театра, где проработали около десяти лет...

Филипп Нуаре: Для меня это очень важный период моего профессионального образования и человеческого формирования, период, который повлиял на всю мою дальнейшую жизнь.

Эльдар Рязанов: Это была хорошая школа?

Филипп Нуаре: Очень хорошая. Жан Вилар был исключительный человек. Я думаю, он один из самых великих режиссеров Европы послевоенного времени. Кроме того, у него было представление о театре как об искусстве национальном, народном и популярном. Он искал, пытался искать такие формы, которые позволяли бы не просто поставить пьесу, но и обязательно достучаться до публики. Кроме того, он первым стал начинать спектакли в восемь часов вечера, в отличие от остальных театров, которые начинали в половине десятого. Для того, чтобы люди могли прийти в театр сразу после работы. И потом у зрителей была возможность поужинать в театре. С музыкой, с оркестром, который играл в зале. А еще был бесплатный гардероб, не надо было давать чаевые работникам театра. Это маленькие детали, конечно, но они очень важны для всей атмосферы. Наконец, проводилась огромная работа на предприятиях, на заводах, в организациях с тем, чтобы распространять там билеты. Репертуар был одновременно и современным, и классическим.

Мы играли великие французские и зарубежные пьесы. Мы первые во Франции поставили Брехта и Клоделя, мы ставили и Мольера, и Чехова, и Расина, и Мериме. Каждый год было примерно три-четыре месяца гастролей за рубежами Франции.

Мы были, в частности, и у вас в России, играли в Москве, в Малом театре, и в Санкт-Петербурге. В течение месяца. Я прекрасно об этом помню.

Эльдар Рязанов: Я читал, что все эти годы вы попросту жили в театре: репетиции, премьеры, гастроли...

Филипп Нуаре: Да, это правда. Мы очень много работали. Труппа была небольшая, нас было около двадцати актеров и актрис. Мы ставили как минимум четыре-пять новых пьес в год. Поэтому мы работали одиннадцать месяцев в году, с полудня и до полуночи. Каждый день. Но это была очень веселая жизнь.

Эльдар Рязанов: Филипп, у вас внешность, фактура эдакого сибарита, барина. Вы по природе своей лодырь или же трудяга?

Филипп Нуаре: Я был совершенным лентяем в течение всей моей учебы. Но когда я начал заниматься актерским ремеслом, делал это с невероятным удовольствием. Я очень много работал. И с огромной радостью.

Есть два места, где мне хорошо, уютно. Я хорошо себя чувствую на съемочной площадке или у себя в деревне с моими собаками и другими животными.

Эльдар Рязанов: Скажите, в те молодые годы вы были честолюбивы, мечтали своим актерским мастерством покорить весь мир?

Филипп Нуаре: Нет, нет. Я даже не думал, что буду когда-нибудь сниматься в кино. Я думал, что останусь театральным актером. Я начал сниматься в кино достаточно поздно, первый фильм в пятьдесят четвертом году, но по-настоящему стал заниматься кино где-то года с шестидесятого. Мне было уже тридцать лет.

Поначалу я не находил, что это интересно. Было забавно, не больше. А затем мало-помалу, когда роли становились все более важными, объемными, я начал получать подлинное удовлетворение. И до сих пор не устал от этой работы.

Эльдар Рязанов: К вам популярность пришла поздно, в тридцать семь лет. А ваш партнер по Народному театру Жерар Филип в тридцать семь уже умер, будучи неслыханно популярным во всем мире. Расскажите о нем, о ваших общих театральных годах.

Филипп Нуаре: Мне повезло, я его прекрасно знал. Мы играли вместе с ним приблизительно в десятке спектаклей. Он тоже входил в труппу Народного театра. И, кроме того, он мной руководил. Потому что Жерар поставил несколько пьес в театре как режиссер.

Вспоминаю о нем как о друге, о прекрасном товарище и гениальном актере. Известно, что Жерар великолепно играл в кино. Но его актерский гений в большей степени проявился в театре.

Мне кажется, что люди, которые не видели игру Жерара Филипа в театре, не имеют полного представления о его таланте.

Эльдар Рязанов: Думали ли вы, что кинематограф станет делом вашей жизни?

Филипп Нуаре: Сперва я снялся для разнообразия, скорей даже для развлечения. Но мало-помалу вошел во вкус ремесла киноактера. И настолько, что практически уже тридцать лет не играю в театре.

Я стал звездой кино без всякой активности с моей стороны, без большого желания. По случайности. И не думал, что сделаю хорошую кинематографическую карьеру.

Эльдар Рязанов: Вопрос, который вам задавали, наверное, множество раз. В вашем кинорепертуаре драматические роли чередуются с комедийными. Это у вас такая репертуарная политика или здесь много элементов случайности?

Филипп Нуаре: Я всегда стремился играть в разных жанрах. Это происходило из-за того, что я как актер формировался в театре. А там я играл и комедии, и трагедии. Уже потом, когда я получил возможность выбирать роли, то пытался перемежать серьезные роли с комедийными. Просто чтобы мне не было скучно.

Эльдар Рязанов: В ваших персонажах зритель узнает себя со всеми своими дурными и добрыми чертами. Это умение сделаться общедоступным в хорошем смысле слова обеспечивает ваш успех, мне так кажется...

Филипп Нуаре: Я думаю, что можно стать популярным актером только при условии, что сыграл серию ролей, в которых люди узнают себя. Как в комедиях, так и в трагедиях или драмах.

Две роли сделали меня очень популярным во Франции. Это робкий недотепа Габриэль в фильме Энрико «Старое ружье», который, видя зверства фашистов, берется за оружие, и туповатый герой в комедии Робера «Александр Блаженный». И публика приняла меня потому, что смогла увидеть себя во мне. Но и многие другие роли тоже, как мне кажется, помогли.

Эльдар Рязанов: Я видел с вами довольно много картин. Произвела впечатление «Война Мэрфи», картина как бы не очень известная, где главные роли играют Питер О'Тул и вы. Помните эту ленту?

Филипп Нуаре: Да, конечно. Этот фильм провалился во всем мире, но имел огромный успех в Ирландии благодаря Питеру О'Тулу.

Эльдар Рязанов: А мне очень понравилась эта картина.

Филипп Нуаре: И мне тоже понравилась.

Эльдар Рязанов: А еще помню совершенно оглушительный успех вашей картины «Старая дева». И ваш блестящий дуэт с Анни Жирардо.

Филипп Нуаре: Это был прекрасный фильм. Помню один случай. Когда мы закончили картину, продюсер представил ее прокатчику. Тот сказал: «Я не

Блестящий актерский дуэт Филиппа Нуаре и Анни Жирардо в комедии «Знакомство по брачному объявлению». (Французское название «Беги за мной, чтобы я тебя поймала»)

Фильм «Сиреневое такси», режиссер Ив Буассе (1977 г.). Филипп Нуаре и Шарлотта Рэмплинг

В фильме Клода Шаброля «Маски» (1987 г.)

В фильме «Старое ружье» режиссера Р.Энрико (1975 г.). Филипп Нуаре и незабвенная Роми Шнайдер

 буду показывать “Старую деву”, это очень плохо». И не купил. Продюсер остался с фильмом. Все пленки лежали у него в офисе. Через месяц у прокатчика был важный просмотр для какой-то киноангличанки. Что-то там сорвалось. И тогда он позвонил продюсеру «Старой девы» и попросил срочно подослать какой угодно фильм. Надо было заткнуть дыру. И тогда ему опять дали «Старую деву». После просмотра эта лента стала одним из самых больших успехов французского кино.

Эльдар Рязанов: Расскажите о своей работе в Голливуде. По-моему, вы там снялись в трех лентах — «Жюстина», «Война Мэрфи» и «Топаз». Последний фильм поставил знаменитый Альфред Хичкок?

Филипп Нуаре: И еще был фильм «Ночь генералов». У Хичкока в «Топазе» я снимался вместе с французским актером Мишелем Пикколи. Я играл бюрократа. Французского чиновника, работающего в НАТО, который сотрудничал с русскими секретными службами.

Эльдар Рязанов: Теперь я понял, что меня привлекло к вам. Просто вы наш человек... Это была интересная роль?

Филипп Нуаре: Вы знаете, есть такие роли в кино, которые всегда очень заманчивы для актеров. Роли шпионов, полицейских, гангстеров — это всегда хочется играть. В подобных ролях всегда есть большая свобода в трактовке. Именно эти персонажи могут быть самыми разнообразными. Они всегда неоднозначны. Для исполнителя интереснее играть многогранный персонаж, чем роль, в которой звучит только одна нота, присутствует одна краска.

Эльдар Рязанов: У Клода Зиди в фильме «Продажные» вы сыграли совершенно отпетого легавого.

Филипп Нуаре: «Продажные» тоже имели огромный успех. Это фильм, на мой взгляд, очень французский, в нем есть определенная аморальность.

Персонажи не имеют никакой нравственности либо имеют свой, особенный кодекс. Но все это очень симпатично, это все понравилось французам. Французы, с одной стороны, уважают правила и законы. Но, с другой стороны, они всегда в восторге, когда эти законы обходят. А вот американцы купили права на ремейк фильма «Продажные», но так его и не сняли, ибо сам дух фильма совершенно противоположен американскому менталитету.

Эльдар Рязанов: Когда вы начинаете создавать отрицательный персонаж, вы стараетесь найти в нем что-то доброе, симпатичное и обаятельное?

Филипп Нуаре: Я думаю, да. Только за редким исключением, если бы я играл, допустим, какого-то фашиста-нациста, я бы, конечно, не пытался представить его симпатичным. Для такого нечеловеческого поведения нет никакого оправдания.

Но для всех остальных, даже антипатичных, персонажей актер должен всегда становиться в какой-то степени адвокатом. Надо стараться заставить зрителей понять многосторонность и неоднозначность практически каждого человека. Я думаю, на свете очень мало людей, которые целиком хорошие или же целиком плохие...

Эльдар Рязанов: Давайте поговорим о вашей работе в Италии. Вы себя считаете больше французским или итальянским актером?

Филипп Нуаре: Я считаю себя немного и итальянским актером тоже. Я очень много снимался в Италии, снимался в прекрасных фильмах. Должен похвастаться, меня полностью приняла итальянская публика и итальянские кинематографисты.

Я играл там самые разнообразные роли. И комедии, и драмы, и трагедии. Я чувствую себя дома в Италии. Очень люблю ездить туда, работать. Люблю Италию и итальянское кино. А еще в Италии мне нравится, что, когда доживаешь до моего возраста, достаточно большого, итальянцы начинают называть тебя «Маэстро» *(улыбается)*. Мне это доставляет огромное удовольствие, я становлюсь как-то значительнее.

Эльдар Рязанов: Расскажите, пожалуйста, о создателях фильма Франческо Рози «Три брата» по сценарию Тонино Гуэрры.

Филипп Нуаре: Франческо Рози — один из самых крупных режиссеров нашего века. По крайней мере, второй его половины. Он всегда брал важные, злободневные темы и воплощал их художественно. Он и гуманист, и тонкий художник. А Тонино Гуэрра — великий поэт нашей эпохи. И великий сценарист. Это человек, которого я очень люблю. Он одновременно и поэт, и интеллектуал, и человек простой, близкий к духу своего времени, близкий к людям. Мне это нравится.

В 1981 году я выпустил «Кинопанораму», целиком посвященную итальянскому кино. В ней были сюжеты о Феллини, Франческо Рози, Монике Витти, Альберто Сорди, Кастеллано и Пиполо, Родольфо Сонего и, конечно же, о Тонино Гуэрра. Так что Тонино мой давний приятель. Он был одним из авторов сценариев знаменитых фильмов Микеланджело Антониони — «Приключение», «Ночь», «Затмение», «Красная пустыня», «Блоу-ап». Написал несколько сценариев для Франческо Рози, вместе с Федерико Феллини сочинил повесть «Амаркорд», по которой великий режиссер снял свой замечательный фильм. Вообще его влияние на развитие итальянского кино переоценить невозможно. Кроме того, он автор сценария «Ностальгии», специально написанного для Андрея Тарковского.

Фильм «Три брата» я смотрел в кинотеатре в Риме. Переводила мне жена Тонино Гуэрры Лора Яблочкина. Когда мы вышли из кинотеатра, на улицах

Рима было какое-то странное возбуждение: гудки машин, ненормальные автомобильные пробки, встревоженные люди. Лора позвонила домой и узнала, что несколько минут назад стреляли в Папу Римского...

Следующий фильм, о котором мы заговорили, назывался «Кинотеатр “Парадизо”». И здесь у нас с Нуаре оказался общий добрый знакомый. Им был французский продюсер русского происхождения Александр Мнушкин, личность легендарная. О продюсерах в нашей стране стали говорить лишь недавно. А в западном кинематографе эта профессия всегда считалась одной из самых главных. По полномочиям, по значительности она превышала порою роль режиссера.

Эмигрировавший в Париж в 20-х годах Александр Мнушкин прошел кинематографическую школу от мальчика на побегушках до продюсера. Когда я познакомился с ним, он был старейшиной продюсерского «цеха». Уважаем и любим коллегами. За плечами больше сотни фильмов. В его творческой коллекции почти все ленты с Бельмондо, включая знаменитые «Человек из Рио» и «Профессионал». Он стал продюсером и моего фильма «Предсказание». Саня — так все его звали до конца жизни — был легкий, добрый, славный человек, знающий о нашем кинематографическом деле буквально все. Мне бесконечно жаль, что он не дожил всего двух недель до того дня, когда была готова копия нашей картины, и что он не увидел ее...

Филипп Нуаре: Продюсером ленты «Кинотеатр “Парадизо”» был Саня Мнушкин. Там я впервые встретился с режиссером Джузеппе Торнаторе. «Кинотеатр “Парадизо”» был его второй фильм. Сценарий меня взволновал. Когда я закончил его читать, у меня были слезы на глазах. Думаю, это прекрасная мелодрама. А мелодрама, когда ее хорошо делают, очень любима зрителями. И я этот жанр очень люблю.

Мне было интересно, как я, французский актер, все-таки с эдаким буржуазным французским образом, с северным типом лица, смогу сыграть сицилийского крестьянина. И я с удовольствием согласился.

Когда фильм был закончен, он оказался на сорок пять минут длиннее, чем обычно. И в Италии не имел особого успеха. Потом, по совету Сани Мнушкина, фильм сократили. Он стал на сорок пять минут короче. И когда его показали в Каннах, имел огромный успех, мировой. «Золотая пальмовая ветвь», премия «Оскар» за лучшую иностранную ленту.

Эльдар Рязанов: Теперь настала очередь «Великой жратвы» режиссера Марко Феррери. Фильм озорной, я бы даже сказал, местами хулиганский.

Филипп Нуаре: Благодаря этой картине меня узнала итальянская публика. Это был франко-итальянский фильм. Он имел огромный успех и во Франции, и в Италии, поскольку играли два французских актера и два итальянских. (Нельзя не упомянуть, что одним из партнеров Нуаре был великий итальянский артист Уго Тоньяцци. — *Э.Р.*) Именно тогда итальянская публика приняла и полюбила меня. Это был очень смешной фильм не только на экране, но и в производстве. Режиссер Марко Феррери сам очень забавный персонаж: симпатичный, но сумасшедший. Работать было интересно еще и потому, что мы все время импровизировали. У нас был отвратительный сценарий. Но роли были выписаны очень хорошо, судьба каждого из основных персонажей была подробно прослежена вплоть до его смерти.

И мы снимали в хронологическом порядке, что обычно в кино невозможно. Это хронологическое развитие позволило нам импровизировать, и мы очень забавлялись до самого конца съемок...

Хочу рассказать вам о потрясающем впечатлении, которое я получил во время съемок фильма «Африканец».

Эльдар Рязанов: Фильм режиссера Филиппа де Брока, а партнерша ваша Катрин Денёв?

Филипп Нуаре: Да. С Филиппом де Брока я работал много. Он снял меня в шести или семи своих фильмах.

«Африканец» — очень милый и приятный фильм. Мы работали в Кении среди прекрасных пейзажей. Я испытал тогда одно из самых острых эмоциональных переживаний. Однажды мы снимали неподалеку от стада в четыреста слонов. Это было одно из самых волнующих зрелищ в моей жизни. Глядя на этих великих животных, вся наша съемочная группа, шесть или семь человек, просто плакала от волнения. Мы любовались этой потрясающей картиной, наверное, часа два...

А еще я много снимался у Бертрана Тавернье. Он дал мне возможность сыграть очень разных персонажей с точки зрения социальной принадлежности, эпох, характеров. Я играл в его фильмах и царствующего принца, и ремесленника, и судью, и мелкого буржуа.

Эльдар Рязанов: А кто из режиссеров, кроме Бертрана Тавернье и Филиппа де Брока, близок вам по творческому поиску, с кем вам наиболее приятно работать?

Филипп Нуаре: Меня интересует то, что режиссер меня выбирает. Я даю возможность действовать случаю и обстоятельствам. Именно режиссеры строят мою карьеру. У меня нет четкой мысли, что именно я хочу играть. Я люблю сюрпризы, люблю неожиданные предложения. Читаю все сценарии, которые мне присылают.

Я снимался во многих дебютных фильмах, потому что всегда готов начать приключение. У меня нет никаких конкретных идей, я слишком ленив для этого. Люблю, чтобы творческие приключения сами приходили ко мне.

Эльдар Рязанов: А что привлекло вас в фильме «Пальма для месье Шутца», на съемках которого мы находимся?

Филипп Нуаре: Этот сценарий очень мил и оригинален. Персонаж, которого я играю, весьма своеобразен. Действие картины происходит на рубеже девятнадцатого и двадцатого веков. Шутц — это директор школы химии и физики, в которой работали Пьер и Мария Кюри, в будущем великие ученые. А мой персонаж, который все время надзирает за ними, — такой чиновник и цензор — он просит у них счета, проверяет результаты и так далее. Но мало-помалу дает себя обаять этой талантливой паре ученых. Начинает им доверять. Он рискует, вступая в конфликт с администрацией, чтобы защитить их и позволить продолжать свои исследования. Эволюция этого персонажа из подозрительного педанта, чинуши и сухаря в нормального человека очень забавна.

Эльдар Рязанов: Дорогой Филипп, у меня просьба: расскажите, пожалуйста, о себе, о своей семье, о своих привычках, в том числе и вредных...

Филипп Нуаре: Я живу в деревне. Очень люблю Париж, но, на мой взгляд, жизнь в Париже утомляет. Она слишком сложная. Я чувствую себя лучше, когда мои ноги стоят на земле, а не на асфальте. Поэтому я живу на юге Франции, рядом с Тулузой. Там у меня есть ферма, где обитают собаки и лошади. Я много катаюсь верхом по утрам. Люблю читать, люблю живопись. И больше не курю. Я долго курил сигары, но бросил. У меня много друзей-художников, скульпторов, писателей и, конечно, простых людей.

Я живу в своей семье, с моей женой, с которой я вместе уже тридцать девять лет, она тоже актриса. Работала вместе со мной еще в театре Жана Вилара. У меня есть дочь. Она писательница. Раньше была ассистентом режиссера. Внучке двенадцать лет. Я ее обожаю. Они и есть моя жизнь.

Эльдар Рязанов: Сейчас у вас есть возможность обратиться к ста пятидесяти миллионам русских.

Что бы вы сказали нашим зрителям, которые вас любят и помнят?

Филипп Нуаре: Это очень редкая возможность. Я хотел бы сказать им простые слова. Они имеют некоторый религиозный оттенок, хотя я не религиозный человек. Но я скажу: мир да пребудет с вами.

Эльдар Рязанов: Вы не устали от кино? Не надоело оно вам?

Филипп Нуаре: Нет! Нет! Нет и все!

Эльдар Рязанов: И каждый раз вы работаете с удовольствием?

Филипп Нуаре: Да! Да! Да! Да!

«Я живу в деревне на юге Франции, рядом с Тулузой. Там у меня ферма, где обитают собаки и лошади. Люблю читать, люблю живопись…»

Анук Эме: «Феллини научил меня любить кино...»

Никто из французских артистов и режиссеров не просил у нашей съемочной группы денег за съемки. Кроме Алена Делона. Поэтому с ним не было телепередачи. Анук Эме не требовала никакой оплаты за интервью. Но попросила, чтобы съемка происходила в отеле «Крийон» и чтобы мы наняли гримера. Отель «Крийон» — один из самых престижных, самых дорогих в Париже. Он расположен в центре города на площади Согласия. Как правило, в нем останавливаются главы государств, миллионеры, кинозвезды. Мы отправились разговаривать с менеджерами знаменитого отеля. Апартаменты, которые нам были нужны для съемки интервью, стоили пять тысяч долларов в день. Кроме того, требовался еще один номер, где актриса могла бы загримироваться и переодеться. Любая конура в этом здании стоила не дешевле трех тысяч. Разумеется, денег таких у нас не было. Игорь Бортников, наш продюсер, очень талантливо вешал лапшу на уши доверчивым французам, рассказывая, что наша съемка с Анук Эме будет потрясающей рекламой для их отеля в России. А поскольку в России сейчас полно богатых олигархов, то эта акция будет выгодна в первую очередь отелю. Ему удалось убедить управляющего. Тем более в «Крийоне» в это время действительно два номера были заняты российскими бизнесменами. Что касается гримерши, то, поднатужившись, мы наняли барышню из какой-то кинокомпании. Наша беседа с Анук началась как бы с шутки.

Эльдар Рязанов: Дорогая Анук! Вы, в отличие от многих других актрис, никогда, по-моему, не были в центре каких-то скандалов, сплетен. Как вы при этом умудрились сделать карьеру, не понимаю? Неужели только из-за таланта?

Анук Эме: Не знаю, есть ли у меня талант. Мне повезло, что я работала с великолепными режиссерами и у меня были прекрасные роли, а в жизни я всегда пыталась защитить себя, что, может быть, объясняет, почему я никогда не была замешана в скандалах и сплетнях.

Эльдар Рязанов: Как вы оказались в кинематографе?

Анук Эме: Совершенно случайно. Мне было тринадцать лет. Меня остановили на улице, когда я гуляла с матерью, и предложили сняться в фильме. Мать спросила: «Ты хотела бы это сделать?» Я сказала: «Да, конечно». Так все и получилось.

Эльдар Рязанов: И что это был за фильм?

Анук Эме: «Дом под морем». Конечно, это была второстепенная роль, ведь я была ребенком. А потом я снялась в фильме «Остров потерянных детей» по сценарию Жака Превера. Моего персонажа звали Анук. И меня все стали так называть. А потом Превер как-то сказал: «У тебя не может быть только имя Анук, без фамилии. Когда ты вырастешь, это будет смешно». И он придумал мне фамилию «Эме». Если тебя «окрестил» такой человек, как Жак Превер, то сохраняешь это на всю жизнь. (Настоящее имя и фамилия моей собеседницы Франсуаза Сориа. — *Э.Р.*)

Эльдар Рязанов: В фильм «Веронские любовники» вас тоже пригласил Жак Превер? Это было в сорок девятом году?

Анук Эме: Я в то время училась в обычной школе и начала ходить на курсы дикции. Жак Превер написал вариацию шекспировской пьесы «Ромео и Джульетта». Действие он перенес в наши дни.

Эльдар Рязанов: Вы помните свои первые ощущения от встречи с кинематографом?

Анук Эме: Меня это не особенно впечатлило. Там была приятная атмосфера, милые люди. В общем, не я выбрала кино, жизнь это сделала за меня. У меня не было страсти к кино. Я, скорее, хотела стать балериной. Короче, я тогда ничего не решала сама, плыла по течению.

Эльдар Рязанов: Вы учились в какой-нибудь актерской школе? У вас есть актерское образование?

Анук Эме: Я никогда не училась этой специальности.

Эльдар Рязанов: Анук, расскажите о легенде французского кино Жераре Филипе. Вы снимались вместе с ним в фильме по роману Эмиля Золя «Накипь». А потом он рекомендовал вас Жаку Беккеру в «Монпарнас, девятнадцать», где Жерар играл Модильяни, а вы — его подругу. Но, как я понимаю, только в кино.

Анук Эме: Я вижу, вы все обо мне знаете. *(Говорит со значением.)* У нас были прекрасные взаимоотношения. Это великая встреча в моей жизни. (Должен сказать, что я далеко не все о ней знал. В частности, это. — *Э.Р.*) О нем говорить очень тяжело. Он обладал поразительным шармом, был редким актером.

Эльдар Рязанов: Может быть, благодаря Жерару Филипу эта ваша роль более всех предыдущих наиболее окрашена внутренним человеческим теплом?

Анук Эме: Не знаю... Вообще, мне трудно говорить о себе, я не очень много о себе знаю, о том, как я играю, и о том, как я живу. И не хочу знать. Если бы я все о себе знала, мне было бы скучно. А я хочу, чтобы жизнь была приключением, сюрпризом. Часто я не знаю, как объяснить, почему делаю то или другое.

Эльдар Рязанов: Анук, давайте вспомним фильм «Сладкая жизнь», где вы играли Магдалену. Вы чувствовали себя в этой роли удобно, комфортно? Это соответствовало каким-то вашим внутренним качествам или вы преодолевали себя, когда создавали роль пресыщенной миллионерши?

Анук Эме: В первую очередь вы хотите узнать, наверное, как я встретилась с Феллини?

Эльдар Рязанов: Обязательно.

Анук Эме: Итак, Феллини приехал в Париж. Он встречался с многими актерами, претендентами на роли. И меня он тоже захотел увидеть вместе с другими актрисами. Я приехала на встречу. Вошла в комнату, сказав себе: «Это, должно быть, "крутой" итальянец...» Поэтому пришла в своего рода защитной скорлупе.

Когда я увидела Феллини, его глаза, я поняла — это совершенно другой человек, чем я себе нафантазировала. Он смотрел на меня особенным образом, смотрел внутрь, как Пикассо. Его глаза видели все. Он рассказал мне немножко о персонаже и спросил: «Хотите ли вы сыграть эту роль?» Я сказала: «Да». Хотя, честно говоря, думала, что мне роль не доверят. Слишком много актрис-претенденток. Он мне сказал: «Вы будете сниматься». Я ответила: «Хорошо, я согласна», хотя в это не верила. Прошло время, у меня не было никаких новостей. И вдруг однажды приходит телеграмма: «Приезжайте в Рим. Вы играете Магдалену в "Сладкой жизни"».

Фильм «Монпарнас, 19», режиссер Жак Беккер. 1957 г. О Жераре Филипе Анук говорила с придыханием: «У нас были прекрасные отношения. Это великая встреча в моей жизни»

Кадр из фильма «Сладкая жизнь». Режиссер Федерико Феллини. 1959 г.

Я приехала в Рим, пришла на съемочную площадку. Я ничего не знала, не читала сценарий. Никто мне не дал его прочитать. Толпа народу. Феллини не до меня. Я была в ужасе, говорила: «Я уеду, не понимаю ни этого человека, ни этот фильм».

На третий день, когда я снова пришла на съемочную площадку, поняла, что Феллини настоящий волшебник. Он научил меня двигаться так, как двигалась бы Магдалена. Она все делает медленно, она курит вот так *(показывает)*. Она перемещается, ходит таким образом *(показывает)*. В отличие от фильма «Восемь с половиной», где Луиза курит вот так *(показывает)*, у нее жесты резкие, совершенно другие движения. Именно Феллини меня научил пластике персонажа. С того момента, когда у вас есть движения и жесты той, кого вы играете, вам остается только говорить ваш текст. Остальное все уже есть, будто вы полностью влезли в шкуру вашего персонажа.

Феллини научил меня тому, что такое кино, научил меня любить кино. От Феллини у меня было ощущение, что я встретилась с человеком, которого знаю очень давно.

После фильма «Сладкая жизнь», который имел огромный успех, он решил снимать «Восемь с половиной». И не хотел брать в эту картину ни Мастроянни, ни меня. Хотел поискать кого-то еще. Я его спросила по телефону: «Ты будешь меня снимать?» Он говорит: «Не знаю». Но я-то знала, что он не хотел меня снимать. И сказала ему: «Давай я приеду на пробы». А он отказывается: «Нет, не надо». Но я все-таки приехала.

Пришла на съемочную площадку в коротком парике, без макияжа.

Федерико говорит: «Нет, не хочу снимать с тобой пробу». А я настояла: «Нет, ты все-таки сними».

Когда Федерико увидел мою пробу на экране, он сказал: «Хорошо, ты будешь играть Луизу». Я подстригла волосы, и ресницы он тоже заставил меня подстричь. Он

говорил, что длинные ресницы — это слишком красиво, они отбрасывают тень на глаза. А Федерико не хотел, чтобы моя героиня была красивой. В общем, я сыграла эту роль, преодолев какое-то пусть пассивное, но сопротивление Феллини.

Федерико и Марчелло — это те люди, которые навсегда останутся со мной. Они, во-первых, не принимали себя всерьез. Были очень простыми, с прекрасным чувством юмора. А это редко в наши дни, нынче люди относятся к себе слишком серьезно.

Эльдар Рязанов: А вы себя как воспринимаете — всерьез или научились у них относиться к себе иронично?

Анук Эме: Главное — не принимать себя всерьез.

Эльдар Рязанов: Перейдем к фильму «Мужчина и женщина» Клода Лелуша. Про этот фильм

Фильм Феллини «Восемь с половиной». 1963 г.
Гвидо Ансельми – Марчелло Мастроянни,
Луиза – Анук Эме

я слышал, что все работали бесплатно. Собралась такая группа энтузиастов. Напоминало как бы не профессиональную команду, а скорее дилетантов — любителей. Это правда?

Анук Эме: Я не была раньше знакома с Лелушем, я встретилась с ним ради съемок. Он был не только режиссером, но и продюсером. Мы сняли эту картину в три недели, очень быстро.

Мы делали этот фильм с очень маленьким бюджетом, денег не хватало ни на что. У меня не было гримера. Я накладывала грим сама, парикмахерша работала одна на всех. Вообще нас трудилось всего тринадцать человек. Очень маленькая команда. Мы даже сами иногда держали осветительные приборы. И вдруг фильм пригласили в Канны. Мы были аутсайдеры. Нас поселили в плохоньком отеле, не в «Карлтоне», где селят всех звезд. Но у ленты был такой успех, я никогда такого не видела. Я никогда

Фильм «Мужчина и женщина» имел обвальный успех во всем мире. Жан-Луи Трентиньян и Анук Эме

не видела, чтобы на Каннском фестивале люди вставали. Весь зал встал, люди аплодировали, кричали.

А потом вдруг мы утром узнали — нам присудили главный приз, «Золотую пальмовую ветвь». Сейчас нельзя узнать утром, а тогда это объявляли с утра. Нас тут же переселили в роскошный отель, а вечером на церемонии нам вручили приз. С этого мгновения началось настоящее безумие. Мне кажется, что фильм «Мужчина и женщина» появился именно в тот момент, когда должен был появиться в жизни людей. Во всех странах мы получали призы, были «Оскары». Фильм получил три «Оскара». Я, правда, «Оскара» не получила. Я получила приз «Голден глоб». Это было как мечта. Во всех странах мира фильм имел бешеный успех.

Эльдар Рязанов: И после этого фильма вы вышли замуж за Клода Лелуша?

Анук Эме: Мы никогда не были женаты. Я вообще никогда не говорю о своей частной жизни. Не было никакой любовной истории между Клодом и мной. Да, конечно, всегда есть определенная интеллектуальная близость между режиссером и актрисой. Есть какие-то очень близкие взаимоотношения, даже своего рода любовь. Я уверена, режиссер должен быть влюблен в своих актеров, даже если эти актеры — мужчины. В определенном смысле должен быть влюблен.

Эльдар Рязанов: Анук, вам действительно повезло. Вы работали со многими значительными режиссерами: Жаком Деми, Бернардо Бертолуччи, Сиднеем Люметом, Марком Беллоккио. Ваши героини — это умные, серьезные женщины со сложным внутренним духовным миром. От ваших ролей веет загадочностью, какой-то бездонной глубиной. Что это — ваша индивидуальность или вас вела интуиция?

Анук Эме: В каждом персонаже всегда есть смесь драматургического материала, то есть роли, режиссерской трактовки и, конечно, мой личный вклад. Я не знаю, чего больше. Это зависит и от глубины роли, и от оригинальности постановщика, и от моей внутренней жизни. Я всего лишь соавтор, один из соавторов.

Эльдар Рязанов: Вы счастливый человек?

Анук Эме: Невозможно быть все время счастливым. Если у тебя есть глотки́ счастья, это уже замечательно. У меня эти глотки есть. Я бы сказала, что хорошо лажу сама с собой. Один психиатр говорил — если ты хорошо ладишь с самой собой, значит, можешь поладить и с другими.

Эльдар Рязанов: Что бы вы хотели сказать в конце нашей беседы?

Анук Эме: Моя бабушка говорила мне: чтобы мужчина и женщина могли жить вместе всю жизнь, нужно немного любви, но много снисходительности. Думаю, что это нужно и вообще всем людям: немного любви и много снисходительности. Тогда появляется возможность добиться полного взаимопонимания.

Эльдар Рязанов: Согласен с вами. И могу добавить: я считаю, что счастье — это отсутствие несчастья.

Пьер Ришар:
«Я достаточно глубок, чтобы понять, что мне не хватает глубины...»

У Пьера Ришара в Париже нет квартиры. Однако живет он в самом центре города. У богатых и знаменитых свои причуды, и Пьер живет на самоходной барже, пришвартованной к набережной Сены у площади Согласия. Мы, съемочная группа, подъехали к самому судну. Знаменитый «высокий блондин в черном ботинке» встречал нас на палубе. Конечно, беседа началась с рассказа о своеобразном жилье Ришара.

Пьер Ришар: Вот это мой корабль. Я здесь живу. На том берегу Национальная ассамблея. Там, видите,

 Эйфелева башня, за мостом Кэ д'Орсе — Министерство иностранных дел... Слева Лувр и Нотр-Дам...

Эльдар Рязанов *(вопрос провинциала)*: А удобства у вас есть? Телефон, электричество?

Пьер Ришар: Видите, провода. Это электричество, газ, телефон, горячая вода, отопление... На соседних корабликах тоже живут. У меня внизу два больших салона. А моя комнатка небольшая... Я знаю людей, которые живут вон на той барже, и на той тоже. Мы приветствуем друг друга, когда по утрам пьем кофе. В Париже обычно люди не знают соседей, а мы здесь знаем. Жан Маре здесь жил раньше, но очень давно.

Эльдар Рязанов: А эта ваша баржа сама может плыть? Или ее надо тащить на буксире?

Пьер Ришар *(показывает)*: У меня есть рулевое колесо. Я могу доплыть хоть до Нотр-Дам де Пари (это метров восемьсот от стоянки. — *Э.Р.*). Но я сам не вожу баржу. Однако можно нанять шкипера. Мне нравится здесь жить. Я и в центре города, и вне его. Здесь на палубе летом я завтракаю, обедаю. Зимой я ем внизу. А летом приходят гости.

Эльдар Рязанов: А зимой в каютах не холодно?

Пьер Ришар: Что вы, там же есть отопление.

Эльдар Рязанов: Вид очень красивый. Причем во все стороны. Вы рыбак?

Пьер Ришар: Здесь много рыбы, но она плохая. Уже пятьдесят лет в Сене не купаются, слишком грязная вода.

Эльдар Рязанов: Почему вам нравится жить на барже, а не в квартире?

Пьер Ришар: Во-первых, я люблю воду. Хочу, чтобы рядом была вода. Тут мне кажется, что я живу не в Париже, а в каком-то маленьком городке рыбаков. Я хожу по барже босиком, но вижу перед собой Эйфелеву башню.

Эльдар Рязанов: Жить на барже в центре Парижа — это дороже, чем иметь квартиру в центре Парижа?

Пьер Ришар: Сейчас уже практически невозможно жить на реке. Не осталось больше мест, где можно поставить кораблик, яхту, баржу на прикол. Это не вопрос денег, просто нет больше мест. Но, наверно, баржа все-таки дешевле, чем апартаменты.

В это время мимо ришаровской баржи проплыл туристский прогулочный пароход. Очевидно, гид сказал пассажирам, что они проплывают мимо баржи, где живет прославленный актер. Туристы приветственно закричали, замахали шарфами. В ответ популярная звезда поступила немного экстравагантно. Ришар повернулся спиной к пароходу, наклонился, выпятил свое мягкое место по направлению к туристам и озорно похлопал рукой по нему. Это привело пассажиров в состояние восторга, и они радостно завопили...

Беседа продолжалась в тепле. Хозяин сидел за стойкой маленького домашнего бара, а я, как заправский выпивоха, расположился по другую сторону.

Эльдар Рязанов: Комедия — самый демократический вид искусства. Думаю, вы на себе испытали, что такое любовь зрителя. Публика ведь считает вас своим, ибо вы совсем не супермен и внешность у вас, простите, неказистая.

Пьер Ришар: Именно поэтому Ив Робер, у которого я снялся в своем первом фильме, сказал мне: «Тебе везет. Ты не самый хороший актер, но ты такой персонаж, с которым каждый человек себя идентифицирует». Я ответил ему: «Спасибо за то, что я плохой актер». И он сказал: «Мастерство придет в будущем». А что такое любовь зрителя, я испытал и в России. Мы с моим переводчиком пришли на Красную площадь, было два часа ночи. Зима и очень холодно. И почти никого не было на площади. И вдруг к нам подбежали три женщины. Они меня узнали. Они говорили, что очень меня любят, говорили, что их семьи влюблены в меня. Обнимали, просили автографы. Женщины были очень эмоциональные, возбужденные. Звали к себе в гости...

Эльдар Рязанов: А теперь, традиционно, начнем с рассказа о детстве и семье.

Пьер Ришар: У меня было два дедушки. Один был аристократом. Был очень и очень богат. Он окончил Высшую политехническую школу, был на верхушке социальной лестницы во Франции. А другой мой дедушка был итальянским эмигрантом, едва говорил по-французски, но был очень умен. Он пришел во Францию пешком, чтобы

найти работу. Добрался до севера страны и там носил рельсы, — был настоящим колоссом. Так вышло, что один дедушка у меня был интеллектуал, а другой — чернорабочий. Мне повезло. Я провел юность между двумя своими дедами. С одним я жил в замке, ходил на охоту, на бега, а второй тоже водил меня на охоту, только на браконьерскую.

Один дедушка рассказывал мне о благородстве охоты, о породах охотничьих собак, а другой учил ставить силки на кроликов. Наверное, именно поэтому у меня такое свойство адаптироваться к любой среде.

Фильм Ф.Ребера «Игрушка» (1976 г.) закрепил популярность Ришара у советских зрителей

Эльдар Рязанов: А какую роль сыграли родители в вашей жизни? Как отразился на вас их развод?

Пьер Ришар: Мои родители расстались, когда я еще не родился. Если бы они расстались до того, как зачали меня, конечно, все было бы по-другому. Я даже не знаю, с кем бы вы сейчас беседовали...

Эльдар Рязанов: Пьер, надо оправдать мизансцену. Вы сидите за стойкой как бармен, а я в позе жаждущего. А между тем я знаю, что у вас есть замок, который называется Шато Венивек. Там есть виноградники. Я даже знаю, что вы там делаете свое вино. Может, не будем сидеть всухую? У вас случайно не найдется бутылочки вина вашего производства?

Пьер Ришар: О да, конечно. Я никогда в таких вещах не отказываю. Это розовое вино.

Эльдар Рязанов: Пока я буду открывать, вы можете рассказывать про свои виноградники.

Пьер Ришар: Мой отец обожал хорошие вина. И каждый раз за обедом я пил очень хорошее вино. А мне было всего-навсего четырнадцать или пятнадцать лет. И когда я в два часа возвращался в класс, я засыпал за партой. И преподаватель знал, что меня бесполезно трогать, и давал поспать полчасика. Потом он будил меня и говорил: «Ну, теперь приступим к занятиям».

Я смолоду научился разбираться в винах. Правда, у меня не всегда была возможность покупать дорогое вино. Когда я был молодым актером, у меня не хватало на это денег. Но когда я стал зарабатывать много, я всегда покупал себе хорошее вино.

Мое вино прекрасно утоляет жажду. Оно достаточно простое, розовое. Его на юге много пьют.

Эльдар Рязанов: Когда у вас нет съемок, вы живете у себя в имении?

Пьер Ришар: Когда нет съемок, да. У меня на юге дом, а вокруг пруды. А за прудами море. Я окружен водой. А земля там ужасно сухая, ведь там никогда не идет дождь.

 И поэтому растет один только виноград. Я выращиваю виноград и делаю вино — красное и розовое.

Эльдар Рязанов: Вы это вино продаете или делаете только для себя и друзей?

Пьер Ришар *(после паузы)*: Я его продаю, ведь я делаю шестьдесят тысяч бутылок в год. Я бы никогда в жизни не смог столько выпить. Если я с друзьями выпиваю десять тысяч — это уже неплохо.

Эльдар Рязанов: Как восприняли ваши родители решение стать артистом?

Пьер Ришар: Они были резко против. И в течение многих лет я не видел мою семью со стороны отца. Не было никакого общения. Они были крайне недовольны моим выбором. Я учился у Жана Вилара, у одного из великих режиссеров французского театра. У него играл Жерар Филип — один из самых грандиозных актеров театра и кино. И я учился на курсе Жерара Филипа.

Поскольку у Вилара был свой театр, то всех учеников брали в массовку. Я изображал то монаха, то солдата, бегал, переодевался, ничего не говорил, конечно, но мы все были рады, потому что видели, как играют великие актеры. Мы видели и Жерара Филипа, и Жана Вилара, который сам был потрясающим актером... *(После паузы.)* Меня выгнали из театра и даже из массовки в тот день, когда я заснул на сцене.

Я изображал солдата в «Макбете». Леди Макбет играла Мария Казарес, величайшая актриса того времени. На сцене была битва, и мой солдат умирал. Я оставался мертвым, лежал, лежал — и заснул. Сменили декорацию, но я ничего не услышал. И когда снова свет зажегся, я лежал в королевской опочивальне, около королевского ложа. Леди Макбет была на постели, а я внизу. Я не знал, что мне надо делать: оставаться там или же тихо ползти к выходу. Я пополз. Меня тут же выгнали... *(После паузы.)* У меня всегда была привычка спать тогда, когда этого не нужно делать.

Эльдар Рязанов: Расскажите о том, как вас одновременно взяли и в балет Мориса Бежара, и в представление Жоржа Брассанса.

Пьер Ришар: Я оказался на улице. Но я хорошо танцевал. Специально этому не учился, не было техники. Но мог поднять ногу выше любого танцора, у меня была прекрасная растяжка. В это время Морис Бежар искал актеров, которые умеют танцевать. И я сказал себе: «Это я». На просмотре я танцевал, делал черт-те что. И Бежар сказал: «Я вас беру. Вас единственного. Все остальные, которые утверждают, что умеют танцевать, на самом деле делать этого не умеют». Я, радостный, вернулся к себе. А дома ждала телеграмма, что меня и моего друга Ану, нас обоих взяли в программу Жоржа Брассанса. Что же мне делать? Брассанс или Бежар? Я не хотел бросать своего друга и пошел вместе с ним к Брассансу. Мог бы стать танцором, а стал артистом. Иногда я об этом жалею.

Эльдар Рязанов: Почему ваши сыновья не пошли по вашим стопам, стали музыкантами, а не артистами?

Пьер Ришар: Они никогда не хотели быть актерами. Но они очень артистичны и стали музыкантами. Один играет на контрабасе, а другой на саксофоне. Когда они вместе репетируют, иногда я сажусь за пианино. Для них это катастрофа. Им все-таки трудно отказать мне, но порой они говорят: «Папа, уходи».

Эльдар Рязанов: Пьер, но можно же где-то играть плохо. Достаточно того, что вы хорошо играете в кино.

Пьер Ришар: Да, действительно, этого достаточно. Не могу же я всюду быть хорош.

Эльдар Рязанов: Вы ходите на концерты, где выступают ваши сыновья? Для вас это событие?

Пьер Ришар: Да, конечно. Они играют джаз. Играют в ночных клубах в Париже, в джазовых клубах. И я всегда рад пойти их послушать. Я горд. Они — хорошие музыканты.

Эльдар Рязанов: А они ходят смотреть ваши фильмы? Приходят на ваши премьеры?

Пьер Ришар: Сыновья с самого детства смотрят все мои фильмы. Но иногда их это, как ни странно, смущало. Я ведь всегда играл роли, где меня осмеивали, давали пощечины, я падал, люди смеялись надо мной. И когда сыновьям было семь-восемь лет, их это оскорбляло. Я спрашивал: «Вам понравилось?», они мрачно отвечали: «Да». Ребята в школе им говорили: «А, твой отец, он полный идиот». Ведь дети часто приравнивают комиков к идиотам. Я в детстве тоже говорил: «Чаплин такой дурак». И мои мальчики, конечно, от этого страдали. Они бы предпочли, чтобы я играл драматические роли или чтобы их отцом был Сильвестр Сталлоне или Шварценеггер. Но мой внук, — он видел все мои фильмы на кассетах, — он визжит от смеха и удовольствия.

Эльдар Рязанов: Значит, внук умнее сына?

Пьер Ришар: Да, я так ему и говорю: «Твой глупый отец никогда этого не понимал».

Эльдар Рязанов: Значит, вы дважды отец и единожды дед? А сколько раз вы муж?

Пьер Ришар: Один раз. Но я расстался со своей женой и не женился во второй раз.

Эльдар Рязанов: А сейчас вы один или у вас есть подруга?

Пьер Ришар: Да, конечно, есть.

Эльдар Рязанов: Как вы начали сниматься в кино? И сразу ли вы нашли свой персонаж, такого рассеянного, неуклюжего, но очень милого человека, или это выкристаллизовывалось постепенно?

Пьер Ришар: Почти сразу же. Первый фильм мой с режиссером Ивом Робером, у меня была маленькая роль, но эту роль он написал специально для меня. Он использовал как раз мою внешность и некоторую наивность, которая была у меня в глазах. Я играл Александра Блаженного, фильм так и назывался: «Александр

Блаженный». Мне очень повезло, что я работал с Ивом Робером. Он мне тогда сказал: «Ты не актер. Ты персонаж. Тебе нечего делать во французском кино, ничего для тебя нет. Создай свой персонаж, свой мир, основанный на твоих качествах и недостатках».

Я это и сделал. Сам написал первый сценарий «Рассеянный».

Эльдар Рязанов: И вы там выступали и как сценарист, и как режиссер, и как исполнитель главной роли?

Пьер Ришар: Да. Я написал сценарий, сам сыграл и поставил как режиссер. Это был полностью мой мир, мой образ жизни, образ мыслей, манера реагировать. Это авторский фильм во всех смыслах этого слова.

Потом Ив Робер написал для меня вместе с Франсисом Вебером сценарий «Высокий блондин в черном ботинке». Они тоже пользовались этой самой наивностью персонажа. Это качество у меня от рождения. «Блондин» стал одним из самых крупных успехов французского кино в то время. Тогда и стала развиваться моя кинокарьера, как французская, так и международная.

Эльдар Рязанов: Скажите, как вы относитесь к славе? Какие ощущения рождаются, когда вас узнают, просят автограф, обнимают, целуют?

Пьер Ришар: Мне кажется, те, кто говорят, что им наплевать на популярность, — лицемеры. Это огромная привилегия — быть любимым людьми. Я счастлив этим. Иногда происходит что-нибудь смешное. Как-то раз я вышел из машины, и ко мне приблизилась немецкая пара: «Можно с вами сфотографироваться?» Я пытался отказаться, но мой друг сказал: «Ну будь приятным, сделай им такое одолжение». Я ответил: «Хорошо». И тогда немец дал мне камеру, они с женой встали и объявили, что они готовы. Оказывается, они хотели, чтобы я сфотографировал их. Недавно меня остановили полицейские за превышение скорости. У меня с собой не было документов. Мне пришлось возиться целый час, чтобы заполнить все штрафные бумаги. Когда через час полицейские возвратили мне их, то сказали: «Езжайте. Вы знаете, вы менее смешны, чем в своих фильмах». Я взорвался: «Вы целый час меня достаете и еще хотите, чтобы я вам здесь танцевал!»

Эльдар Рязанов: В какой степени вы в личной жизни соответствуете своим персонажам?

Пьер Ришар: Я думаю, что близок к ним. Я не жестокий, не хладнокровный, не страшный. Я во многом растяпа.

Эльдар Рязанов: Кто из партнеров оставил наибольший след в вашей биографии? Наверное, Жерар Депардье? Он ведь во всех фильмах лупил вас изо всех сил.

Пьер Ришар: Да, от партнерства с Жераром следов на моем теле достаточно. У нас всегда прекрасное взаимопонимание. Мы настолько разные и настолько дополняем друг друга! Для меня было огромным удовольствием играть комедии с ним, — видеть его глаза, его реакцию. Что примечательно в нашей паре? Жерар обладает огромной физической силой, но при этом у него хрупкая душа, почти женская. А я, хотя физически хрупок, обладаю огромной духовной силой.

И было очень интересно, как мы менялись нашей силой или слабостью друг с другом.

Эльдар Рязанов: Это один из ваших любимых партнеров?

Пьер Ришар: Да. К тому же мы много смеялись и развлекались на съемочной площадке, приятно проводили время и до съемок, и после них.

Эльдар Рязанов: Все-таки вы испытывали неприязнь к Депардье, когда он вас усердно колошматил в кадре?

Пьер Ришар: Это такой сценарий был. Партнер не виноват. Но я вспоминаю, как мы снимали одну сцену. Он брал меня за грудки и тряс, а я бился головой о стену.

А потом режиссер кричал: «Стоп!» Я выдыхал, а перед глазами плыли белые круги. А Франсис Вебер — режиссер — говорил Жерару: «Тряси сильнее, потому что такое впечатление, что это понарошку». Жерар трясет меня еще сильнее. Крик: «Стоп!» Я задыхаюсь. Вебер подходит, говорит: «Хорошо, но еще недостаточно хорошо». И так много раз. Под конец я был просто убит. Минут пятнадцать приходил в себя, еле дышал. Жерару, конечно, было неудобно, неприятно. Он все время просил прощения.

Эльдар Рязанов: Здесь у вас на стене большой портрет Че Гевары. Я знаю, что вы сделали о нем документальный фильм. Это что — любовь юности? Откуда такая потребность души — сделать о нем фильм?

Пьер Ришар: Тридцать лет назад молодежь всего мира восхищалась Че Геварой. Поскольку у меня была возможность поехать на Кубу, я снял фильм о нем. Я встречался со многими людьми: с его отцом, с его женой, с его дочкой, с его друзьями детства. И с его бойцами. И сделал о нем документальный фильм.

Гевара — один из самых мифических персонажей двадцатого века. Мне повезло, я встретил людей, которые прекрасно его знали и любили. И говорили о нем такие великолепные слова. Эта историческая фигура вызывает у меня огромный интерес.

Эльдар Рязанов: У фильма была хорошая прокатная судьба?

Пьер Ришар: Я его снял не для того, чтобы его показывали. Сделал для собственного удовольствия. И когда он был готов, я продал его телекомпании «ТФ-один». Они показали его один раз в десять часов вечера по телевизору.

Любопытно то, что и сейчас двадцатилетние иногда пожимают мне руку на улице и говорят: «Спасибо за то, что вы сняли фильм о Че Геваре».

Эльдар Рязанов: Я знаю, что вы сейчас выступаете и в театре.

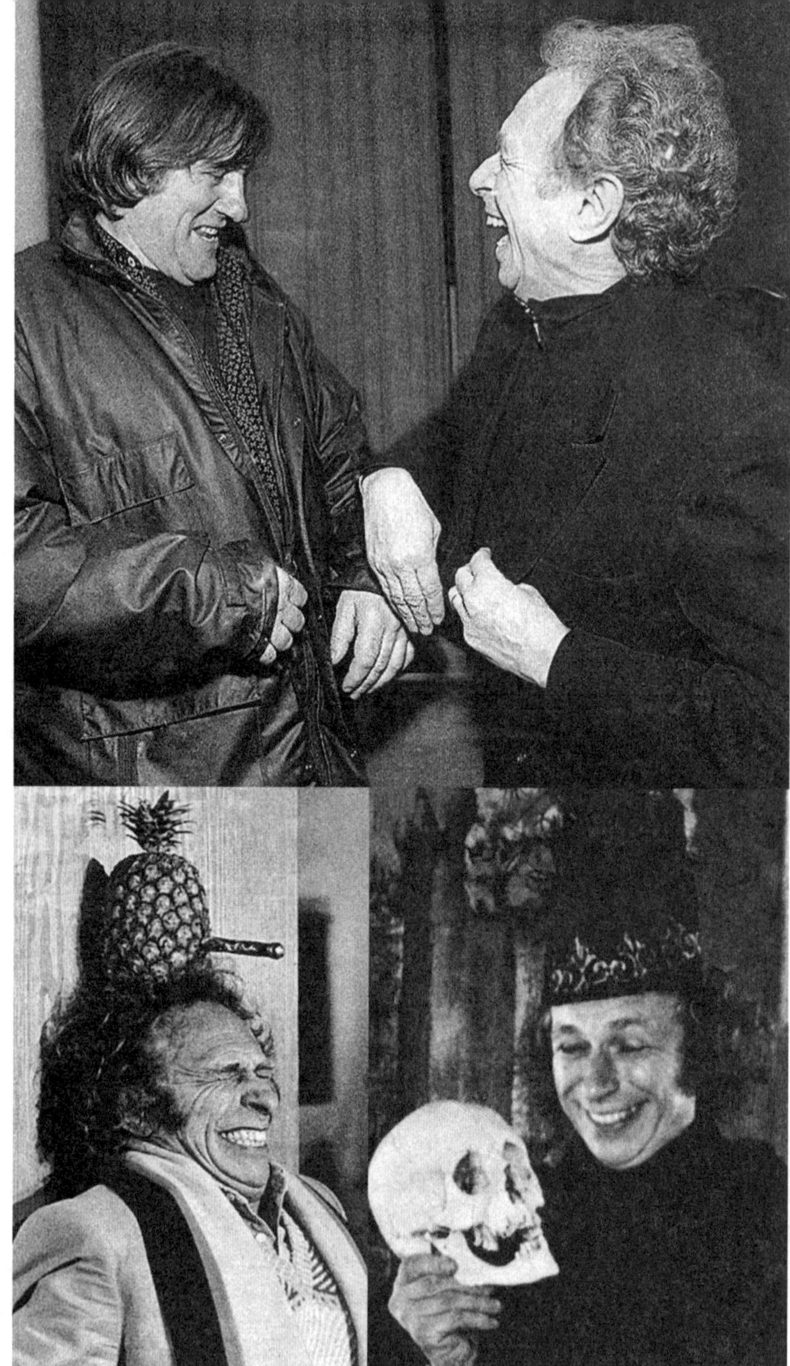

«У нас прекрасное взаимопонимание. Для меня огромное удовольствие играть в комедии с Депардье»

Такой разный, но узнаваемый Ришар

Кадр из грузинского фильма «101 рецепт влюбленного кулинара». Режиссер Нана Джорджадзе

«Я знаю, русский народ меня любит, и хочу сказать: я тоже очень люблю русских! Очень хотел бы к вам приехать и сняться в российском фильме»

Пьер Ришар: После двадцатилетнего перерыва мне очень захотелось вернуться в театр, захотелось увидеть публику перед собой, почувствовать немедленную реакцию людей. Когда выходишь на сцену, то боишься значительно больше, чем в кино. На подмостках ты не можешь сделать второго дубля. В зале сидят люди и смотрят на тебя. Они смеются. Происходит какой-то обмен энергией. Этого нет в кино. Мне захотелось все это испытать снова. И всю зиму я гастролировал в семидесяти семи городах Франции, в семидесяти семи театрах. Совершенно разная публика. Это было великолепно.

В кино, если вы хорошо сыграли, удовлетворение приходит позже, если плохо сыграли, наказание приходит тоже позже. А в театре, хороши вы были или плохи, удовлетворение или наказание — это приходит сразу. И мне вот хотелось ощутить именно это.

Эльдар Рязанов: А что вы играли? Кого?

Пьер Ришар: Это пьеса Фейдо. Фейдо — французский автор конца девятнадцатого — начала двадцатого века, очень известный. Он писал очень смешные пьесы. Порой водевили. Но то, что я играл на этот раз, — это не водевиль. Это были семейные сцены, но тоже очень смешные.

На самом деле комическое — это трагические вещи, рассмотренные с другой точки зрения. И тогда они становятся смешными. Фейдо умеет ужасно трагические вещи поставить перед кривым зеркалом и сделать их забавными. Вот в такой пьесе я и играл...

Эльдар Рязанов: Прекрасно то, что в вас нет ничего актерского. Вы искренний, нормальный, милый человек. Вы довольны своей жизнью? Счастливы?

Пьер Ришар: Я очень рад многим вещам в моей жизни. Но, разумеется, далеко не всему. У меня есть определенный дар и вкус к счастью. Счастье надо растить. Надо уметь быть счастливым. Я не всегда счастлив, но я всегда его ищу и в себе, и в других. Иногда я упрекаю себя в том, что мне не хватает глубины. Но я достаточно глубок, чтобы понять, что мне не хватает глубины.

Эльдар Рязанов: Вы любите людей?

Пьер Ришар: Да, конечно. Но все-таки достаточно выборочно к ним отношусь. Я люблю тех людей, которые являются Людьми. Есть категория людей, которых я не люблю. Не люблю политиков, не люблю тех, кто рвется к власти. Мне симпатичны люди такие, как вы, как я, обычные нормальные люди.

Эльдар Рязанов: Что бы вы хотели сказать русским зрителям, которые вас знают, любят и помнят?

Пьер Ришар: Как это трогательно для актера, который живет за три тысячи километров, как это трогательно, когда тебя так сердечно принимают люди в другой стране на улице, в кафе, в магазине. Актеру нравится, когда его любят. И когда ему об этом говорят, он тоже хочет сказать в ответ о своей любви.

Я знаю, русский народ меня любит, и хочу сказать: я тоже очень люблю русских! Очень хотел бы к вам приехать и сняться в российском фильме.

Марина Влади: «Я хотела написать, почему Володя умер в сорок два года...»

Наша съемочная группа приехала в небольшой городок Мезон-Лафит, что в тридцати минутах езды от Парижска. Так Владимир Высоцкий любил называть прекрасную столицу Франции. Я не случайно заговорил о Владимире Семеновиче. Ибо позади меня находится дом Марины Влади.

Старшее поколение наших зрителей помнит Марину Влади как замечательную «Колдунью» из франко-шведского фильма, поставленного по повести Куприна «Олеся». Тогда Марина Влади буквально ворвалась в нашу жизнь.

В те годы многие наши девушки стали копировать ее прически и ее пластику. Загадочная, с таинственным прищуром глаз блондинка действительно сводила с ума очень многих. А для людей среднего поколения Марина Влади — жена нашего великого поэта, певца, актера — Владимира Семеновича Высоцкого.

Сейчас у нее третий период, я бы его назвал «поствысоцкий». Об этом мы знаем значительно меньше. Я хочу, чтобы вы получили представление о Марине Влади не только как о жене Высоцкого, не только как о русской, живущей во Франции, а как о крупной актрисе французского кино. Вы, верно, знаете, что она русского происхождения. Что «Влади» — ее псевдоним — сокращенное от Владимировны. Вообще-то она Марина Владимировна Полякова.

Мы звоним в калитку. Открывает сама Марина. Мы входим на лужайку перед красивым двухэтажным домом. Прыгают, гавкая, три дружелюбных пса. Здороваемся с хозяйкой, обмениваемся приветствиями. Я дарю Марине Владимировне видеокассеты с моей четырехсерийной телепередачей о Высоцком, которая вышла еще в январе 1988 года, свою книгу о нем, пластинки. Разговор начинается сразу же, мы перескакиваем с темы на тему, не закончив одно, переходим к другому.

Эльдар Рязанов *(показывая на дом)*: Вы давно в этом доме живете?

Марина Влади: Да. Это мой дом. Я имела возможность купить его, когда мне было пятнадцать лет.

Эльдар Рязанов: Откуда в таком возрасте столь огромные деньги?

Марина Влади: Гонорар за двенадцать картин в Италии. Мы там работали по пятнадцать часов в день. Я начала сниматься с одиннадцати лет.

Все заработанные деньги ушли на дом. Я совершенно ни на что не тратила, экономила: не одевалась, не ела в ресторанах и так далее. Но зато вся семья получила возможность здесь жить.

Эльдар Рязанов: И ваши родители?

Марина Влади: Папа, к сожалению, умер до моего успеха. Но мама моя, мои сестры, все наши дети, — а у нас их четырнадцать, — жили в этом доме.

Родилась я в маленькой трехкомнатной квартирке, где жили всемером. Отец все время пел, мать танцевала. Детство было чудесное. Но очень, очень бедное.

И Володя тут жил и любил этот дом. Он очень много писал тут... А вот видите три березки? Мы их посадили, когда мы — три сестры — играли «Трех сестер» в театре. Это было еще до встречи с Володей. Березам уже тридцать лет.

Эльдар Рязанов: Вас было три сестры?

Марина Влади: Четыре.

Эльдар Рязанов: Вместе с вами?

Марина Влади: Со мной четыре. У меня было три сестры.

Эльдар Рязанов: И две из них стали артистками?

Марина Влади: Мы все были артистками. Ольга начала в театре первая. В Гранд-опера. Потом в театр поступила Татьяна. И Милица. Они работали десять лет балеринами. Потом я тоже пошла в танцовщицы, когда мне исполнилось девять лет. Но через какое-то время Ольга — моя старшая сестра — стала режиссером телевидения. Она сменила профессию. Но мы, три сестры, остались актрисами. И были очень знаменитыми. Мы играли чеховских трех сестер. Это был высший пик нашей жизни. Мы имели счастье работать вместе. Целый год!

Эльдар Рязанов: Был большой успех?

Марина Влади: Очень большой. И на парижской сцене! В чудесном театре. Спектакль поставил Барсак, известный режиссер, тоже русского происхождения. Мы играли целый сезон, то есть более трехсот представлений.

Эльдар Рязанов: Каждый день?

Марина Влади: Каждый день. А в субботу и в воскресенье — два раза.

Эльдар Рязанов: А мама успела посмотреть спектакль?

Марина Влади: Конечно. Практически каждый вечер.

Эльдар Рязанов: Счастлива была?

Марина Влади: Конечно. Она всегда сидела во втором ряду.

Эльдар Рязанов: Расскажите о родителях, о папе и маме. Они познакомились в Белграде?

Марина Влади: Да.

Эльдар Рязанов: Как папа попал во Францию?

Марина Влади: Попал в тысяча девятьсот пятнадцатом году как летчик. Он пошел добровольцем во французскую армию. Стал одним из первых французских летчиков. Потом в бою его самолет подбили, папа был очень серьезно ранен. И остался во Франции. Он любил пение, был певцом.

Эльдар Рязанов: Он был профессиональным певцом? Где-то учился или выступал как любитель?

Марина Влади: Он окончил Московскую консерваторию.

Эльдар Рязанов: И будучи профессиональным певцом, пошел воевать?

Марина Влади: Он был единственный сын вдовы. Поэтому его не взяли в армию. Но папа пошел добровольцем. После войны поступил в оперу, стал известным солистом. И когда выступал с французской оперой в Белграде, то там встретил маму. А мама уехала из России в девятнадцатом году. Она была дочь генерала белой армии, окончила Смольный институт. В семнадцатом году. Это был последний выпуск Института благородных девиц. Мама была не профессиональная танцовщица, но выступала в театре. Отец увидел ее на сцене и сразу влюбился. Очень быстро родилась моя старшая сестра Ольга. Они в двадцать восьмом году переехали в Париж. А в тридцать восьмом году появилась на этом свете я.

Эльдар Рязанов: Семья была дружная?

Марина Влади: Замечательная. Но богема. Люди приходили, уходили, открытый дом. Артисты пели, художники показывали картины, все говорили о политике. Мы жили в пригороде Парижа, в Клиши. Потихоньку становились беднее и беднее. Ведь я родилась, когда отцу было пятьдесят, а матери более сорока. Они уже не выступали в театре, не зарабатывали.

Эльдар Рязанов: Я знаю, что вам пришлось содержать семью в весьма молодом возрасте.

Марина Влади: Да. Я стала зарабатывать довольно много денег, можно сказать, с детства. Я умела хорошо дублировать фильмы и озвучивала все детские роли. В восемь лет я зарабатывала больше, чем отец. Он стал к тому времени рабочим. Уже не пел. Мне было восемь, а ему под шестьдесят.

Эльдар Рязанов: Он был простым рабочим на фабрике?

Марина Влади: Да. А мама не работала, занималась домом. Много детей. А потом и возраст. И не надо забывать, шла война. Тяжелое, трудное время для всех.

Эльдар Рязанов: Где жила семья во время войны, там же в Клиши? В оккупированной зоне Франции?

Марина Влади: Да, там же. Под немцами.

Эльдар Рязанов: А немцев живых помните? Вам было лет пять-шесть...

Марина Влади: Конечно, помню. Помню прекрасно. Для них мы были никто, нас не тронули. Но я была очень травмирована войной. Вспоминаю ее с ужасом. Мы жили около большого вокзала, который бомбили все время. И американцы потом бомбили. И голод. Мы же голодали. Моя мать похудела на тридцать килограммов в те годы. Она ничего не ела, все отдавала детям. И были очень суровые зимы. У нас не было отопления, спали одетыми, в пальто. Я помню, у отца был полушубок, нас им накрывали. Когда отец уходил на работу, он давал мне кусочек мяса. Он единственный в семье ел мясо, потому что работал. Он мне давал маленький кусочек мяса, и я его весь день сосала. Отец был совсем не коммунист. Он был анархистом, но родители очень переживали за Россию.

Эльдар Рязанов: Дома говорили по-русски или по-французски?

Марина Влади: Только по-русски. Первый язык был русский. Тем более я была воспитана бабушкой, матерью моего отца, которая приехала в Париж в тридцать шестом году. Она была очень старая, жила у нас. Именно она воспитывала меня до шести лет. Я до шести говорила только по-русски. А уж потом стала учиться французскому...

В это время с улицы на лужайку вошел невысокий пожилой человек с портфелем в руках. Проходя мимо нас, он поклонился. Марина остановила его и стала нас знакомить.

1954 год. Шестнадцатилетняя Марина Влади играет в комедии «Дни любви» знаменитого неореалиста Джузеппе де Сантиса роль своенравной Анджелы

После роли лесной дикарки в фильме режиссера Андре Мишеля «Колдунья», созданном по мотивам повести А.Н.Куприна «Олеся», о Марине узнали в нашей стране. 1956 г.

 Мы поняли, что это ее муж, знаменитый доктор, онколог, бывший министр здравоохранения, отважный общественный деятель. Нам как обывателям, конечно, было интересно поглазеть, кого выбрала Марина Влади после Высоцкого. Она, верно, тоже это почувствовала и отрекомендовала его весьма странно.

Марина Влади: Это мой компаньон жизни Леон Шварценберг...

Мы: Очень приятно.

Марина Влади: Знаменитый онколог, с которым я живу уже несколько лет...

Мы: Очень приятно.

Леон Шварценберг: Мне очень приятно с вами познакомиться...

Мы: И нам очень приятно...

После обмена несколькими любезными фразами хирург-онколог удалился в дом, а хозяйка пригласила нас попить чайку. Дальше беседа продолжалась за самоваром, купленным в Ницце, который служил реквизитом в «Трех сестрах», а теперь в него наливают кипяток и ставят на стол во время чаепития.

Эльдар Рязанов: Марина, ситуация у нас с вами не простая. Вы снялись более чем в сотне фильмов. Говорить о фильмах — не хватит ни времени, ни места...

Марина Влади: ...ни памяти...

Эльдар Рязанов: Итак, вы начали сниматься в одиннадцать лет, и первый ваш значительный фильм — это «Дни любви» режиссера Джузеппе де Сантиса, одного из отцов неореализма...

Кстати, вы играли в каком-либо фильме вместе с Высоцким?

Марина Влади: «Очаровательная врунья». Комедия Марты Мессарош. В Венгрии. Марта — очень хороший режиссер. Это была единственная картина, где я снималась вместе с Володей. У нас там прелестная сцена была, где мы под снегом, флирт такой... И в конце концов он меня целует. Он там очаровательный просто, и сцена получилась очень красивая. Это был единственный раз, когда мы снимались вместе. Я не хочу снова рассказывать, как нам не дали жить в Советском Союзе. Но, к сожалению, нам не дали и сниматься вместе. Это ужасно. Мы могли бы больше жить вместе.

Эльдар Рязанов: А в «Пугачеве» вы должны были играть Екатерину Вторую?

Марина Влади: Екатерину, конечно.

Эльдар Рязанов: А он — Пугачева?

Марина Влади: Конечно. Пробы у него были чудесные.

Эльдар Рязанов: Я видел эти пробы. Очень сильные.

Марина Влади: Я делала только пробы костюмов. Но самое смешное, что все-таки снялась в роли Екатерины, только у японцев.

Эльдар Рязанов: А что это за фильм был?

Марина Влади: Название вроде «Сны России» или «Сны о России». Снимался три года назад.

Эльдар Рязанов: Вы все-таки сыграли Екатерину, а он Пугачева в кино так и не сыграл.

Марина Влади: Нет, к сожалению. Это большая потеря. Он был бы гениальным Пугачевым. Но пробы существуют, вы должны их найти. Это удивительно, как он там играл.

Эльдар Рязанов: Марина, а в Россию как актриса вы попали, когда вас пригласил Сергей Юткевич в фильм «Сюжет для небольшого рассказа»?

Марина Влади: Да, это очень смешно. Я с Юткевичем познакомилась в свои пятнадцать лет, когда получала первый раз в Каннах премию за фильм «Перед потопом».

Эльдар Рязанов: Режиссер Андре Кайатт?

Марина Влади: Кайатт. Мы получили премию критики, это очень хорошая премия. И меня не пускали в зал, потому что мне не было шестнадцати лет и я не имела права видеть этот фильм по возрасту. И меня провел Серж Юткевич.

Эльдар Рязанов: А он был членом жюри, наверное, как всегда?

Марина Влади: Как всегда. Так мы познакомились. Потом иногда виделись на фестивалях. И однажды он мне предложил роль Лики Мизиновой. А я обожаю Чехова. Это мой любимый писатель и драматург. Я часто играла Чехова в театре и в кино тоже. Я сразу сказала: «Да». Я не знала тогда, что после этого буду двенадцать лет жить в России. Я снималась год, и за это время Володя Высоцкий стал моим любимым человеком, стал моим мужем.

Впервые в русской картине Марина играла в фильме «Сюжет для небольшого рассказа» режиссера Сергея Юткевича в 1970 г. В роли Лики Мизиновой – Марина Влади, в роли Чехова – Николай Гринько. Мария Чехова – Ия Саввина

Эльдар Рязанов: Когда начинали играть в этом фильме, вы, наверное, изучали и Чехова, и его дневники и письма?

Марина Влади: Конечно.

Эльдар Рязанов: Тогда объясните мне, почему Антон Павлович не женился на Лике Мизиновой? Как вы думаете?

Марина Влади: Я думаю, он не был влюблен сексуально. Он не был любовником. Это мое мнение. Он был очень одинокий человек. Думаю, у него были какие-то проблемы с женщинами.

Лика была девчонка. Он так описал все ее страдания в «Чайке», что можно не рассказывать. Он просто не сумел ее любить, я думаю. А может быть, она не сумела его любить как надо. Он был, вероятно, довольно трудный человек в жизни. То есть он был очаровательный, добрый, тонкий, интеллигентный, гуманист и так далее. Чистый гений. Я его ставлю на одном уровне с Шекспиром. Но...

Эльдар Рязанов: Но вернемся к Высоцкому. Расскажите, как он вас атаковал!

Марина Влади: Я была в Театре на Таганке, смотрела спектакль «Пугачев».

Эльдар Рязанов: Там Володя Хлопушу играл.

Марина Влади: Я обалдела. Это был гениальный актер, замечательный, очень сильный!

Эльдар Рязанов: А про его песни вы ничего не знали тогда?

Марина Влади: Нет, знала только, что в этом знаменитом Театре на Таганке есть прекрасный актер. Вечером мы пошли в ресторан ВТО, в актерский ресторан. И Володя пришел после спектакля. И стал на меня в упор смотреть. Я к этому привыкла. На меня часто смотрели. Конечно, была тронута, что нравлюсь такому актеру. На сцене он меня потряс. А тут я увидела мальчика. Он был совсем никакой. Худенький. Не очень высокий... Но, конечно, на сцене он был гигант. А в жизни — совсем незаметный, на улице на такого не обратишь внимания.

Эльдар Рязанов: А когда услышали его пение?

Марина Влади: В тот же вечер у Макса Леона — корреспондента «Юманите». Там Володя стал петь. Специально для меня. А потом сказал: «Ты будешь моей женой».

Эльдар Рязанов: В первый вечер?

Марина Влади: Да. Я только похихикала. Решила, что мальчик видел меня на экране, и, по всей вероятности, я ему понравилась. Но он мне не понравился вначале.

А потом мы встречались долго, почти год, до того как стали... в общем, вместе...

«Володя пел специально для меня.
А потом сказал: "Ты будешь моей женой"»

Эльдар Рязанов: Я видел, у вас на стене в рамке под стеклом висит его последнее предсмертное стихотворение. Это жуткая традиция наших поэтов. И Есенин оставил перед смертью, и Маяковский, и Высоцкий...

Марина Влади: Я его только после смерти нашла. Оно у него было в бумагах, где все было зарыто, разрыто. Очень повезло, что я его нашла.

Эльдар Рязанов: Мы приехали, чтобы сделать передачу о вас, но все время разговор переходит на Володю. Впрочем, Высоцкий — большая глава вашей жизни.

«Володя со мной все время. Для меня ничего не отошло, ничего не стерто, ничего...»

Марина Влади: Это самая главная глава. И так останется. Володя со мной все время. Все случилось как будто вчера. Для меня ничего не отошло, ничего не стерто, ничего. И переживания, и то, что его не хватает. Когда открывали памятник, я не могла поехать и послала слова, которые хотела бы произнести. Написала о том, как его не хватает сейчас России. Не хватает, чтобы описать трагедию народа. Он мог и что-то дельное предложить. Володя был удивительный ясновидец. Его стихи, написанные двадцать-тридцать лет назад, — это же о сегодняшних страданиях народа, о сегодняшних его бедах. А ведь при жизни не было ни одного афишного концерта. Но произошло главное — он стал частью нашей культуры, нашей жизни. Так же, как Есенин или Маяковский...

Так вот, о страданиях людей. Я недавно была в Одессе, снималась там...

Эльдар Рязанов: Вы бывали там раньше с Высоцким?

Марина Влади: Да. Он там много снимался. Мы очень часто жили в Одессе. Оттуда улетали, уезжали поездом, уплывали пароходом. Между прочим, и в свадебное путешествие на теплоходе «Грузия». Но в последний раз Одесса меня просто потрясла... Я жила в России двенадцать лет, но никогда не видела детей, которые роются в помойках. А сейчас я это видела. И для меня это такой ужас, такой стыд! Не могу этого простить.

Эльдар Рязанов: Раз у нас не получается беседа о кино, давайте поговорим о мужьях. Начнем по порядку. Робер Оссейн, отец ваших двоих сыновей, ваш партнер по многим фильмам и ваш режиссер.

Марина Влади: Мы встретились, когда мне было пятнадцать лет, а ему двадцать пять. Я его знала, потому что он дружил с моими сестрами. Он ведь тоже выходец из России, его настоящая фамилия Хусейн. Отец его из Узбекистана, а мать из Киева. Когда я была уже звезда, уже существовала «Колдунья», он предложил мне роль в своем первом фильме «Мерзавцы спускаются в ад».

Эльдар Рязанов: «Мерзавцы...» — это первая режиссерская работа Оссейна?

Марина Влади: Да. Мы оба снимались в этом фильме. Хорошая картина, кстати, имела большой успех.

Эльдар Рязанов: А о чем она?

Марина Влади: Что-то эдакое... полицейское...

А потом мы поженились. Через год родился старший сын, Игорь, потом Пьер. Я снималась с Робером в пяти или шести картинах. И только в его фильмах. Но когда мы развелись, я фактически осталась без работы. Ведь от предложений других постановщиков я до этого отказывалась.

Эльдар Рязанов: А разошлись из-за чего?

Марина Влади: Сложная, длинная история. Долго рассказывать. Когда выходишь замуж в семнадцать лет... У меня были надежды иметь шестерых детей, организовать свой театр. А он стремился только делать кино. Детей иметь не хотел... Просто мы были очень молодые... и после пяти лет совместной жизни разошлись... Ну, потом мне повезло. Я — «Принцесса Клевская» — это мой самый большой успех в жизни, это ведь французская классика. Режиссер Жан Деланнуа.

Эльдар Рязанов: Подождите, Марина. Насколько я знаю, у вас три сына. Откуда взялся третий?

Марина Влади: Я вышла замуж за летчика. У него в Африке была своя авиакомпания. Настоящий такой мужик. Авантюрьер.

Эльдар Рязанов: Супермен, что ли?

Марина Влади: Да, да. Супермен. Я встретила его, когда снималась в Африке. Его зовут Жан Клод Бруйе.

Эльдар Рязанов: Он был действительно летчик? Или хозяин авиакомпании?

Марина Влади: Он был герой-летчик. Построил много аэродромов в Африке. Он сотни людей спас на своем маленьком самолете.

Эльдар Рязанов: От чего спас? От землетрясения, от голода?

Марина Влади: Он перевозил больных людей. Доставлял их в больницы. Потом основал авиакомпанию. Очень богатый человек. Гасконец к тому же...

Эльдар Рязанов: *(Тут я блеснул эрудицией, прочитав наизусть монолог Сирано де Бержерака из пьесы Э.Ростана.)*

Дорогу гвардейцам-гасконцам!
Мы дети одной страны.
Мы все под полуденным солнцем
И с солнцем в крови рождены.

Марина Влади: Вот-вот... Он мне понравился. Мы поженились. Я всегда хотела иметь большую семью. Хотела еще иметь детей.

Эльдар Рязанов: Наверное, потому, что выросли в такой семье, где было много ребятишек.

Марина Влади: После рождения третьего сына я перестала сниматься, занималась детьми, домом.

Эльдар Рязанов: То есть стали домашней хозяйкой?

Марина Влади: Да, можно так сказать. Хотя у меня была и своя яхта, и свой самолет, и много прислуги, и кухарка, и шофер, и садовник... Но я очень быстро стала скучать без съемок, без работы в театре. Я всю жизнь сама зарабатывала деньги, много работала.

Эльдар Рязанов: Вы жили в Африке тогда?

Марина Влади: Мы жили довольно долго в Африке, потом поселились на юге Франции. У нас был чудесный дом, самый красивый дом на юге. Дальше мне стало невмоготу — я не могла не работать. Тут вопрос встал очень серьезно, Жан Клод не хотел, чтобы я уходила в кино.

Эльдар Рязанов: Не хотел, чтобы вы снимались?

Марина Влади: Нет. И сделал большую глупость. Он вполне мог стать моим продюсером, денег у него хватало. У него их было много. Но так не случилось, и мы расстались.

И я улетела в Россию. А там встретила Володю.

Эльдар Рязанов: На правах давнего знакомства еще один, пожалуй, щекотливый вопрос. Русский менталитет — особенный менталитет. После того как погиб Джон Кеннеди, у нас многие осуждали Жаклин, которая не осталась верна его памяти и вышла замуж за Онассиса. Хотя, казалось бы, какое нам дело до американского президента и его вдовы? А Володя Высоцкий для нашего народа куда больше, чем любой президент. И вдруг женщина, которую он обожал, которой посвящал стихи и так далее... Вы понимаете, что я имею в виду.

Марина Влади: Конечно, понимаю. И совершенно спокойно отвечу на ваш невысказанный вопрос. Речь идет о Леоне Шварценберге, так ведь?.. Когда я осталась без Володи, мне было сорок два года. Жизнь продолжалась, я ведь не умерла. И через какое-то время, то есть через три года, я встретила человека, который совершенно другой. Он старше меня на пятнадцать лет, он полюбил меня и смог помочь мне — я ведь пережила ужасную трагедию, потеряв Володю. Леон дал мне возможность жить и работать и чувствовать себя нормальной женщиной.

Когда Володя умер, я снималась в фильме, который назывался «Сильна, как смерть», по Мопассану. Я улетела на два дня в Москву на похороны, а потом продолжались съемки.

Я стала работать как сумасшедшая. Все, что мне предлагали, я брала, брала, брала. Но так получилось, что я встретила этого человека, именно этого. Думаю, что никто другой не мог бы мне так помочь. Леон известный врач, профессор-онколог, но он еще и общественный деятель. Очень много работает в области социальных проблем. Он был министром здравоохранения Франции. Занимается политикой. Он — личность. И я очень горжусь тем, что я рядом с ним. Сейчас он защищает бездомных людей. Эти несчастные взламывают двери пустующих домов

и занимают их. Леон в гуще событий. Его бьют полицейские, а ведь ему все-таки семьдесят три года. Он очень храбрый. Считаю, что, живя с человеком таких высоких моральных качеств, я не оскорбляю Володю. Наоборот!

Эльдар Рязанов: Марина, вы были в своей жизни одарены любовью прекрасных мужчин. Это огромное счастье. Один — замечательный режиссер и актер, другой — летчик, храбрый, смелый, отважный. Третий — потрясающий певец, артист, поэт. Сейчас мужественный врач...

Марина Влади: А почему вы не говорите, что эти люди были одарены моей любовью? Я знаю только одно — что умею любить. Это точно.

Эльдар Рязанов: Я-то считаю, что уметь любить — это талант, данный не всякому.

Марина Влади: Я умею любить потому, что отдаю все. Но и беру тоже все.

Эльдар Рязанов: Максималистка?..

Марина Влади: Да, конечно. Максималистка.

Эльдар Рязанов: Были ли в вашей жизни случаи, когда вы становились инициатором в любви?

Городок Мезон-Лафит неподалеку от Парижа. Мы в саду Марины Влади. Сзади дом, который она купила в возрасте 15 лет на гонорар от своих первых фильмов, снятых в Италии

Марина Влади: Я думаю, что всегда решает женщина.

Эльдар Рязанов: Мужчине только кажется, что решает именно он?

Марина Влади: Разумеется. Решение всегда остается за женщиной.

Эльдар Рязанов: Уже больше ста лет тому назад подошел к перрону поезд братьев Люмьер. Что происходит в кино сейчас? Каково ваше отношение? Не чувствуете ли вы, что этот поезд французского кино куда-то уходит, а вы остаетесь, как пассажир, который опоздал? Или нет этого ощущения? И вы по-прежнему едете в поезде французского кино? Извините за красивость...

Марина Влади: Я сейчас не работаю в кино. Теперь пишут роли для женщин, которым двадцать пять — тридцать лет максимум. То есть женщина в моем возрасте имеет возможность сыграть в кинокартине одну или три хорошие сцены. Мать или, не знаю, директриса какого-то завода. Если что-то подобное предлагают, я не отказываюсь. Но вообще сейчас я работаю в театре. Играю большие прекрасные роли. Только что играла

Как сказала Марина: «Это мой компаньон жизни Леон Шварценберг... Известный врач, общественный деятель. Защищает бездомных. И я очень горжусь, что я рядом с ним...»

 «Вишневый сад», Раневскую. Можете себе представить? Это сон моей жизни! Этот спектакль поставил Марсель Маришель, наш самый лучший режиссер...

Я играю Гертруду в «Гамлете» Шекспира. В следующем моем спектакле буду играть Марину Цветаеву. Специально для меня молодая писательница сделала пьесу про Цветаеву. Для двух актеров: Марина и ее сын.

Эльдар Рязанов: Русская писательница?

Марина Влади: Француженка. Тридцатилетняя девчонка. Я плакала все время, пока читала пьесу.

Эльдар Рязанов: А вы любите поесть?

Марина Влади: А вы не заметили?

Эльдар Рязанов: Нет.

Марина Влади: Очень люблю. Обожаю. И люблю готовить.

Эльдар Рязанов: Но держите себя в узде?

Марина Влади: Теперь нет. До сорока лет держалась, а теперь нет.

Эльдар Рязанов: Это еще с балета шло, вот так держать себя в форме?

Марина Влади: Да. А в детстве еще и нужда. Я до сорока лет с хвостиком играла первые роли в кино, то есть любовниц, героинь. Надо было быть худенькой. Ведь теперь только худые женщины считаются красивыми...

И еще очень важная часть моей жизни — это книги. Володя мне часто говорил: «Ты должна писать. Когда-то ты будешь писать, я уверен. Ты мне пишешь такие письма... У тебя есть литературный дар». А я говорила: «Ты знаешь, я и пою, и снимаюсь, и играю в театре... Хватит».

Но в восемьдесят пятом году я решила, что надо рассказать правду о Володе. О том, как мы жили с ним, что он пережил, почему умер в сорок два года. И я написала книгу «Владимир, или Прерванный полет».

Эта книга открыла мне путь в литературу.

Эльдар Рязанов: Она имела огромный успех в нашей стране.

Марина Влади: Огромный успех везде в мире. Переводы на семнадцать языков. И в России, конечно, удивительный успех. Когда я увидела, что могу писать, я написала воспоминания. И о сестре, и о родителях, и о жизни вообще. В этой книге все подано через наших домашних животных: псы, кошки, куры, птицы. Книга была издана и тоже имела успех. А потом я сочинила роман. Называется «Венецианский коллекционер».

Эльдар Рязанов: Это что-то выдуманное, то есть беллетристика?

Марина Влади: Это совершенно выдуманное. Прежде были воспоминания, мемуары, а это — роман с придуманным сюжетом. Героиня — актриса. Я взяла знакомый материал.

Эльдар Рязанов: Там есть какие-то автобиографические моменты?

Марина Влади: Нет, совершенно нет. Наоборот. Я написала женщину, противоположную мне по характеру.

Эльдар Рязанов: А эта новая книга, «Путешествие Сергея Ивановича», — о чем?

Марина Влади: Эту книгу я написала, потому что слышала рассказы молодых парней про Афганистан. И решила, что надо рассказать про эти факты. Книга издана на французском уже около двух лет назад. Критика была замечательная. Существует и перевод на русский язык. Жду русского издателя.

Эльдар Рязанов: Марина, а у вас есть какие-то еще литературные планы?

Марина Влади: У меня выходит новая книга, толстая. Тоже рассказы. Про еду.

Эльдар Рязанов: То есть кулинарная книга? Вы знаете, последняя книга Александра Дюма была кулинарной...

Марина Влади: Нет, моя книга — это не рецепты. Это воспоминания около еды, это встречи вокруг стола, застолья, пьянство, друзья, байки... Скоро выйдет в свет.

Эльдар Рязанов: А вы не думали издать когда-нибудь вашу переписку с Володей? Когда-нибудь?

Марина Влади: Тут есть одна большая сложность — все мои письма исчезли. Все Володины письма, естественно, у меня дома. Но мои письма исчезли. Когда Володя умер, многие вещи, к сожалению, исчезли из дома. Среди них — мои письма. Они всплывают иногда... Бывает, что мы покупаем пачки моих писем.

Меня ведь обвинили, что я продала все рукописи Володи. Но не будем говорить про гадкое прошлое. Все, что было написано Володей, я сдала в ЦГАЛИ (теперь РГАЛИ — Российский Государственный архив литературы и искусства. — *Э.Р.*). Все, кроме его писем, написанных мне. Их я пока не сдала. Но обещала девочкам из архива, что когда-нибудь отдам и письма...

Эльдар Рязанов: Замечательно, что вы любите работу, что вы жизнелюбивы, полны энергии, что вы красивы, что вы замечательно выглядите. Я желаю вам, чтобы все в вашей жизни сбылось, все, что вы хотите. И чтобы вы не забывали, что есть еще одна страна, где вас любят, ждут и помнят.

Марина Влади: А я желаю, чтобы все люди в России, которые сейчас страдают и переживают, стали бы жить лучше. Невозможно, что такая огромная страна, с такой историей, таким интеллектуальным богатством не может создать своим людям достойные условия для жизни. Сердце болит...

Боюсь, после нашей беседы у читателя не возникнет яркого представления о творческом лице замечательной актрисы Марины Влади. Мы в нашем разговоре все время сворачивали с искусства на другие, житейские, темы. Но зато, надеюсь, читатель узнает замечательную женщину Марину Влади. Почувствует ее ум, сильный и цельный характер, дружелюбие, ее любовь к своей профессии...

ПРАВДА И ВЫМЫСЕЛ О ЖИЗНИ РОМАНА ГАРИ

Почти двадцать лет назад я написал очерк, который назвал тогда «Несколько жизней Романа Гари», ибо этот феноменальный человек — писатель — режиссер — летчик — дипломат... — действительно прожил не одну жизнь. Казалось, о Гари сказано все. Но... за эти годы появилось много новой информации: что-то подверглось сомнению, уточнилось, обнаружились ранее неизвестные данные о семье писателя, появились новые издания на русском языке, в Вильнюсе установили мемориальную доску Роману Гари...

Я не стал переписывать полностью свой очерк, внес только самые необходимые, на мой взгляд, изменения. Не сомневаюсь, что через следующие десять лет другой писатель обнаружит в биографии Романа Гари еще много интересного!

Загадок Роман Гари оставил нам много... Итак, «Правда и вымысел о жизни Романа Гари».

...Все началось неожиданно. Из «незалежной» Украины из города Днепропетровска пришло мне письмо от Лилии Павловны Кулиш. Она смотрела мои парижские программы, они ей нравились, и поэтому она решила обратить мое внимание на нового героя.

Короче, я получил от нее послание и книгу некоего Романа Гари под названием «Леди Л.». Прочитав, я был потрясен и проштудировал все, что к тому времени издано было о Гари.

Сколько поворотов судьбы, невероятных приключений, взлетов и падений довелось испытать Роману Гари! Этого хватило бы не на одну жизнь, не на одного человека.

Он летчик — участник Второй мировой войны, Герой освобождения Франции. Его имя высечено на мемориальной плите среди имен одной тысячи воинов, удостоенных высшей награды Французской Республики, в Доме Инвалидов в Париже. А Дом Инвалидов, как вы знаете, музей боевой славы Франции. Гари был еще и кадровым дипломатом. К примеру, он работал пресс-атташе Франции при Организации Объединенных Наций. Он служил генеральным консулом Франции в Лос-Анджелесе. У него случались невероятные, сногсшибательные романы с американскими кинозвездами. При этом ему хватало времени и сил, чтобы выпускать ежегодно по новому роману. Почти все они экранизировались крупнейшими постановщиками, а в фильмах играли самые популярные актеры и актрисы Америки и Франции. Роман Гари — единственный в мире писатель, ставший дважды лауреатом Гонкуровской премии. По статусу этой высшей литературной премии Франции можно стать ее лауреатом только один раз. Как ему удалось «отхватить» вторую премию? Секрет вы узнаете, прочитав эту маленькую документальную повесть.

Кроме того, Роман Гари был еще и кинорежиссером, сам ставил фильмы по своим новеллам. Фильмы его запрещались во Франции, далеко не ханжеской стране, запрещались за «безнравственность».

Польша, Франция, Англия, Болгария, Швейцария, Африка, США, Перу — далеко не полный список стран, где действовал наш герой.

Этот человек прожил, по сути, несколько жизней. О семье Романа Гари известно немного.

Роман Кацев родился 8 мая 1914 года в Вильно, на территории Российской империи (ныне Вильнюс, Литва), в доме номер 6 по Сиротской улице. Мать будущего писателя — еврейская провинциальная актриса Мина Иоселевна Овчинская из Свенцян (в первом браке — Брегштейн) выведена под именем Нина Борисовская в романе «Обещание на рассвете»; отец — коммерсант из Тракая Арье-Лейб (Лейб Файвушевич) Кацев, 1883–1942 гг. Дом, в котором родился будущий писатель, принадлежал его деду. Лейб Кацев и Мина Брегштейн поженились там же в Вильно 28 августа 1912 года, за два года до рождения сына.

В 1925 году родители расстались (развод был оформлен в 1929 году), и Мина Овчинская вместе с сыном вернулась к родителям в Свенцяны, а в следующем году перебралась к старшему брату адвокату Абраму-Боруху Овчинскому в Варшаву. В 1928 году мать с сыном переехали во Францию в Ниццу, где ранее обосновался другой брат Мины.

История отношений Гари с матерью описана в его автобиографическом романе «Обещание на рассвете». Мать Гари мечтала: «Мой сын станет французским посланником, кавалером ордена Почетного легиона, великим актером драмы, писателем. Он будет одеваться по-лондонски!» Все эти мечты-заветы сбылись: Гари стал генеральным консулом Франции, кавалером ордена Почетного легиона. Он вращался в высшем свете, был элегантным денди и литературной знаменитостью. В 1956 году роман «Корни неба» Гари получил Гонкуровскую премию. По злой иронии судьбы, именно в день награждения Р.Гари получил письмо очевидца о том, как умер его отец Арье-Лейб Кацев: у входа в крематорий в Освенциме.

Вильно в те годы был маленьким захолустным провинциальным городом. Он не был тогда столицей Литвы, которая входила в состав Российской империи.

Мама родила Романа, когда ей уже было 35 лет. Она хотела отыграться за свою неудавшуюся актерскую карьеру, за свою горькую личную жизнь. Хотела взять реванш, как говорится, на судьбе сына.

Мать как натура артистическая считала, что наиболее короткий путь к славе, известности, популярности лежит через искусство. Она говорила: «Вот фамилия Кацев для скрипача очень хороша». Роману тогда было восемь лет.

Ему купили футляр, скрипочку и пристроили к длинноволосому маэстро, который должен был его обучать музыкальным премудростям. Надо сказать, маэстро был человек, разочарованный всеобщей дисгармонией мира. Когда мальчик брал скрипку и начинал на ней играть, музыкант хватался за голову, затыкал уши и кричал: «Ай-ай-ай!»

Очевидно, игра Романа еще больше увеличивала эту самую дисгармонию, которую он наблюдал во Вселенной.

На десятом или двенадцатом занятии маэстро не выдержал. Он выдернул скрипку из рук ученика и прошипел, чтобы пришла мать. О чем говорил с ней скрипач, неизвестно, но карьера музыканта для Романа была с тех пор закрыта.

Следующая попытка была связана с балетом. Романа определили в студию Саши Жиглова. Но поскольку мама подозревала Жиглова в «нехороших» сексуальных наклонностях, она никогда не пропускала ни одного занятия. И мама кричала, глядя на своего любимого, обожаемого сына: «Нижинский! Нижинский! Он будет звездой балета». Ей как актрисе были присущи пафос и преувеличение. Однажды, когда Роман после занятий мылся в душе, опасения матери подтвердились, ибо Саша Жиглов забрался к мальчику в кабину. Тот испугался и закричал. И тогда разъяренная мать просто погналась за руководителем балетной школы и отлупила его тростью. На этом балетная карьера мальчика тоже кончилась. Разумеется, в Вильно были еще балетные студии, но мать уже поняла, что это добром не кончится. Она мечтала, чтобы мальчик в будущем любил женщин и чтобы женщины платили ему тем же. Балетная же профессия, как казалось маме, была непременно связана с сексуальными извращениями.

Затем была попытка сделать из Романа великого певца. Мать преклонялась перед Шаляпиным. Профессия певца, думала она, вот звездный путь к вершинам. Но педагоги сказали, что у мальчика нет не только слуха и голоса, но и музыкальной памяти. Из этого тоже ничего не получилось.

Дальше решили окунуться в живопись. Живописью мальчик действительно увлекся. Его педагог по рисованию сказал, что у Романа большие способности. Но это вдруг произвело на мать совершенно отрицательное впечатление. Она вспомнила о печальной судьбе Ван-Гога, о грустной участи Гогена. И сказала: «Если ты действительно окажешься талантлив, они тебя сживут со свету». Кто «они», было неизвестно. Но мать стала прятать краски. Когда Роман подходил к мольберту и хотел что-то нарисовать, красок не было. Он злился, обижался, но в итоге, разумеется, победила мать. Так он постепенно отошел от занятий живописью. Потом Гари думал, что, может быть, пропустил свое подлинное призвание.

После того как скрипка, пение, балет, живопись отпали, мама решила, что надо остановиться на литературе. Хотя там ей тоже многое не нравилось. Например, Мопассан был болен венерической болезнью, О.Генри тоже умер от какой-то нехорошей хвори... Но, тем не менее, литература была принята в лучших домах: Толстой был графом, а Виктор Гюго — президентом Франции. В последнем Нина Борисовская (будем называть ее так, как назвал ее сын Роман Гари в своем романе, посвященном матери, «Обещание на рассвете») была свято убеждена, и сбить ее с толку не представлялось возможным. Даже будучи уже жительницей Франции, она продолжала считать, что Виктор Гюго — президент страны.

Для удачной карьеры писателя самое главное было выбрать псевдоним. Мать это знала твердо. Если фамилия Кацев хорошо подходила скрипачу, то писателю она совершенно не годилась. Возникали варианты: «Любер де Роббер» и многие другие. Потом мама заявляла: «Дворянскую частицу “де” надо отбросить, вдруг опять случится революция?!»

Мама была наивной и очаровательной. Она делала для образования мальчика все возможное и невозможное, лишь бы он научился тому, что понадобится в жизни. Например, три раза в неделю водила его в манеж лейтенанта Свердловского, где Роман учился верховой езде, фехтованию и стрельбе из пистолета. Кстати, это ему потом пригодилось: в его жизни была дуэль, причем с польским офицером. Но об этом позже. Во всяком случае, Роман очень метко стрелял.

Естественно, мальчик учился хорошим манерам. Мать часто рассказывала ему, как он, одетый в роскошный мундир, станет победителем на скачках — возьмет первый приз. Поэтому нужно уметь целовать дамам руки, быть обходительным, пропускать дам вперед. Кстати, однажды в Варшаве Роман, пропустив мать в трамвае вперед, пришел в недоумение, почему она так вознегодовала. Он просто еще не знал, что из трамвая кавалер должен выходить первым и подавать даме руку.

Мама вбивала в голову восьмилетнему малышу, как он должен вести даму под руку, какие говорить комплименты, какие делать подарки, учитывая цвет глаз, сумочек, туфель, платьев. Короче, учила его изысканным манерам и политесу.

Как-то раз она ему сказала: «Мальчик мой, ты никогда не должен брать деньги у женщины. Ты можешь взять у нее “роллс-ройс”, но денег не бери никогда». Правда, «роллс-ройс» в дальнейшей жизни Роману Гари никто из дам не предлагал. Но себя предлагали многие...

Я стоял в Вильнюсе на улице, которая в 1921 году называлась Большая Погулянка, у дома номер 16.

В этом доме поселились мама, нянька и ребенок.

По моему рассказу о том, чему учили маленького Романа, может создаться впечатление, что Нина Борисовская была обеспечена и у нее не было никаких финансовых проблем. Увы, это совсем не так. Кроме колоссальной энергии и неиссякаемой материнской любви у нее не было ничего. Но надо было как-то существовать, надо было кормить семью — сына и няньку.

И Нина начала заниматься изготовлением и продажей дамских шляпок. Естественно, это были «парижские шляпки от Поля Пуаре». Она лихо подделывала этикетки. И шныряла по городу со шляпными картонками, прибегая к красноречию и актерскому мастерству, чтобы околпачить (во всех смыслах) своих клиенток.

Активность мамы (кстати, Нина Борисовская все делала с некоторым перебором, с излишней бесцеремонностью, с налетом местечковости) раздражала соседей. Вскоре для изготовления «парижских» головных уборов Нина наняла шляпницу, а сама теперь занималась только коммивояжерством, сновала взад и вперед. Ее челночные операции привели к тому, что соседи организовали донос, попросту настучали в полицию, что Борисовская занимается скупкой краденого.

Нина была арестована, но вскоре выяснилось, что это навет. Ее выпустили. Она долго рыдала дома, среди шляпных коробок, а потом сказала: «Но они не понимают, с кем имеют дело!» И пошла по своему подъезду. Принялась звонить и стучать во все квартиры. На лестничную клетку вышли жильцы, и она стала на них кричать. Начался обмен ругательствами, но здесь Нина Борисовская не имела себе равных. Нина кричала: «Вы грязные, буржуазные твари! Вы не понимаете, с кем имеете честь разговаривать! Мой сын станет посланником Франции, он будет кавалером ордена Почетного легиона, великим актером драмы, он будет писателем, как Ибсен, Габриэль д'Аннунцио...» В ответ скалились злобные лица, насмешливые и презрительные. «Грязные буржуазные твари» хохотали в голос, издеваясь над потешной соседкой, которую считали сумасшедшей. И тогда, чтобы сразить их окончательно, она добавила: «Он будет носить костюмы лондонского покроя!» И самое поразительное: почти все, о чем мать Романа кричала на лестнице, практически сбылось. То ли она обладала даром пророчества, то ли так запрограммировала сына, что он невольно сделался всем тем, на что его нацеливала мать. Ибо она все это повторяла множество раз, год за годом, буквально вдалбливала это ему в голову. Роман Гари потом писал в одной из книг: «Я ненавижу лондонский покрой, но я вынужден носить одежду, сшитую в Лондоне». Роман обожал мать.

Кстати, он еще писал, что вот такая безмерная любовь матери заставляет взрослого мужчину долго и, как правило, безуспешно искать любовь такой же силы у женщин.

«Я столько раз искал среди женщин такую же прекрасную, безответную, беззаветную, слепую любовь, но каждый раз меня постигало разочарование».

Любви, равной материнской, на земле не существует...

...От издевательств «грязных буржуазных тварей» мальчуган разрыдался и убежал во двор. Впервые у него появилась мысль о самоубийстве.

(Впоследствии, много лет спустя, он осуществит это и рассчитается с жизнью выстрелом. Но совсем по другим причинам.)

Во дворе находилась огромная, высотой с два этажа поленница, любимое место детворы. Родители запрещали детям подходить к этой плохо сложенной куче дров. В любую минуту сооружение могло обрушиться, и ребенок был бы погребен. Забравшись в глубь поленницы, в свой тайник, Роман решил покончить с жизнью. Надо только толкнуть одновременно рукой, ногой и спиной одну из дровяных стен, и все будет кончено, он останется в деревянной могиле.

Но в этот момент Роман вдруг вспомнил, что у него в кармане лежит кусок пирога с маком, который он днем украл у кондитера Мишки. Разумеется, сначала надо было съесть пирог, а уж потом кончать жизнь самоубийством. Он достал пирог, с большим аппетитом схряпал его и приготовился, так сказать, для последнего рывка. И в этот момент из поленницы вдруг высунулась морда облезлого кота. Они оказались нос к носу. И кот незамедлительно начал облизывать лицо Романа, на губах которого остались крошки пирога и мак. От этой неожиданной ласки мальчику стало хорошо, тепло. Потом кот любовно куснул его за ухо, очень нежно. Тогда Роман достал из кармана остатки пирога и скормил коту. Он, конечно, понимал, что кот любил его не совсем уж бескорыстно, но, тем не менее, это была любовь. Роман осознал вдруг, что жизнь прекрасна и расставаться с ней не надо. Он выбрался из своего убежища, засунул руки в карманы и, засвистев, отправился гулять по улице. И запомнил на будущее: для того чтобы тебя любили «бескорыстно», неплохо всегда иметь в кармане кусок пирога...

Надо сказать, не все соседи восприняли одинаково сцену на лестничной площадке. Был среди них один, которого звали господин Пекельный — от слова «пекло», неказистый еврей. Каждый раз, встречая потом Романа, он с ним раскланивался, дарил ему оловянных солдатиков и даже как-то раз зазвал к себе домой, где стал угощать рахат-лукумом, который Роман невероятно любил.

Заискивающе глядя на мальчика, он сказал:

— Когда ты станешь тем, о чем говорила твоя матушка...

Роман, набив рот рахат-лукумом, ответил:

— Я стану французским посланником.

— Так ты тогда скажи там, ты ведь, наверное, будешь книги писать или в газетах, ты тогда скажи, что вот здесь, в Вильно, на улице Большая Погулянка, шестнадцать, живет такой господин Пекельный.

И дальше происходит неслыханная вещь. В 44-м году, когда английский король приехал инспектировать французскую эскадрилью «Лотарингия», которая летела бомбить Германию, Роман Гари, стоя в строю, сказал Его Величеству:

— Вы знаете, в городе Вильно живет такой замечательный человек, на улице Большая Погулянка, шестнадцать, господин Пекельный.

Он и сам осознал тогда, что это смешно — на него с иронией смотрел командир эскадрильи. Но Гари, понимая, что этот самый Пекельный, скорее всего, погиб в нацистских лагерях, и в дальнейшем продолжал упрямо рассказывать о нем. Будучи дипломатом, он говорил о Пекельном на разных приемах, став писателем, вспоминал о нем в различных интервью. Он оказался человеком, верным слову... Как говорил сам Гари, «я расплатился за рахат-лукум».

В их тогдашней жизни случались периоды глубочайшей бедности, по сути, нищеты. Как писал потом Гари, у бедности нет дна. Тогда мать садилась и сочиняла кому-то письма. А через некоторое время приходил денежный перевод, благодаря которому жизнь на какой-то период улучшалась. Кому писала письма Нина Борисовская? Тайна...

Может быть, в жизни Борисовской были и какие-то другие тайны. К сожалению, мы мало знаем о ранних годах ее жизни...

Мать Романа, конечно же, мечтала, чтобы в ее сыне одновременно соединились такие персонажи, как лорд

Байрон, Робин Гуд, Гарибальди, д'Артаньян, Ричард Львиное сердце и так далее, и так далее.

И надо сказать, кое-что из этого Роману в самом деле удалось соединить...

...Матушка Романа была женщиной предприимчивой. Для улучшения своих материальных дел она решила провернуть довольно крупную аферу, притом весьма дерзкую. Ей нужно было как-то поразить воображение модниц города Вильно, и она разослала всем приглашения, где говорилось, что в такой-то день на улице Большая Погулянка, 16, откроется «Новый дом парижских мод Поля Пуаре» в присутствии самого маэстро. Проблема состояла в том, как и где раздобыть этого самого маэстро. Но с фантазией у Нины Борисовской было все в порядке. Сидя в своем салоне на розовом диване и куря одну папиросу за другой, она вынашивала наступательные планы. Кстати, если бы ее авантюра раскрылась, матушке грозила бы тюрьма. Нина послала в Варшаву приглашение актеру Алексу Губернатису (Шолом-Алейхем и Самуил Маршак недаром утверждали, что любое слово может быть еврейской фамилией!). Это был третьестепенный артист, который в провинциальных захолустных театриках выступал с французскими шансонетками. Он знал французский язык, что было очень важно для роли, которую ему поручалось сыграть. Теперь он прозябал в варшавском театре. Но уже не играл, потому что был сильно пьющий человек, а шил парики для артистов. Ему было послано не только приглашение, но и железнодорожный билет от Варшавы до Вильно. Тем временем у входа в подъезд, где жили Роман с матерью, появилась вывеска, где золотыми буквами было написано: «Новый дом парижских мод месье Поля Пуаре».

На торжественном открытии или, как сказали бы сейчас, на презентации мэтр Поль Пуаре из Парижа выглядел сногсшибательно. Узкие штаны обтягивали его тощие ягодицы, на плечах красовалась немыслимая клетчатая крылатка. Месье курил одну сигарету за другой и сыпал какими-то древними байками из парижской светской хроники. Он упоминал знаменитостей двадцатилетней давности. Дамы были очарованы, маэстро превзошел себя. Он даже прочитал монолог из пьесы Эдмона Ростана «Орленок», однако постепенно все больше и больше хмелел, а под конец начал «клеить» жену дирижера местного оркестра. Тут мама Романа не выдержала, решительно уволокла его в комнату Аньелы и там заперла. А на следующий день отправила обратно в Варшаву. Алекс Губернатис был очень обижен и оскорблен, что ему не дали развернуться в полную силу. Но самое поразительное, что эта махинация прошла успешно и принесла плоды. Дела пошли хорошо. Борисовская наняла нескольких мастериц-швей. Теперь шили не только шляпки, но и платья. И Роман, которого мать с детства старалась приучить к женскому обществу, всегда присутствовал на примерках. Однажды произошла такая история. Местная певица, выступавшая под псевдонимом Ля Рар, была довольно сильно раздета, мать и мастерицы ушли куда-то, а Роман, которому было тогда лет девять, стоял в примерочной и ел рахат-лукум. При этом очень внимательно разглядывал мадемуазель певицу. Ей это не понравилось, и она спряталась за зеркало. Он обошел зеркало с другой стороны и, жуя рахат-лукум, продолжал разглядывать ее прелести. Когда мама вернулась, певица разразилась гневной филиппикой в адрес маленького наглеца. На этом первая часть сексуального образования мальчика закончилась...

С самых ранних лет Роман слышал невероятную сказку о Франции. Франция была неизменной любовью матери. Она замечательно говорила по-французски, правда, с легким акцентом, и Роман унаследовал этот акцент на всю жизнь. Иногда он спрашивал у матушки: откуда ты знаешь французский язык? Она отвечала уклончиво.

Почему-то в голове у матери Романа создался образ совершенно невероятной сказочной страны. Где всегда весна. Где все благородны. Где живут исключительно великие люди. Она произносила такие имена, как Сара Бернар, Проспер Мериме, Густав Роббер, Ги де Мопассан. Мопассан был ею особенно любим.

Роман знал наизусть басни Лафонтена, пел «Марсельезу». У мамы была мечта, главная цель ее жизни — приехать во Францию, выучить Романа «на француза», чтобы он стал великим человеком. Эта бурная, кипучая натура посвятила поставленной цели всю себя. Она читала сыну биографии великих французских королей, деятелей культуры, полководцев. Он знал о Жанне д'Арк, о принце Конде, о Мазарини. Выдуманные литературные персонажи перемешивались с настоящими, с подлинными. «Дама с камелиями» соседствовала с Эмилем Золя, Наполеон Бонапарт с мадам Бовари, Жорж Бизе с д'Артаньяном. Мать всегда представляла Романа в роскошных костюмах, на раутах, на парадах. Для нее не было никакого сомнения, что он сделает потрясающую карьеру. Правда, она не знала точно, какую, но это и не имело значения.

Чуть не с пеленок она учила его галантности.

Она говорила: лучше прийти к женщине с маленьким букетом самому, чем прислать с большим букетом рассыльного.

Она говорила: никогда не ухаживай за женщиной, у которой много шуб, такая женщина потребует у тебя еще одну.

Она говорила: Роман, ты должен мне поклясться, что никогда не будешь брать деньги у женщины.

И девятилетний малыш клялся.

Она показывала ему много французских открыток. Открытки изображали, как правило, парады, рауты знаменитых людей. И мальчик, живущий в польско-литовской глуши, отлично знал интерьер самого модного парижского ресторана «Максим». А когда в Вильно, в это захолустье приезжал из Варшавы театр, мать наряжала Романа в бархатную блузу с бантом. И они отправлялись смотреть оперетты. Шли «Сильва» или «Веселая вдова».

Мальчик, затаив дыхание, раскрыв рот, смотрел на сцену и учился тому, как он должен жить впоследствии: пить шампанское из туфелек дам, красноречиво вздыхать и бонтонно ухаживать... Конечно, жизнь мальчугана была невероятной фантасмагорией. Роман, когда он уже был Романом Гари, французским классиком и богатым человеком, на склоне своих лет, живя в Париже, говорил о том, что очень хотел бы попасть в эту самую Францию, волшебную, сказочную, немыслимую. В страну, которую он полюбил с детства и о которой так упоительно рассказывала ему мать...

Но вот наступил период, когда благополучию семьи пришел конец. Роман заболел. Сначала это была скарлатина, потом осложнение на почки. Мать подняла на ноги лучших врачей Вильно. Лечение стоило бешеных денег. Болезнь была какая-то страшная. И врачи приговорили мальчика к смерти.

Здесь я хочу привести цитату из книги Романа Гари «Обещание на рассвете». Он пишет, почему ему удалось тогда выжить.

«Когда сознание возвращалось ко мне, я очень пугался. У меня было сильно развито чувство ответственности, и мысль оставить свою мать одну, без всякой поддержки, была мне невыносима. Я знал, чего она ждала от меня, и, лежа в постели и захлебываясь черной кровью, больше страдал не от своей воспаленной почки, а от мысли, что уйду таким образом от ответственности. Скоро мне должно было исполниться десять лет, и я мучительно сознавал себя неудачником. Я не стал ни Яшей Хейфецем, ни посланником, у меня не было ни слуха, ни голоса, и в довершение всего мне приходится так глупо умирать, не добившись ни малейшего успеха у женщин и даже не став французом. Еще сейчас я содрогаюсь при мысли, что мог тогда умереть, так и не выиграв чемпионат по пинг-понгу в Ницце в 1932 году.

Думаю, мое решение не сдаваться сыграло главную роль в предпринятой мною борьбе за то, чтобы остаться в живых. Каждый раз, когда страдальческое, постаревшее мамино лицо с впалыми щеками склонялось надо мной, я старался улыбнуться ей и сказать несколько связных слов, чтобы показать, что мне стало лучше и что все не так плохо. Я старался изо всех сил...»

А тем временем мать боролась за жизнь ребенка. Из Германии прибыл профессор, который сказал, что нужна операция, иначе — смерть. Но мать от операции отказалась. Она хотела, чтобы в будущем ее сын был полноценно сексуальным. Ей объяснили, что он будет нормальным. Однако «нормальный» — это не тот критерий, который бы ее устраивал. Она мечтала, что сын будет донжуаном, сердцеедом, короче, сексуальным террористом. И мать объявила, что сама спасет ребенка. Обиженный немецкий профессор вернулся в Берлин.

А мать забрала Романа и повезла его в Италию, к морю. Там он впервые увидел теплую морскую стихию и полюбил ее. Средиземноморская природа и страстная воля к жизни матери и сына свершили чудо. Роман выжил.

...Кстати, в 1942 году в госпитале в Дамаске он был еще раз приговорен к смерти. Его уже соборовали, а у тела был выставлен почетный караул.

Но Роман обманул ожидания смерти и на этот раз. Он опять выжил, назло всем докторам...

Когда Роман окончательно выздоровел, они вернулись в Вильно. Там их ждал финансовый крах. «Заведение» мадам Борисовской дало трещину. В отсутствие хозяйки руководила фирмой служанка Аньела, но она была недостаточно опытна. Уйма денег ушла на лечение Романа и на Италию. В общем, пришлось объявить себя банкротом.

Приходили оценщики, которые описывали мебель, потом вещи выносили из дома... Это была настоящая катастрофа. Надо было уезжать. Следующей остановкой на пути во Францию стала Варшава, столица Польши.

Там жили родственники и знакомые. Мать надеялась, что ей удастся перебиться. Чем только ни занималась Борисовская в Варшаве: и рекламой, и перепродажей всяческого сырья, и продажей челюстей, где содержались крупицы драгоценного металла. Житье было очень скверное. Приют им дал родственник-стоматолог. Мать ночевала в комнате, где посетители ждали приема. А Роман спал в кабинете, в зубоврачебном кресле. Утром надо было срочно вставать и приводить помещения в порядок, как будто здесь никого не было.

Учиться во французском лицее было не по карману. Роман ходил на частные уроки французского языка. А в школе заявил, что здесь, вообще-то, временно. Он едет во Францию, потому что намерен стать французом.

Высокомерия мальчишке не спустили. Его одноклассники все время над ним посмеивались и издевались. Они подходили и спрашивали в третьем лице — такое обращение принято в польском языке:

— А почему пан сейчас не уезжает во Францию?

И Роман объяснял:

— Ехать в середине учебного года глупо. Надо подождать, когда учебный год кончится. И к началу нового поехать.

Они спрашивали:

— А это правда, что каждый урок во Франции начинается с пения «Марсельезы»?

И Роман говорил:

— Да, это правда.

— Может быть, пан споет нам «Марсельезу»?

И Роман, понимая, что над ним издеваются, не мог удержаться. Вставал в позу и пел «Марсельезу».

Мальчишки просто катались по полу от счастья и удовольствия, что такой дурак оказался в их классе. Роман был выше всего этого. Но однажды произошла страшная история, которая подтолкнула их отъезд во Францию.

Как-то группа однокашников подошла к нему, и один из них сказал:

— Я понимаю, почему пан не едет во Францию. Туда не пускают кокоток.

У Романа перехватило дыхание, он оцепенел, у него навернулись слезы на глаза. Это было несправедливо. У матери не было ни мужа, ни любовника, ни покровителя. Она билась одна, пыталась сопротивляться страшной жизни. Но он смолчал, он не знал, что делать. И ушел домой.

А дома он рассказал матери об этом случае. И тут с ней что-то случилось. Она изменилась в лице, замолчала, замкнулась и стала курить одну сигарету за другой. Она не спала ночь, а утром, когда Роман встал, сказала ему совершенно чужим, злым голосом:

— В следующий раз, когда оскорбят твою мать, ты должен ответить. Иначе не возвращайся домой. Пусть лучше тебя принесут на носилках! Пусть лучше у тебя не будет не одной целой кости. Ты обязан отомстить за свою мать.

И Роман заревел — от обиды, от горя, от бессилия. И тогда мать принялась его бить, давать ему пощечины одну за другой. Она никогда и ничего не делала вполсилы. И сейчас просто отлупила Романа, чтобы он запомнил. И приговаривала: «Пусть лучше тебя принесут мертвым, чем ты дашь возможность обидеть твою мать и спустишь это безнаказанно».

Этот урок Роман действительно запомнил.

Случай в Варшаве переполнил чашу терпения. И мать решила: пора ехать в страну обетованную. Она отправилась во французское консульство с заявлением, где просила дать им постоянное место жительства во Франции. Ибо она хочет вырастить сына настоящим человеком, патриотом Франции, защитником своей будущей Родины...

* * *

Свою книгу «Обещание на рассвете» Роман Гари написал, когда ему было 44 года. Эта книга, с моей точки зрения, шедевр литературы, потрясающий венок на могилу его матери. Книга преисполнена нежности и любви и вместе с тем иронии и даже сарказма. Автор все время посмеивается над причудами и выходками своей мамы, над ее замашками провинциальной актрисы, и при этом обожание сквозит в каждой строке. Рассказывая о французской жизни Романа, я буду опираться на книгу «Обещание на рассвете». И очень советую прочитать ее.

Итак, они приезжают в Ниццу. Роману тринадцать лет. Ему надо учиться, но денег нет ни копейки. Единственное, что есть, — знание матерью французского языка. Однако этого одного явно недостаточно, чтобы выжить. И мать до самой своей смерти (она умерла через тринадцать лет) одна, без какой бы то ни было мужской поддержки, отважно и мужественно боролась за существование. Боролась, чтобы заработать на квартиру, на одежду, на еду. Вот свидетельство самого Романа, чем занималась мать в Ницце, на этом фешенебельном курорте, куда съезжались аристократы, богачи, кинозвезды со всего света — просаживать деньги, отдыхать, кутить, играть в казино.

«С утра она работала педикюршей в дамской парикмахерской, а днем оказывала те же услуги породистым собакам в заведении на улице Виктуар. Позже мать торговала бижутерией на комиссионных началах в киосках дорогих отелей: предлагала фамильные (в кавычках), драгоценности, ходя из отеля в отель, из дома в дом; она была совладелицей овощного прилавка на рынке Буффа, а также конторы по продаже недвижимого имущества, ей принадлежала четверть такси. Короче, я ни в чем не нуждался. В полдень меня всегда ждал бифштекс, и никто в Ницце никогда не видел меня плохо одетым или обутым».

Однажды случилась грустная история. Роман вернулся из лицея. На столе его ждал роскошный бифштекс. Он с аппетитом ел, а мать при этом говорила: «Ты знаешь, я мясо не люблю. Я ем только овощи и фрукты, терпеть не могу мясо!» А после обеда он зашел на кухню и вдруг увидел, как мать, сидя на табуретке, вытирает хлебной коркой сковородку, на которой только что жарила мясо, и с жадностью поедает этот хлеб. И он понял, чего стоили ее заверения. Мальчик разрыдался и выбежал на улицу.

Мы знаем, мать воспитывала Романа рыцарем. И однажды грязный, жирный торговец сказал о Нине, что, мол, она корчит из себя аристократку, а на самом деле пела в кафешантанах. И 14-летний мальчишка не сдержался и влепил этому взрослому мужику две звонкие пощечины, за что получил репутацию уличного хулигана. После этого трусливый торговец заявил: «Что вы хотите от отпрыска шарлатанки и проходимца?!»

Всю жизнь Романа Гари мучил комплекс безотцовщины. Легенда о том, что Гари — сын великого русского актера, прошла через всю жизнь Романа. Мне захотелось узнать, что думает по этому поводу автор книги о Романе Гари французская писательница Доменик Бона. Я протянул ей старинное фото Ивана Ильича Мозжухина с его автографом. Фото подарила мне одна из зрительниц на творческой встрече.

Доменик Бона: ...Когда Вы мне дали эту фотографию. Я в первый момент даже не поняла, что это Мозжухин, а подумала, что это Роман Гари. Дело в том, что на фотографиях, сделанных сразу после войны, он был чрезвычайно похож на Мозжухина. Гари писал в своих сочинениях и без сомнения верил сам, что мог быть его сыном. Конечно, для Романа Гари Мозжухин был бы идеальным отцом — отец из легенды, великий актер, сыгравший крупнейшие роли в немом кино. Но почему бы и нет? Почему мы не можем в это поверить, как в конце концов поверил сам Гари?!

Эльдар Рязанов: Надо сказать, Гари всегда относился к Мозжухину с огромным пиететом, с почтением.

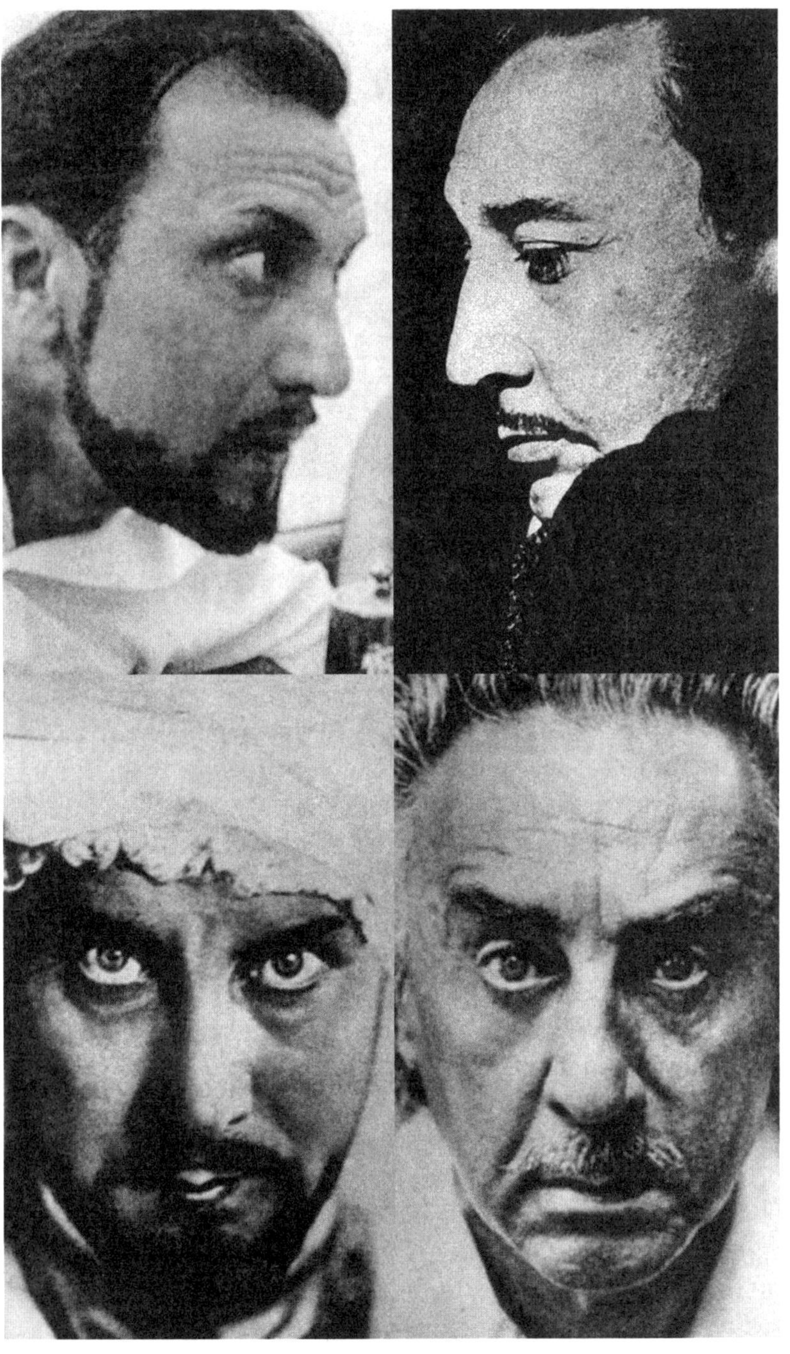

Загадка:
Где Мозжухин? Где Гари?

Слева – Иван Мозжухин,
справа – Роман Гари

Уже став знаменитым писателем, он часто приходил в парижскую синематеку, заказывал фильмы с участием Мозжухина и смотрел их один в пустом зале. А на его письменном столе, в парижской квартире на рю дю Бак, стояла фотография Ивана Ильича в красивой рамке...

...Наконец матери повезло. Она устраивается управляющей в небольшой отель «Мермон». В этой должности она проработала до конца своих дней. Так что какой-то материальный достаток — стабильная бедность — наконец образовался. Постояльцев отеля надо было кормить. Вот как Гари описывает ежедневные походы матери на рынок:

«Мама вставала в шесть часов утра, выкуривала три или четыре сигареты, выпивала стакан чаю, одевалась, брала трость и отправлялась на рынок Буффа, где она, бесспорно, царила... Это было средоточие разнообразных акцентов, запахов и цветов, где отборные ругательства парили над эскалопами, отбивными, луком-пореем и глазами заснувшей рыбы и где каким-то чудом, присущим

Иван Мозжухин играл блестящих авантюристов, шикарных гвардейцев, благородных разбойников. Совершал немыслимые подвиги, освобождал прекрасных пленниц, скакал на роскошном коне, спасал от бед и напастей отечество

 только Средиземноморью, вдруг неожиданно возникали огромные букеты гвоздик и мимозы.

Мать ощупывала эскалоп, оценивала спелость дыни, с презрением отшвыривала кусок говядины, который мягко, с обиженным стоном шлепался на мрамор, тыкала своею тростью в сторону салата, который продавец немедленно бросался защищать всем телом, в отчаянии бормоча: “Прошу вас не трогать товар!”, нюхала сыр бри, совала палец в мягкий камамбер и пробовала, причем она так подносила к своему носу сыр, филе, рыбу, что повергала в отчаяние смертельно бледных торговцев, и когда наконец, презрительно отбросив товар, она удалялась с высоко поднятой головой, то их возгласы, проклятия, брань и возмущенные крики сливались в единый старинный хор Средиземноморья... Мне кажется, что она провела на рынке Буффа лучшие минуты своей жизни...»

Роман помогал матери, исполняя функции администратора гостиницы, гида при автобусных экскурсиях, метрдотеля. Главное, он был обязан производить хорошее впечатление на клиентов — небогатых, милых, воспитанных англичан...

Думаю, надо упомянуть и о первом любовном опыте подростка. Несмотря на бедность, мать наняла уборщицу Марьетт. Вот как вспоминает о своей первой женщине Роман:

«Марьетт, девица с огромными лукавыми глазами, с сильными и крепкими ногами, обладала сенсационным задом, который я постоянно видел в классе вместо лица учителя математики. Это чарующее видение и приковывало мое внимание к его физиономии. Раскрыв рот, я не сводил с него глаз на протяжении всего урока, само собой, не слыша ни слова из того, что он говорил... Раздраженный голос месье Валю заставлял меня, наконец, вернуться на землю.

— Не понимаю! — восклицал он. — Из всех учеников вы производите впечатление самого внимательного:

можно сказать, что порой вы буквально не сводите глаз с моих губ, и тем не менее вы где-то на Луне!

Это была правда. Не мог же я объяснить этому милейшему человеку, что мне так отчетливо представлялось вместо его лица.

Короче, роль Марьетт в моей жизни возрастала — это начиналось с утра и длилось более-менее целый день. Когда эта средиземноморская богиня появлялась на горизонте, мое сердце галопом неслось ей навстречу, и я замирал на кровати от избытка чувств. Наконец, я понял, что Марьетт наблюдала за мной с некоторым любопытством. Она часто оборачивалась ко мне, уперев руки в бока, мечтательно улыбалась, пристально глядя на меня, вздыхала, качала головой и однажды сказала:

— Конечно же, ваша мать любит вас. В ваше отсутствие она только о вас и говорит. Тут тебе и всякие приключения, ожидающие вас, и прекрасные дамы, которые будут любить вас, и пятое, и десятое... Это начинает на меня действовать...

Голос Марьетт действовал на меня необычайно. Во-первых, он не был похож на другие голоса. Казалось, что он шел не из горла. Не знаю, откуда он возникал. Во всяком случае, он не доходил до моих ушей. Все это было очень странно.

— Интересно, что же в вас такого особенного?

С минуту поглядев на меня, она вздохнула и принялась тереть паркет. Оцепенев с ног до головы, я лежал как бревно. Мы молчали. Временами Марьетт поворачивала голову в мою сторону, вздыхала и опять принималась тереть паркет. У меня разрывалось сердце при виде столь страшной потери времени. Марьетт продолжала бросать на меня странные взгляды; ее женское любопытство и какая-то темная зависть были, вероятно, вызваны трогательными рассказами матери, рисовавшей картины моего триумфального будущего. Чудо, наконец, свершилось. Я до сих пор помню ее лукавое лицо, склонившееся надо мной, и чуть хриплый голос, доносившийся до меня, в то время как я парил где-то в иных мирах, в полной невесомости, а она теребила меня за щеку:

— Эй, не надо ей говорить. Я не смогла устоять. Я понимаю, что она тебе мать, но все же такая прекрасная любовь! В конце концов, начинаешь завидовать... В твоей жизни никогда не будет женщины, которая любила бы тебя так, как она. Это уж точно.

Она была права. Но тогда я еще не понимал этого...

Через материнскую любовь на заре вашей юности вам дается обещание, которое жизнь никогда не выполняет. Поэтому до конца своих дней вы вынуждены есть всухомятку. Позже, всякий раз, когда женщина сжимает вас в объятиях, вы понимаете, что это не то...»

А еще Гари написал о Марьетт:

«Я и сейчас благодарен этой доброй француженке, распахнувшей передо мной дверь в лучший мир. С тех пор прошло тридцать лет, и я честно признаюсь, что с того времени не узнал ничего нового и ничего не забыл... И пусть она знает, что щедро поделилась со мной тем, чем наградил ее Господь».

Я нарочно привел столь обширно фрагменты из книги Гари, чтобы вы, дорогой читатель, оценили легкость и юмор повествования. Юмор был свойственен Роману, о чем бы он ни писал. Приведу еще одно высказывание моего героя:

«Инстинктивно, отчасти под влиянием литературы, я открыл для себя юмор, этот ловкий и безотказный способ обезоруживать действительность в тот самый момент, когда она готова раздавить вас. Юмор всегда был моим дружеским спутником; только ему я обязан своими крупными победами над судьбой. Никто не смог лишить меня этого оружия, которое еще с большей охотой я оборачивал против себя самого, а через себя против нашего общего удела, который я разделяю со всеми людьми. Юмор говорит о человеческом достоинстве, утверждает превосходство человека над обстоятельствами...»

Однако после того, как Марьетт посвятила Романа, кровь кипела в его жилах, а взгляды стали жадно следить за каждой проходящей юбкой. Но оказалось, что без денег трудно гулять, как говорят на юге Франции. Из дома стали исчезать вещи — сначала один ковер, затем другой. Куда-то подевались теннисная ракетка, фотоаппарат, коллекция почтовых марок, собрание сочинений Бальзака, которым Роман был награжден за успехи во французском языке, и еще кое-какие пожитки. Мать заметила пропажи только тогда, когда испарилось трюмо, купленное ею накануне в надежде выгодно его перепродать. Роман ожидал страшного скандала. Но Нина была, конечно, экстраординарной женщиной. Она долго разглядывала сына — бить или не бить? — и наконец лицо ее осветилось торжеством и гордостью. Ее мальчик стал настоящим мужчиной. Материнское воспитание не пропало даром!..

Шли годы. Мать старела. Борьба за существование не украшала ее. У нее открылся страшный диабет. Случалось, что она теряла сознание на улице. Однажды ее привезли с рынка, где она упала без чувств. Придя в себя, она старательно заулыбалась, чтобы успокоить сына. Очевидно, эта картина запечатлелась в сознании молодого Романа Гари, что одну из глав своей книги «Обещание на рассвете» он закончил такими словами:

«Я не чувствую себя виноватым. Но если все мои книги взывают к достоинству, справедливости, если в них так много и с такой гордостью говорится о чести быть мужчиной, то это, наверное, потому, что до 22 лет я жил за счет больной и измотанной старой женщины. И очень сержусь на нее за это».

Желание помочь матери, оправдать, воплотить ее мечты заставляют его теперь все свое время отдавать писательству. Он сочиняет новеллы, пишет рассказы, пробует себя в драматургии. И все, что выходит из-под его пера, немедленно читается Нине. Та всегда в восторге: «Габриэль д'Аннунцио! Бальзак! Виктор Гюго!»

После ее одобрения он рассылает свою писанину в литературные журналы. Но нет ни одного ответа. Окончен лицей. Роман учится на юридическом факультете в Париже. И все время пишет, пишет, пишет. Один из его рассказов попадает к знаменитому писателю Роже Мартену дю Гару, автору «Семьи Тибо». Его отзыв был беспощаден: «Это сочинение было написано взбесившимся ягненком». Деньги кончаются, опять надо обращаться к матери. Чувство стыда гложет Романа. И вдруг, когда осталось всего 50 франков, он покупает еженедельник «Грингуар» и там, о чудо, видит свой рассказ «Буря» и свою фамилию, напечатанную жирным шрифтом. Он получил за рассказ тысячу франков, и это оказалось неслыханным богатством.

А в Ницце еженедельник произвел сенсацию. Мать всегда носила его в сумке. И если затевалась какая-то ссора, она тут же выхватывала этот еженедельник, размахивала им и говорила: «Вы даже не понимаете, с кем вы разговариваете!»

Но второй рассказ все никак не публиковали. А деньги кончились. И надо было что-то предпринимать. И как объяснить матери, почему его не печатают?.. И тогда он придумал выход из положения. Стал вырезать из журналов произведения других писателей и посылать их матери, сопровождая такого рода письмами: «Дорогая мама! Дело в том, что редакторы требуют от меня, чтобы я писал коммерческие рассказы. Я не хочу опускаться до этого уровня и поэтому вынужден печатать свои рассказы под псевдонимами». Мать поверила в это безоговорочно. И однажды произошел нелепый, курьезный случай. Писатель, чей рассказ Гари вырезал и послал маме, умудрился остановиться именно в отеле «Мермон».

Когда мать узнала, что в ее гостинице живет самозванец, который присвоил произведение Романа, она чуть не отдубасила его тростью.

Но, тем не менее, надо было как-то зарабатывать. Ведь если он публикуется, значит, ему есть на что жить.

Роман отказывается от материнских субсидий и принимается за работу. Кем он только не трудился в Париже. Перечисляю: гарсоном в ресторане на Монпарнасе; служащим домовой кухни «Завтраки, Обеды и Ужины», каковые он и развозил на трехколесном велосипеде; администратором отеля; статистом в кино; разнорабочим в гостинице «Лапирус»... А еще он работал в зимнем цирке, был рекламным агентом туристической рубрики газеты и по заказу одного репортера из еженедельника «Вуаля» занимался подробным анкетированием персонала более чем ста парижских домов терпимости. «Вуаля» так и не напечатал этой анкеты, и Роман с возмущением узнал, что трудился для конфиденциального туристического гида по «злачным местам». А самое обидное, что ему за это не заплатили, так как репортер бесследно исчез.

Роман наклеивал этикетки на коробки, раскрашивал жирафов на небольшой фабрике игрушек. Из всех профессий, которые он перепробовал в то время, самой неприятной оказалась работа администратором в гостинице на площади Этуаль. Его постоянно третировал главный администратор, который презирал интеллектуалов. А он знал, что Роман учится на юридическом факультете.

Так что это был нелегкий хлеб. И тут случается наконец второе радостное событие. Тот же журнал «Грингуар» печатает его второй рассказ...

Но вот окончен юридический факультет. С большим трудом Роман получил звание лиценциата прав. Как говорят у нас в кинематографе, Гари «взахлест» был зачислен курсантом Высшей летной школы, откуда через два года должен был выйти в чине младшего лейтенанта ВВС Франции. Это случилось в 1938 году. Роману 24 года. Через два года Франция вступит в войну, но Роман об этом пока не догадывается. К этому моменту произошло некое событие, в результате которого наш герой чуть было не убил Гитлера. Это было так. Ничего не подозревающий Роман приехал на каникулы в Ниццу... Впрочем, не стану пересказывать эту леденящую душу детективную историю. Предоставим слово самому участнику этой отважной акции.

«Мама встретила меня очень странно. Конечно, я ожидал счастливых слез, нескончаемых объятий и одновременно взволнованного и радостного сопения, но никак не этих рыданий, отчаянных взглядов, напоминавших прощание, — с минуту она, вздрагивая, плакала в моих объятиях, изредка отстраняясь от меня, чтобы лучше видеть мое лицо, потом в исступлении снова бросалась ко мне. Меня охватило беспокойство, я с тревогой спросил, как она себя чувствует, — не волнуйся, все хорошо, дела тоже идут хорошо — да, все хорошо, — после чего новый приступ слез и сдерживаемых рыданий. Наконец она успокоилась и, схватив меня за руку, с таинственным видом потащила в пустой ресторан; мы уселись в уголке за нашим столиком, и там она поведала мне о своем плане относительно меня. Все очень просто: я должен ехать в Берлин, чтобы убить Гитлера и тем самым спасти Францию, а заодно и весь мир. Она все предусмотрела, включая и мое спасение, так как, если предположить, что меня арестуют — хотя она прекрасно знает, что я способен убить Гитлера, не давшись им в руки, — но даже если предположить, что меня арестуют, то совершенно очевидно, что великие державы — Франция, Англия и Америка — предъявят ультиматум, требуя моего освобождения.

Признаться, я с минуту колебался. Идея немедленно ехать в Берлин, разумеется, в третьем классе, чтобы убить Гитлера в самый разгар лета, с сопутствующими этому нервозностью, усталостью и приготовлениями, абсолютно не улыбалась мне. Мне хотелось побыть немножко на берегу Средиземного моря — я всегда тяжело переносил разлуку с ним. Я предпочел бы перенести убийство фюрера на начало октября. Я без энтузиазма представил себе бессонную ночь в жестком, битком набитом вагоне, не говоря уже о томительных часах, которые придется, позевывая, провести на улицах Берлина, дожидаясь, когда Гитлер соблаговолит появиться. Короче, я не проявил энтузиазма. Однако взялся за приготовления. Я неплохо стрелял из пистолета, и, несмотря на отсутствие практики в последнее время, подготовка, полученная в школе лейтенанта Свердловского, еще позволяла мне блистать в тирах во время ярмарок. Я спустился в подвал, взял свой пистолет, хранившийся в фамильном кофре, и отправился за билетом. Мне стало несколько легче, когда я из газет узнал, что Гитлер отдыхает в Берхтесгадене, так как в разгар июльской жары я тоже предпочитал скорее дышать горным воздухом Баварских Альп, чем городским. Я также привел в порядок свои рукописи: несмотря на оптимизм моей матери, я вовсе не был уверен, что выйду из этого живым; написал несколько писем, смазал свой парабеллум и одолжил у друга, который был поплотнее меня, куртку, чтобы незаметно спрятать под ней оружие. Мое крайнее раздражение и дурное расположение духа усиливались еще и тем, что лето выдалось удивительно теплое, и после нескольких месяцев разлуки Средиземное море еще никогда не казалось мне столь привлекательным, а пляж “Град Блё”, как нарочно, был полон знакомых шведок с передовыми идеями. Все это время мать ни на шаг не отходила от меня. Ее взгляд, полный гордости и восхищения, сопровождал меня повсюду. Купив билет на поезд, я был приятно удивлен, что немецкие железные дороги делали скидку на тридцать процентов в связи с летними каникулами. И наконец, накануне великого дня я пошел в последний раз искупаться. Вернувшись с пляжа, я нашел свою великую драматическую актрису в салоне, в бессилии сидящей в кресле. Как только она увидела меня, ее губы скорчились в детскую гримасу, она заломила руки, и, прежде чем я успел сделать какой-либо жест, она была уже на коленях, рыдая в три ручья:

— Умоляю тебя, не делай этого! Откажись от своего героического плана! Сделай это ради своей старой матери — они не имеют права требовать этого от единственного сына! Я столько боролась, чтобы вырастить тебя, сделать из тебя человека, а теперь... О, боже мой!

Она стояла с огромными от страха глазами, со взволнованным лицом, прижав руки к груди.

Я не удивился. У меня давно уже выработался иммунитет. Я хорошо ее знал и глубоко понимал. Я взял ее за руку.

— Но за билет уже уплачено, — сказал я.

Отчаянная решимость смахнула с ее лица последние следы страха.

— Они возместят мне его! — провозгласила она, схватив свою трость.

Я нисколько в этом не сомневался.

Итак, я не убил Гитлера. Как видите, довольно было пустяка...»

Может показаться, что это была сцена из жизни сумасшедших, но на самом деле все не так просто. Мать Романа, конечно, была особым человеческим экземпляром, но и сынок, как вы вскоре узнаете, тоже оказался занятным фруктом...

Итак, Роман закончил летную школу «Аврора» в Провансе и должен был получить звание младшего лейтенанта. И вот торжественный выпуск училища.

300 курсантов стоят на плацу, построенные в ряд. С каждого из них портной снял мерки, для всех сшиты мундиры. У Гари денег не было, но мама прислала ему 500 франков, которые одолжила на рынке, где ее так хорошо знали. И вот все стоят в ожидании аттестации. Одновременно идет распределение. Роман мечтает о том, что хорошо бы получить назначение куда-нибудь на юг, недалеко от Ниццы, чтобы он мог часто видеть свою мать.

Оглашаются списки, и вот уже процедура подходит к концу, а Роман все не слышит своей фамилии. Наконец, церемония окончена, и Гари понимает, что он единственный из 300 курсантов, который не получил звания младшего лейтенанта.

С ним поступили очень жестоко. Ему даже не дали звания сержанта. Он получил самый низший чин — капрала. Это следующее звание после солдата. Он учился очень хорошо. И несомненно заслуживал самого лучшего назначения. Но выяснилось, что его не аттестовали потому, что он не был натурализованным французом. Для того чтобы летать в небе Франции и защищать ее от врагов, нужно было более десяти лет быть ее гражданином. А Роман и его мать только три года назад получили гражданство. Гари вспоминает: «Я был убит, уничтожен, но даже, по-моему, улыбался. Товарищи стояли рядом, возмущенные этой несправедливостью». Но самая главная забота, которая тревожила и беспокоила Романа, — как он скажет об этом матери. Она ведь связывала с ним все свои честолюбивые надежды и замыслы. Если поведать ей всю правду, то рухнет ее святая вера во Францию, в страну, на которую она молилась всю жизнь. Этого Роман допустить не мог.

Он ехал домой убитым. И только за несколько километров до Ниццы вдруг понял, что скажет матери.

Он явился в зал отеля «Мермон» и увидел ее взгляд. Это был взгляд затравленного зверя, ибо мать сразу поняла, что сын — не офицер, а всего-навсего капрал. И он сказал:

— Иди, иди сюда, я должен тебе объяснить. Это временно, это временная заминка. Иди сюда, чтобы нас никто не слышал.

Он потащил ее в зал ресторана, и они сели за свой столик, где вели серьезные беседы. И Роман продолжал:

— Это дисциплинарное взыскание, через полгода его снимут. Дело в том, что я обольстил жену коменданта школы. Я знал, на что иду, но не мог устоять. Понимаешь, а денщик засек нас и донес.

У матери на лице появилось этакое заинтересованное выражение — она вспомнила Анну Каренину, свои романтические мечты о многочисленных любовных победах сына...

— А она красива? — спросила мать Романа.

— Очень, — ответил он.

— Скажи, она тебя любит?

— Да, любит.

— У тебя есть ее фотокарточка?

— Нет, но она обещала прислать.

И тут взгляд матери стал довольным и лукавым.

— Дон-Жуан, Казанова! Я горжусь тобой, мой мальчик. Ты будешь ей писать?

Роман замялся.

— Ты должен ей обязательно написать! — сказала мать, и ее лицо засветилось гордостью. — Единственный из трехсот, который не получил звания младшего лейтенанта! Какой молодец! Расскажи мне все подробно.

«Моя мать обожала, — писал Роман Гари, — красивые истории. И я их рассказал ей очень много...»

...Роман Гари приехал в часть, куда получил назначение капралом. Ему досталось от солдатни. Все знали его историю, знали что он — неудавшийся курсант. Они называли его лейтенантом отхожих мест. И действительно, в течение нескольких месяцев Роман занимался тем, что чистил уборные. И говорил при этом, что смотреть на места общественного пользования ему было приятней, чем на лица солдафонов.

Перед войной он уже был инструктором летной школы. Совсем незадолго до начала войны, в 1939 году, Роману прямо к самолету принесли телеграмму: «Мать серьезно больна. Немедленно приезжайте». Ему понадобилось двое суток, чтобы добраться от аэродрома до Ниццы. Он взял на вокзале такси, ворвался в отель «Мермон», стремглав вбежал в каморку, где жила его мать... Но там никого не было, уже стоял запах нежилого помещения. Ему сказали, что ее перевезли в клинику «Сен-Антуан». Он рванул туда. И там, в больничной палате, нашел осунувшуюся, измученную мать, которая выглядела очень плохо. Вид у нее был растерянный и виноватый, а в изголовье на самом видном месте стояла фотография Романа, снятая, когда он выиграл турнир по пинг-понгу в 32-м году в городе Ницце.

Роман просидел у нее двое суток, не снимая фуражки, козырек которой прикрывал его глаза. А потом наступило время, когда ему надо было возвращаться в полк.

Вот как описал Роман Гари в книге «Обещание на рассвете» прощание со своей матерью.

«"Главное, за меня не беспокойся. Я старая кляча. Раз до сих пор протянула, то и еще продержусь. Сними фуражку". Я снял. Она перекрестила мне лоб и по-русски сказала: "Благословляю тебя". Моя мать была еврейкой. Но это не имеет значения. Главное было понять друг друга, а на каком языке мы говорили, было неважно. Я направился к двери, мы еще раз улыбнулись друг другу. Теперь я чувствовал себя совершенно спокойно. Какая-то частичка ее мужества перешла ко мне и навеки во мне осталась. Ее мужество и сила воли до сих пор живы во мне и только затрудняют мне жизнь, не давая отчаиваться».

Больше уже они никогда не увидятся.

* * *

О военной одиссее Романа Кацева (он еще не стал Гари) можно было бы написать отдельный роман. Но я ограничусь несколькими наиболее колоритными случаями. Франция мгновенно проиграла войну. Воспринятый от матери несуразный, слепой патриотизм Романа заставлял его верить до последних минут, что его Родина (а ею он считал Францию) обязательно победит. Капитуляция повергла его, как и немало других французов, в шок. Часть военных хотела продолжать войну, перебраться в Северную Африку, в колонии, и оттуда оказывать сопротивление фашистам. Другие связывали надежды с Англией, откуда молодой полковник де Голль 16 июня

1940 года призвал французов к освобождению Отечества. Патриотически настроенные солдаты и офицеры стали искать пути, чтобы перебраться в Лондон. Однако тех, кто хотел продолжать войну с немецкой армией, коллаборационистское правительство объявило дезертирами и изменниками.

Аэродром Бордо-Мериньяка представлял собой в июне 40-го странное зрелище. Здесь оказалось огромное количество самолетов, выпущенных Францией за последние четверть века, эдакая своеобразная ретроспектива. На этих самолетах бежали от немцев военные и штатские, генералы и рядовые, вывозились из парижских домов ковры, собаки, канарейки, кошки, ценная живопись, кое-какая мебель, а также дети, проститутки, старухи...

Роман был, разумеется, среди тех, кто намеревался отправиться через Ла-Манш. Идея была проста: угнать с товарищами, настроенными так же, как он, один из самолетов и перелететь в Англию. Это было опасно, самолеты охранялись, и любая неудачная попытка кончилась бы военным трибуналом. Не говоря уже о том, что молодые летчики освоили только две модели самолета, а чтобы поднять в воздух незнакомую модель, не мешало бы подучиться. Три товарища, Пьер-Жан де Гаш, Клеман по прозвищу «Красавчик» и Роман, присмотрели для побега самолет «Дена-55». Это была новая машина, никто из них на ней не летал. Наступило время побега в Лондон. Они выслушали последние инструкции механика, который сочувствовал им и помогал, и стали усаживаться в самолет. Им предстояло в сопровождении механика сделать круг над аэродромом, освоиться с приборами, самостоятельно произвести посадку и, оставив механика на земле, снова взлететь и взять курс на Англию. Де Гаш, в биографии которого было больше всего летных часов, был первым пилотом. Он дал знак, и все они стали затягивать лямки парашютов. Роман немножко замешкался — были проблемы с поясом. Но он справился с этим и уже занес ногу на трап. Но тут, выкрикивая его имя и жестикулируя, к самолету подъехал дежурный на велосипеде.

— Вас срочно вызывают на командный пункт. К телефону.

Звонить могла только мать. Больше было некому. Как она пробилась сквозь хаос и неразбериху средств связи поверженной страны, было невозможно понять. Товарищи решили, что сделают пробный круг без Романа, а высаживая механика, заберут его у ангара. Одолжив велосипед у дежурного капрала, Роман помчался по летному полю. Поравнявшись с командным пунктом, он взглянул на взлетающий «Дена-55». Самолет уже набрал высоту метров 20–25. И вдруг... на несколько секунд неподвижно завис в воздухе, потом накренился на одно крыло, спикировал на землю и, рухнув, взорвался. Роман замер, глядя на столб. Потом ему часто приходилось видеть такой столб над погибшими самолетами... Тогда он пережил первый из ожогов внезапного и полного одиночества. Их будет еще очень много. А вот что написал потом сам Роман о своем последнем телефонном разговоре с мамой:

«Я не в состоянии передать, что мы друг другу говорили. Это был набор криков, слов, всхлипов, которые не поддаются членораздельному воспроизведению. С тех пор мне всегда казалось, что я понимаю зверей... После того телефонного разговора я всегда узнавал крик самки, потерявшей своего детеныша... Мать закончила комическими словами из жалкого поэтического словаря... Я вдруг услышал далекий всхлипывающий голос:

— Мы победим!

Этот последний, несуразный крик наивнейшего человеческого мужества вошел в мое сердце и остался в нем навсегда, став моей сутью».

Следующая попытка уговорить трех летчиков совершить угон самолета окончилась плачевно: они его так отвалтузили, что сильно повредили нос, который ему по-настоящему исправили только около двух лет спустя в военном английском госпитале — Роман попал туда после очередного падения самолета.

Потом в летной среде возникло мнение, что война все-таки продолжится в Северной Африке. Летная школа начала перебазировку в Алжир. Но тут вышел приказ, запрещающий вылет всех самолетов. Однако лейтенант Делявo и Роман подняли в воздух самолет «Потез» и полетели через Средиземное море. Бензина хватить было не должно, но и подзаправить машину было уже нереально. И взяв с собой две автомобильные камеры, которые должны были выступить в роли спасательных кругов, эти отчаянные сорвиголовы пустились в полет. Им повезло. Дул попутный ветер, и им удалось приземлиться в городе Мекнесе, когда горючего фактически уже не осталось. Но власти Северной Африки тоже согласились на перемирие, и все самолеты были поставлены на прикол...

А вот выходка, которую устроила Нина Борисовская после того, как услышала обращение де Голля к французам.

На рынке Буфа она взгромоздилась на стул рядом с овощным лотком месье Панталеони и, потрясая тростью, стала призывать добрых людей не принимать перемирия и отправляться в Англию продолжать борьбу вместе с ее сыном, известным писателем, который уже наносит врагу смертоносные удары. Кончив тираду, она пустила по кругу страничку еженедельника, в котором опубликован рассказ сына. Думаю, над ней, скорее всего, смеялись...

Дальше Роман предпринял попытку уговорить английского консула в Касабланке выдать ему для проезда в Англию фальшивые документы. Консул отказал. Потом наш герой решил угнать с аэродрома в Мекнесе «Моран-315». Он уже забрался в кабину самолета, чтобы сначала освоить незнакомый аппарат, а потом взлететь, но тут его заметили два жандарма, караулившие ангар. Роман попытался завести мотор, но винт не вращался. Жандармы уже выхватили револьверы. И Роман, тоже выхватив из кобуры оружие, выкатился из самолета и помчался по полю, петляя, как заяц. Охранники были от него метрах в тридцати. Но он был молод и спасал свою жизнь. Ему удалось убежать через кусты, выскочить на шоссе и влезть в какой-то рейсовый автобус. Несколько дней он скрывался в злачном квартале Мекнеса, в публичных домах. В это время из Северной Африки в Англию вывозили контингент польских войск. Благодаря знанию польского языка Роман под видом польского солдата поднялся на борт корабля и, спрятавшись в угольном бункере, добрался до Гибралтара. На рейде Гибралтара он увидел судно под французским флагом и бросился вплавь, чтобы добраться до него. Предстояло проплыть два километра. Роману это удалось. Когда французский сержант увидел вылезшего из воды голого человека, он даже не удивился — такое уж сумасшедшее было время. Семнадцать суток продолжался морской переход от Гибралтара до Глазго. Когда Роман Кацев зачислялся добровольцем, у него была соблазнительная возможность присвоить себе чин младшего лейтенанта, которого его несправедливо лишили по окончании летной школы. Но мысленно посоветовавшись с матерью, он понял: она бы этого не одобрила. Пришлось остаться капралом. Война шла, но без участия Романа, который рвался к подвигам, ибо их ждала от него мать. Было много дурацких ситуаций вроде дуэли из-за бабы с польским офицером или поручения сопровождать в другой город гроб с телом застрелившегося французского пилота, когда в результате хорошей выпивки и путаницы Роман привез на похороны вместо гроба с мертвым товарищем запечатанный ящик с бутылками пива «Гиннес». Спасая честь мундира, этот ящик, накрыв трехцветным флагом, торжественно похоронили под молитвы священника и залпы почетного караула.

Вскоре после приезда в Англию Роман получил первые письма от матери. Они тайно переправлялись из

 Швейцарии. Письма не были датированы. Всю войну, три с половиной года, материнские письма находили Романа. Эти письма поддерживали в нем дух и волю, и «словно через пуповину моей крови передавалось мужество более закаленного сердца, чем мое собственное».

«Мой горячо любимый сын, — писала старая женщина, сидя в отеле "Мермон", — вся Ницца гордится тобой. Я побывала в лицее у твоих преподавателей и рассказала им о тебе. Лондонское радио сообщает нам о лавине огня, которую ты низвергаешь на Германию, и они правы, что не упоминают твоего имени. Это могло бы навлечь на меня неприятности...»

Роман понял, что эхо его «подвигов» дошло до ушей торговцев рынка Буффа.

Но дело заключалось в том, что ему до сих пор не удавалось встретиться в схватке с врагом. Их эскадрилью перевели в Африку. Его преследовала цепь неудач. Однажды их самолет, где он был вторым пилотом, попал в песчаную бурю, зацепился за дерево и упал, уйдя на метр в землю. Летчики остались целы. Буквально через несколько дней Роман испытал еще одно потрясение: упал, перевернулся и загорелся на взлете самолет «Бленхейм». Экипаж еле успел спастись. Третья катастрофа произошла с самолетом, летевшим в Каир. Этот «Бленхйем» разбился в джунглях на севере Лагоса. Пилот и штурман погибли, Гари, летевший пассажиром, осваивавшим маршрут, не получил ни царапины. Его нашли через двое суток, — он без сознания, в адской жаре, в закупоренной кабине самолета, где спрятался, спасаясь от чудовищных зеленых африканских мух.

«Мой прославленный и любимый сын! Мы с восхищением читаем в газетах о твоих героических подвигах. В небе Кельна, Бремена, Гамбурга твои расправленные крылья вселяют ужас в сердца врагов...»

В Центральной Африке, идя на бреющем полете, изношенный самолет Кацева врезался в стадо слонов. Пилот и один слон погибли, Роман опять остался цел.

В Ливии, куда они перебазировались, готовя новое наступление на Роммеля, Роман заболел тифом с кишечным кровоизлиянием. Врачи считали, что у него один шанс из тысячи, чтобы выжить. Ему сделали пять переливаний крови. Его товарищи-летчики дежурили у койки, сменяя друг друга и отдавая свою кровь. На пятнадцатый день врачи сказали, что Роману осталось жить несколько часов. В его палату доставили гроб. Тело Гари было покрыто

Летчик Роман Гари
в Северной Африке. 1941 г.

гнойными язвами, воспаленный язык распух, левая сторона челюсти, треснувшая в одной из аварий, загноилась, а кусочек кости, отколовшись, торчал из десны наружу. Роман продолжал истекать кровью. Ледяные простыни, в которые завертывали его тело, через секунду становились горячими. И в довершение всего огромный солитер в это же самое время метр за метром выходил из его внутренностей. Вдруг Роман увидел святого отца, вошедшего в палату, чтобы причастить умирающего. Он отослал его и потерял сознание.

И все-таки он не умер. Началось медленное, тяжелое выздоровление. Едва придя в сознание, Роман задал первый вопрос: когда он сможет вернуться на фронт? Врачи развеселились. Они не были уверены, сможет ли он ходить...

После госпиталя его отправили в отпуск, на реабилитацию, в Долину Фараонов в Луксор. Там он продолжал писать свой первый роман «Европейское воспитание», который начал еще в 1940 году в свободные минуты между вылетами, в лазаретах, во время ремонта самолетов. Опять пришло письмо от матери — Роман не писал ей уже больше трех месяцев, но почему-то в ее письме не было никакого беспокойства. Последнее письмо, судя по дате на конверте, было отправлено после того, как она не получала никаких вестей от Романа несколько месяцев. Очевидно, она отнесла это на счет почты.

«Дорогой мой мальчик. Умоляю тебя, не думай обо мне, не бойся за меня, будь мужественным... Поскорее женись, так как тебе всегда будет необходима женщина рядом. Быть может, в этом моя вина. Но, главное, быстрее постарайся написать хорошую книгу, так как потом она будет тебе большим утешением. Ты всегда был художником...

Я хорошо себя чувствую. Старый доктор Рязанофф мною доволен. Он передает тебе привет. Мой дорогой мальчик, будь мужественным. Твоя мать».

Что-то в этом письме тревожило Романа. Что-то в нем было не так. Он впервые уловил в материнском послании нотку отчаяния, в нем были необычные серьезность и выдержка. Слава богу, главное — жива... За пять фунтов египетский таксист Ахмед облачился в военную форму Романа и прошел медосмотр в английском каирском военном госпитале вместо него. В августе 1943 года эскадрилью, где воевал Роман, перевели в Англию, на военно-воздушную базу в Хартфорд-Бридж.

Каждое серое промозглое утро на бомбардировщике «Бостон» пилот Арно Ланже, штурман Роман Кацев и стрелок Бодан летели бомбить военные и промышленные объекты нацистской Германии. Каждый день какой-нибудь из вылетевших экипажей не возвращался. Как сказал Гари: «Небо для меня пустело все больше и больше». А по ночам в гофрированной хибарке он писал свой роман. Изо рта шел пар, руки коченели, несмотря на то, что он сочинял в летной куртке и меховых сапогах. А утром отправлялся в очередной боевой вылет. Закончив, роман он послал рукопись Марии Будберг. Каким образом он на нее «вышел», как говорят нынче, неизвестно. (Кстати, именно тогда впервые появился псевдоним, который стал литературной фамилией нашего героя. В детстве мать ему пела старинный русский романс «Гори, гори, моя звезда»... Первое слово этой песни, заменив «о» на «а», Роман и поставил на титульном листе своей первой книги.) О Марии Игнатьевне Закревской (девичья фамилия) — Бенкендорф (фамилия первого мужа) — Будберг (фамилия второго мужа) следует сказать особо.

Мура (так ее звали близкие) была женщиной незаурядной, с экстраординарной судьбой. Будучи любовницей английского дипломата Локкарта, она была арестована в Советской России в связи с обвинением его в шпионаже в 1918 году; прошла через застенки ЧК; говорят, к ней был неравнодушен заместитель Дзержинского Петерс, возможно, не без взаимности, ибо Локкарт был освобожден. Потом Корней Чуковский познакомил Муру с Максимом Горьким, и она стала его близкой подругой, по сути женой. Уехала с ним в Италию и оставалась рядом вплоть до 1928 года, когда великий пролетарский писатель вернулся в СССР. Именно ей Горький оставил ящик секретных архивных документов, которые побоялся везти на родину, начинающую становиться тоталитарным государством. Существует мнение, что Мура, испугавшись угроз ЧК-НКВД, привезла архивы Горького чуть ли не лично Сталину. И еще над ее головой витает страшное подозрение, что она непосредственно причастна к убийству Алексея Максимовича. Тех, кто интересуется судьбой этой загадочной особы, отсылаю к книге Нины Берберовой «Железная женщина», посвященной жизненному пути Закревской–Бенкендорф–Будберг.

В то время, когда Роман послал ей свою рукопись, Мария Игнатьевна была невенчанной женой великого фантаста Герберта Уэллса.

И вот наступило 23 ноября 1943 года. Этот день сыграл в жизни Романа Гари очень важную роль. Они летели бомбить военные немецкие заводы. И попали в зону зенитного обстрела. Некоторое время они летели в гуще разрывов. Вдруг Роман услышал в наушниках, как вскрикнул пилот Арно Ланже. А потом раздался его голос:

«Я ранен. Ничего не вижу. Я ослеп».

И в это время Гари почувствовал, что ранен в живот. Летчикам перед полетами выдали стальные шлемы. Американцы и англичане использовали их по назначению, то есть надевали на головы. Французы же прикрывали другую часть тела, которую считали более существенной. Убедившись, что драгоценный орган не пострадал, Роман облегченно вздохнул. Самолет вышел из зоны обстрела. Гари понимал, что теперь он должен взять обязанности пилота на себя. Но в бомбардировщике «Бостон» кабины пилота и штурмана были разделены стальной перегородкой. Дальше удивительный полет проходил как бы под суфлера. Штурман Гари отдавал ослепшему летчику команды, которые тот виртуозно выполнял. Они приняли решение лететь дальше и бомбить цель, которая им поручена.

После того как они отбомбились, Гари продолжает руководить слепым летчиком. «Бостон» поворачивает в сторону Англии. Экипаж решает, что когда они достигнут берегов Великобритании, то прыгнут с парашютом. Но выясняется, что кабину летчика Ланже заклинило, верхняя крышка не открывается. Ни Гари, ни стрелку-радисту даже не приходит в голову, что они могут бросить товарища и спрыгнуть на землю одни, оставив раненого пилота погибать... И тогда они решают произвести посадку на свой аэродром. Первая попытка не удалась. Они промазали, пролетели мимо. Вторая тоже не удалась. И только с третьей попытки они смогли посадить самолет на взлетно-посадочную полосу. Это был первый случай в истории французских ВВС, да, может быть, в истории всей авиации, когда слепой летчик посадил самолет по указаниям штурмана.

За этот подвиг каждый член экипажа самолета эскадрильи «Лотарингия» был представлен к боевой награде — Кресту Освобождения.

Несколько слов об этом ордене.

Я задаю вопрос Николаю Вырубову, герою Франции, кавалеру многих боевых орденов, в том числе и Креста Освобождения.

Эльдар Рязанов: Почему де Голль именно этот орден ценил больше всего?

Николай Вырубов: Когда де Голль возглавил движение «Свободная Франция», он считал, что не имеет права давать ордена. Ибо он не глава государства, не глава правительства. И тогда он создал свой орден. И с самого начала решил, что будет только одна тысяча крестов. Из них триста или четыреста оказались посмертными. Имена кавалеров этого ордена выбиты золотом при входе в Дом Инвалидов. Среди них есть несколько не французских фамилий. В их числе: грузин Дмитрий Амилахвари, русский Николай Вырубов, еврей Роман Гари.

Впоследствии Гари был награжден не только Крестом Освобождения, но и орденом Почетного легиона, Боевым крестом и множеством других боевых наград.

...Тем временем пришел ответ от английского издателя, который прочитал книгу и был в восторге от нее. Книга была срочно переведена на английский язык и под названием «Лес гнева» вышла в Англии. А вскоре после этого она вышла на французском языке и во Франции получила премию Французской критики.

Книга стала литературной сенсацией. Гари писал:

«Я почувствовал, что родился». Когда он возвращался с боевых вылетов, то у трапа самолета его ждала толпа корреспондентов. Его снимали, брали интервью, он чувствовал себя героем, и это очень льстило его самолюбию.

А тут подоспело очередное письмо матери.

«Дорогой сын! Вот уже долгие годы, как мы в разлуке, и надеюсь, что теперь ты привык не видеть меня, так как я не вечна. Помни, что я всегда в тебя верила. Надеюсь, что когда ты вернешься, ты все поймешь и простишь меня. Я не могла поступить иначе...»

Гари не мог понять: какой номер она еще отколола? Он чувствовал тонкую иронию, ему виделось ее виноватое лицо, какое бывало у нее тогда, когда она понимала, что переборщила... Письмо кончалось так:

«Все, что я сделала, я сделала потому, что была тебе нужна. Не сердись. Я хорошо себя чувствую. Жду тебя...»

Роман напрасно ломал себе голову...

И вот наступило время свидания с матерью. Он мчался по берегу Средиземного моря в открытом джипе. Он был в офицерском мундире с нашивками капитана. На кителе красовались ордена и медали. Он надел их все. В рюкзаке лежали книга «Европейское воспитание» на двух языках, английском и французском, вырезки из прессы, премия Французской критики. Он послал несколько телеграмм, предупреждая мать о своем приезде. Ехал и радовался тому, что сейчас увидит ее. Он не видел мать целых четыре года. Когда Роман подъехал к отелю «Мермон», его никто не встречал. Он ждал, что мать будет стоять в дверях отеля с победным флагом, но никого не было. И вообще понадобилось много времени, чтобы понять — а где же она? Что случилось? Ницца изменилась, друзья разъехались. Он стал искать знакомых. И узнал страшную правду: три с половиной года назад, через несколько месяцев после его отъезда в Англию, мать умерла. Но он же всю войну получал от нее письма!.. Он не мог понять, в чем дело... Просто какая-то мистика... Оказывается, мать, зная, что умирает, написала ему в больнице около 250 писем и попросила приятельницу, жившую в Швейцарии, регулярно отправлять их сыну. И он получал эти послания все годы войны. Вот почему на ее весточках не было дат. Мать своими письмами продолжала вливать в него бодрость, силу. Это был ее последний подвиг. И, может быть, именно благодаря ее письмам, несущим в себе любовь, Роман выжил в этой страшной войне...

В память о матери у него остались лишь ее письма и одна-единственная крошечная фотография с удостоверения личности.

Военный летчик, которому исполнился тридцать один год, стоял около отеля. Огромное чувство одиночества навалилось на него. Теперь он стал человеком без роду, без племени. У него не было никого. Он остался один-одинешенек на всем белом свете...

Евгений Евтушенко:

Я поздно вас открыл, Роман Гари.
Вы прожили не жизнь, а целых три.
В одной из них вы были сыном шляпницы,
Носившей дома стоптанные шлепанцы,
Но выходившей с вами на руках
На тоненьких французских каблучках.

Вы были во второй солдатом Франции,
Хотя без жезла маршальского в ранце,
С мозжухинскою страстью в каждой битве,
Шагаловский летающий еврей,
Не просто рядовым вы в небе были,
А маршалом для матери своей.
А третья жизнь, она была внутри.
И вы писали с летчицким бесстрашьем,
Как будто снова сросся в сердце вашем
Разбитый самолет Экзюпери.
За то, что вы худющий и ушастый,
Дразнили вас, но с вечной высоты
Вниз, на могилу шляпницы варшавской,
Кружась, летят сыновние цветы.

Поскольку мы расстаемся на этих страницах с матерью Романа, последние слова будут о ней.

Экзальтированная фантазерка, наделенная неизъяснимой наивностью и своеобразным кодексом чести, патриотка, сочинительница, мистификаторша, выдумщица, смешная очаровательная интриганка, актриса, она была цельной и чистой натурой. Она была олицетворением святой благородной материнской любви. Если бы во Вселенной проводился конкурс среди матерей, Нина Борисовская, думаю, заняла бы там первое место. Место Великой Матери.

Итак, военная глава жизни Романа Гари кончилась. Кончилась навсегда. Началась новая глава — дипломатическая. Он работает теперь в Министерстве иностранных дел. Это кажется мистикой, если мы вспомним материнские пророчества: «Мой сын будет французским посланником!!!»

А дело-то объяснялось просто. Освобожденной Франции требовались новые политики, дипломаты, свободные от коллаборационистского прошлого, от вишистских настроений, не замаранные сотрудничеством с оккупантами. Многих фронтовиков приглашали работать в здание на Кэ д'Орсе, где помещалось Министерство иностранных дел. Среди них был и Гари — герой, фронтовик, писатель.

Романа Гари посылают секретарем посольства в Болгарию. Он едет туда с молодой женой. Он недавно женился. Это английская писательница Лесли Бланш, женщина, конечно, молодая, но все-таки на семь лет старше его. Она редактор знаменитого журнала «Vogue», автор многих интересных книг. В частности, она пишет роман «Всадники рая» о вожде горцев Шамиле. Регулярно путешествует по Кавказу, собирая материал для своей книги. Первое время, когда молодых супругов представляли, то говорили так:

— Познакомьтесь, это Лесли Бланш и ее муж!

Но вскоре картина переменилась. Роман работал много и выпускал книгу за книгой. И каждый раз успех сопутствовал ему. Бланш оказалась хорошей женой, и то, что она была старше, было гармонично для их семейной жизни, ибо Роман привык к материнской опеке. Молодая чета приехала в Софию тогда, когда во всех странах народной демократии — в Венгрии, Чехословакии, Польше и, конечно, в Болгарии — коммунистические вожди начали избавляться от соперников. Процессы следовали один за другим. Молодые, популярные, свободолюбивые лидеры попадали под жернова сталинского режима. В Болгарии Роман и Лесли подружились с Петковым, лидером демократического крыла коммунистической партии. Потом Роман Гари видел, как казнили Петкова, и на всю жизнь запомнил лицо мертвого друга. И с тех пор он возненавидел тоталитарный режим... В Болгарии Гари написал роман «Тюльпан». Это фарс, который местами приближается к чаплинскому гротеску. Не стану пересказывать его сюжет, ибо за жизнь Гари сочинил 30 книг. А я уже и так основательно поэксплуатировал дивную книгу «Обещание на рассвете». Вам, дорогой читатель, придется

Война окончена. Капитану Роману Гари 31 год. Он награжден Крестом Освобождения, орденом Почетного легиона, боевыми медалями. Вышел в свет в Англии и Франции его первый роман «Европейское воспитание», награжденный премией Французской критики

Первой женой Романа стала английская писательница Лесли Бланш

поверить на слово, что «Тюльпан» — интересное, яркое, очень смешное сочинение.

Романа отзывают в Париж. Он с женой возвращается в столицу Франции, работает в МИД над проектом «Единая Европа».

Каждый раз, когда он начинает свою дипломатическую работу, он полон энтузиазма, энергии, но это быстро уходит. Он сталкивается, как правило, с рутиной, штампами, казенщиной. А его свободолюбивая душа всего этого совершенно не выносит...

Днем, в обеденный перерыв, он прибегает в гостиницу рядом со зданием Министерства иностранных дел, где снимает крошечный номер, чтобы писать свой следующий роман. Он становится «сумасшедшим» писателем. Любую секунду использует для того, чтобы сочинять, сочинять, сочинять. Спустя некоторое время его переводят в Берн. Он уже советник посольства. Поначалу Гари рьяно принимается за дело, но Берн даже после Софии кажется ему мертвым, тоскливым городом. Пытаясь разбудить сонную скуку, он устроил эскападу, неожиданную для дипломата: однажды в зоопарке прыгнул в ров к медведям. И находился там до тех пор, пока не приехала пожарная машина. Когда его вынимали, он сказал: «Ни один медведь даже не шелохнулся, не двинулся в мою сторону. А чего от них ждать? Это же швейцарские медведи. Они такие же скучные, как все в этом городе...»

В 1952–1954 годах Роман Гари — пресс-атташе при представительстве Франции в Организации Объединенных Наций в Нью-Йорке. Он молод, блестящ, легок, остроумен, у него уже вышло несколько книг. Его задача — разъяснить миллионам американцев французский политический курс. Но Франция в то время вела не очень-то популярную политику: она воевала во Вьетнаме, не давала свободу и независимость своим колониям — Алжиру, Тунису, Чаду. А Роман Гари — человек прогрессивный, французская внешняя политика совершенно не

Пресс-атташе при представительстве Франции в ООН. Красив, умен, хорошо подвешен язык, модный писатель, – одним словом, неотразим. Завистники называли его не пресс-атташе, а секс-атташе

соответствует его личным убеждениям. Однако он обязан проводить официальную линию своего правительства. Совсем как наши дипломаты в советские времена: по ночам читали Солженицына, а утром приходили на службу в ООН и говорили все наоборот.

Роман Гари, конечно, был невероятно одарен. Блестящая внешность, умение вести споры, дискуссии, держаться перед теле- и кинокамерами — все это создавало ему определенную популярность в журналистских

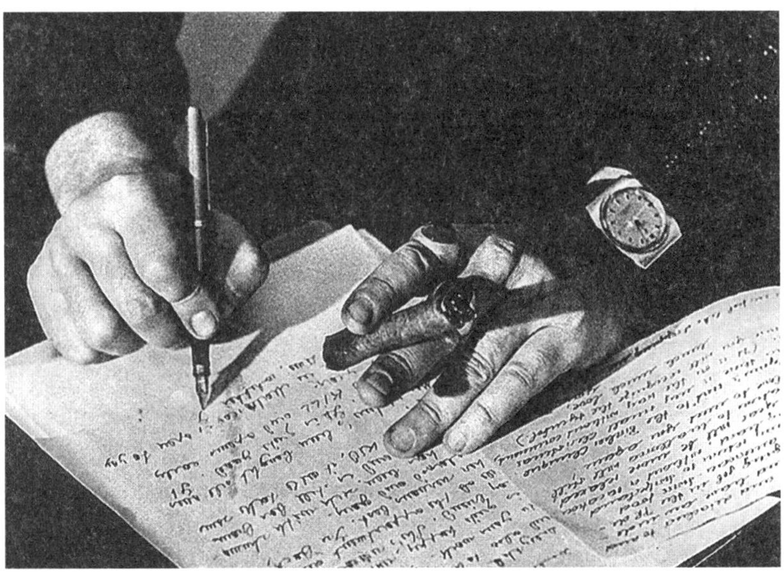

и дипломатических кругах. К тому же злые языки называли его не пресс-атташе, а секс-атташе. И действительно, он пользовался сногсшибательным успехом у прекрасного пола. В это время он пишет сатирический, злой роман «Человек с голубкой». Организация Объединенных Наций, на которую Гари возлагал большие надежды, очень разочаровала его. И эта книга, по сути, разоблачала ее деятельность. В романе выведены и генеральный секретарь, и его помощник, и министры иностранных дел, и послы, и чиновники, и разные службы. Фамилии и имена были очень прозрачны, сходство с оригиналами угадывалось.

Даже на этом снимке ощущается некое пижонство, свойственное Роману Гари: перстень, сигара, часы, модная авторучка. Писатель сочиняет!

 Интриги, ложь, фальшь политиков, двуличность — все это выставлялось выпукло и беспощадно. Гари совершил очень смелый поступок. Ясно было, что книга написана как бы «изнутри», а ведь среди дипломатов не так много способных литераторов.

Поставить свою подлинную фамилию на книге, разумеется, было равносильно самоубийству. Новый роман Гари выходит под псевдонимом Фоско Синебальди. И дальше всю свою жизнь Гари открещивался от этого сочинения. И лишь в 1984 году, после его смерти, книга была напечатана под настоящим именем автора.

В Нью-Йорке он пишет еще один роман, «Краски дня». Это книга о Голливуде, в котором Гари еще ни разу не был. В ней описана любовь уже немолодого, стареющего француза к молоденькой американской старлетке. Этим романом Роман Гари, извините за каламбур, предвосхитил события своего будущего, многое предугадал из собственной жизни. Несколько лет спустя Гари получит новое дипломатическое назначение, станет генеральным консулом в Лос-Анджелесе. Там он встретит молодую американскую актрису Джин Сиберг, и эта встреча сыграет роковую роль в его судьбе. И в их с Сиберг жизни случится многое из того, о чем рассказывалось в «Красках дня». Что это было? Действительно предчувствие, предвосхищение собственного будущего? Или же он поступал именно так потому, что претворял в жизнь написанное ранее? Кто знает... Вообще в жизни Гари было немало такого, что как бы предсказывало его дальнейшую судьбу.

После двух лет пребывания в Организации Объединенных Наций Романа Гари переводят в Боливию, генеральным консулом в Ла-Пас. Дипломатическая работа, естественно, сочетается с литературой. Рождается замысел романа «Пожиратели звезд», своеобразная версия вечного сюжета о Фаусте и дьяволе, о продаже души сатане. Действие происходит в Латинской Америке, а Мефистофель служит в цирке, показывая фокусы сродни эскападам Воланда и трюкам Дэвида Копперфильда.

В Боливии генеральный консул Франции получает телеграмму о том, что Гонкуровский комитет присудил свою премию, самую престижную литературную премию Франции, его книге «Корни неба», пятому по счету роману. Это настоящее признание! Автор счастлив! Он купается в славе. Его осаждают корреспонденты, он дает интервью налево и направо, газеты пестрят восторженными рецензиями, публика запоем читает роман. Все прекрасно, все замечательно. И, как обычно бывает с большими произведениями, тут же принято решение экранизировать книгу. За экранизацию берется знаменитый американский режиссер Джон Хьюстон. Приглашаются Эррол Флинн, Жюльетт Греко, Орсон Уэллс, замечательные актеры и исполнители. Но фильм получился далеко не на уровне книги. Так о чем же этот роман? Почему он вызвал такой бум, такой интерес?

«Корни неба», по сути дела, первый экологический роман. Тогда, в 1956 году, многие люди даже не знали такого слова — экология. Голос в защиту природы, в защиту животных прозвучал ярко и свежо. Сюжет романа довольно сложен, книга строится как детектив. А суть в том, что некий Морель, француз, который волею судьбы оказался в Центральной Африке, в Чаде, бывший узник гитлеровских концлагерей, объявляет войну истребителям слонов. Он борется не просто на словах. Сначала он ходит с петицией о запрете охоты, просит ее подписать, но над ним смеются. Ведь слоновая кость — богатый промысел, это доходы. Люди ненавидят его, ибо герой книги живет среди охотников на слонов, именно они его окружение. И тогда Морель объявляет войну подобно Робину Гуду. Он начинает стрелять в людей, которые истребляют замечательных, добродушных, благородных великанов с хоботами. Он поджигает их лавки, нападает на плантации. К нему присоединяются немка Нина, судьба которой искалечена войной, и некие чудаки-натуралисты. Негритянское население старается использовать этот конфликт для того, чтобы разжигать ненависть к белым, чтобы поднять восстание против французских колонизаторов. Естественно, общество дает ответный бой этому Дон-Кихоту, этому рыцарю, который борется за сохранение животного мира. Его окружают полицейские и охотники. Его преследуют «черные убийцы»: они не хотят, чтобы Морель попался живым в руки правосудия. Книга строится так, что до последней страницы читатель не знает, чем все это кончится. И я не стану вам рассказывать, просто советую прочитать эту замечательную книгу...

Кстати сказать, Гари очень недолюбливал Хемингуэя за его рассказы об Африке, где тот прославляет охоту, сафари. Роман считал, что истребление животных — это будничный фашизм...

Вскоре на пике своей популярности Роман Гари получает новое назначение — генеральным консулом в Соединенные Штаты Америки, в Лос-Анджелес. Как тут не вспомнить предсказания вещуньи Нины Борисовской?!.

Лос-Анджелес — кинематографическая столица Америки. И здесь Роман Гари оказывается в своей стихии. Он модный писатель, соперничает с Генри Миллером и Норманном Мейлером. Его роман «Корни неба» входит в список бестселлеров года. Прожектора, киноактрисы, кинозвезды — он чувствует себя пупом Земли. Мужчины-завистники называют его «сексуальным консулом». Американский режиссер Уэнджер предлагает ему сыграть в фильме «Клеопатра» роль Цезаря. И только дипломатический статус не позволяет Роману Гари принять это предложение. Но, несмотря на весь этот светский вихрь, он продолжает очень много и упорно писать, в частности, заканчивает роман «Пожиратели звезд».

Жизнь Гари представляется спектаклем. Особенно это ощущение обострилось в Голливуде, любимцем которого очаровательный француз стал очень быстро. Вот что пишет О.Кусова в своем предисловии к книге «Корни неба»: «...спектаклем можно сделать все. И жизнь». Гари и поставил блистательный спектакль своей жизни, но режиссером этого спектакля изначально был не он. Он сыграл его, а поставила Нина Борисовская, его мать...

Прежде чем перейти к роковому знакомству с Джин Сиберг, хочу сказать о том, что Гари любит все время осваивать нечто новое. Одно дело хорошо говорить по-английски, совсем другое — отважиться писать на нем прозу. Мы помним удачный опыт подобного рода у Владимира Набокова, который из русского писателя стал английским. Роман «Пожиратели звезд» был написан в 1960 году на английском языке. На французском (кстати, тоже не родном для сочинителя) книга вышла лишь шесть лет спустя. Разумеется, в переводе самого автора. На английском языке было создано еще несколько книг, в том числе «Леди Л.» и «Белая собака».

В Лос-Анджелесе Гари подобрал и приютил бродячую собаку, которую окрестил русским именем «Батька». И вдруг он заметил, что этот пес бросается только на негров. Когда в дом заходили электрики, разносчики или просто черные гости, пес сразу на них бросался. Гари понял, что это так называемая «белая собака», то есть пес, обученный бросаться на черных. И тогда Роман отдал Батьку заклинателю змей, негру. То, что далее произошло в жизни, и стало основой его романа, который так и называется «Белая собака». Новый хозяин, заклинатель змей, ненавидящий белых, переучил собаку так, что теперь она стала бросаться только на них.

Автор хотел сказать, что можно научить ненависти к любой расе, к любой национальности. Национализм или расизм в любой форме отвратительны и приводят в конечном счете к войнам. Кстати, в Америке у Гари часто спрашивали, учитывая его весьма экзотическую цыганско-восточную внешность: кто он по национальности?..

В Америке Гари написал роман «Белая собака» – о псе, который сначала ненавидел и бросался на людей с черным цветом кожи, а потом его переучили и он стал врагом белых

Он отвечал: «У меня нет ни капли французской крови, но в моих жилах течет кровь Франции...»

И вот здесь, в Голливуде, в 1960 году, 20 сентября происходит его встреча с Джин Сиберг. Отвлечемся на некоторое время от нашего героя, ибо Джин Сиберг стоит того, чтобы рассказать ее биографию подробнее.

Ее жизнь началась, как голливудская сказка. А окончилась такими ситуациями и событиями, перед которыми бледнеет любой триллер, любой фильм ужасов. Завертелось с того, что Отто Преминджер, режиссер немецкого происхождения, начал снимать в Америке фильм «Жанна д'Арк». По всей стране был объявлен конкурс — искали героиню. Съемочная группа обратилась с призывом присылать фотографии девушек.

Джин Сиберг жила в маленьком городке Маршалтаун на западе Соединенных Штатов в простой семье. Отец был аптекарем, а мать, к сожалению, очень сильно злоупотребляла алкоголем. Это потом скажется и на дочери. Родители даже не помышляли ни о какой карьере Джин в кинематографе, вообще были очень далеки от искусства. Однако учительница Сиберг, очарованная своей ученицей, послала ее фотографию в Голливуд на конкурс. И произошло американское чудо. Сперва было 3000 претенденток. Потом осталось 300. А потом одна — Джин Сиберг. Она и стала сниматься в роли Жанны д'Арк. Простая девушка попала в кинозвезды. Разумеется, завязался роман с режиссером. Надо сказать, что целомудренность была не самым главным достоинством Джин и не самой главной чертой характера. Фильм, к сожалению, получился не очень удачным, но, тем не менее, Джин Сиберг появилась на международной киноорбите. Она приезжает во Францию и там попадает на Каннский фестиваль, где знакомится с никому еще не известным Роже Вадимом и Брижит Бардо. Золотая богемная компания. Но Джин была барышней неуравновешенной, и там в Каннах в 19 лет случается ее первая попытка самоубийства.

Дебют Джин Сиберг состоялся в фильме
«Жанна д'Арк» режиссера Отто Преминджера. 1957 г.

Джин спас ее спутник, замечательный негритянский актер Сидней Пуатье, который вместе с ней приехал во Францию.

В Каннах ее замечает режиссер Жан-Люк Годар. Он начинает снимать свой, ставший потом сенсационным фильм «Не переводя дыхания». Там впервые снялся Жан-Поль Бельмондо. Годар приглашает на роль его партнерши Джин Сиберг. Когда я делал программу о Бельмондо, я попросил его вспомнить и рассказать о своей партнерше по этой работе.

Ж.-П. Бельмондо: Когда мы снимались с Джин Сиберг, она была очень удивлена манерой съемки Годара. Это было совесм не похоже на голливудский стиль. А Джин только приехала из Голливуда, где снималась у Отто Преминджера в роли Жанны д'Арк. Джин была очень милой женщиной, очень мягкой. Я успокаивал, объяснял, что все не страшно, что это нормально, ведь мы все иногда делаем что-то новое. Она тревожилась, ибо не понимала, чего от нее хотят на съемках. Но Джин всегда была в хорошем настроении, симпатична и очень общительна. А потом, несколько лет спустя, я встретился и с Романом Гари. Мы снимали в Бейруте и в Афинах. Джин в то время была очень дружна с моей женой. Наши дети часто встречались. И мои воспоминания о Джин Сиберг — это воспоминания о женщине, полной юмора, очень нежной и, конечно же, великолепной актрисе. Наверное, ей недодали ролей в кинематографе, тех хороших ролей, которые она заслужила. Ведь в нашей ленте «Не переводя дыхания» она играла великолепно...

После ленты Годара Джин попадает к режиссеру Негулеску в фильм «Прощай, грусть» и выходит замуж за адвоката Морея. Но ни счастья, ни детей не было, и следует развод...

Однако главное для нас встреча Романа и Джин. В момент знакомства Джин Сиберг 21 год, а ему 45.

 В Джин Романа привлекли, с одной стороны, внешность невинной девочки, а с другой — многоопытность и умелость бывалой женщины. Начинается роман, вспыхивает бешенная страсть. Лесли Бланш должна уступить, уйти, она обречена. Бланш сыграла огромную роль в жизни Романа Гари, в его становлении как писателя, она замечательно вела дом. И отношения у них сложились прекрасные. Но все-таки она была на семь лет старше, и этот брак уже несколько приелся. А у Романа Гари всегда была жажда новизны. Во всем. В том числе и в женщинах. Три года длился страстный роман с Сиберг и одновременно, параллельно, происходил развод с Лесли Бланш. Характер Лесли Бланш тоже был достаточно сильным и своеобразным. Гари написал роман «Леди Л.», где прообразом стала его бывшая жена. Эту книгу он как бы подарил Лесли на прощание. Героиня книги — капризная, взбалмошная женщина, жестокая, своенравная. Она наказывает своего возлюбленного за измену, причем делает это весьма причудливо. Л.Бондаренко пишет: «Леди Л. — это, безусловно, Лесли с ее капризами, нежностями, злопамятностью,

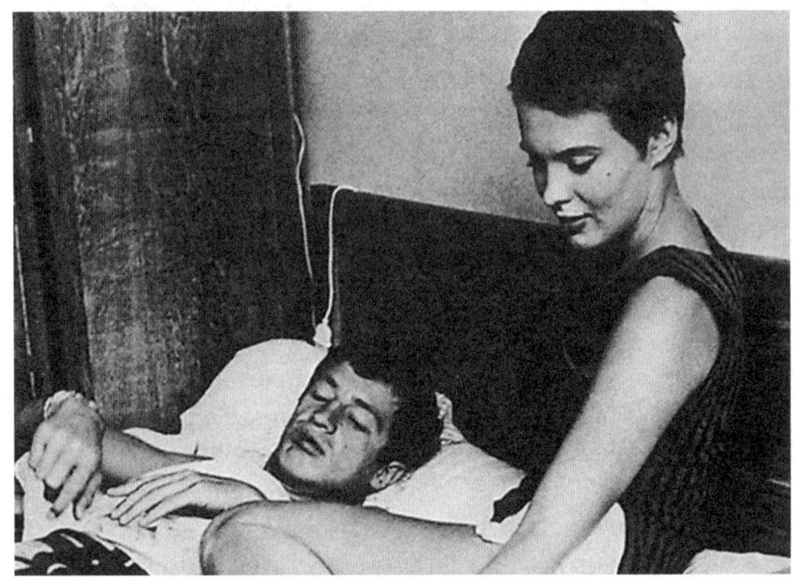

После фильма «Не переводя дыхания» Жана-Люка Годара (1960 г.), этого знамени французской «новой волны», Жан-Поль Бельмондо и Джин Сиберг стали известны всему миру

любовью к кошкам и русским иконам, ревностью тигрицы, с ее английским умом, парадоксальным и властным...» Кстати, по этой книге тоже был создан фильм, где главную роль играла очаровательная, прелестная Софи Лорен. Вообще ансамбль был собран изумительный: играли Пол Ньюмен, Филипп Нуаре, Мишель Пикколи, Катрин Аллегре и др. А постановку осуществил знаменитый актер, режиссер и писатель Питер Устинов. (С Устиновым я тоже делал большую телепередачу, приезжал к нему в Швейцарию...) Надо заметить, что генералу де Голлю нравился роман «Леди Л.». В письме к автору президент Франции писал следующее:

«Что касается меня, то плененный великолепным талантом, я вижу в нем (романе) чудо юмора и непринужденности. Какое счастье для Вас, что на свете есть англичане...»

Пока происходил процесс развода с Лесли Бланш, стало ясно, что Джин Сиберг ждет ребенка. В авральном порядке в октябре 1963 года происходит обряд бракосочетания, и буквально месяца через два рождается сын. Его назвали Александр Диего.

Роман в своей страсти к новому никак не может остановиться. Помимо профессий летчика, дипломата, писателя, он осваивает еще одну специальность — становится кинорежиссером. И ставит фильм с Джин Сиберг по своей собственной новелле «Птицы прилетают умирать в Перу». Во время работы консулом в Боливии ему довелось побывать в Перу. Там его потряс пляж, усеянный десятками тысяч трупов птиц. Это и послужило поводом для написания новеллы. В 64-м году она была признана лучшим рассказом года. Причем образ героини, нимфоманки, был списан с его собственной жены. И, разумеется, эту роль играла сама Джин Сиберг. Кроме нее в ленте были заняты Пьер Брассер и Даниэль Дарье.

Нимфоманка, если заглянуть в энциклопедию, — это женщина, у которой болезненно усилено половое влечение. А если перевести это слово на простонародный русский язык, то у нас существует грубоватое, но точное определение: «слаба на передок». Фильм получился скандальным, он был запрещен, не шел во Франции, и мы в нашей телепрограмме даже не смогли показать ни одного фрагмента из этой ленты.

Следующая картина, которую Роман Гари поставил как кинорежиссер, называлась «Убей». Фильм рассказывает о наркотиках, наркомафии, о борьбе с ней. И образ наркоманки, героини произведения, был и тут во многом списан сценаристом Романом Гари со своей жены. Думаю, Гари женился отнюдь не для того, чтобы все время иметь перед глазами прототип для подобных персонажей. Он любил Джин, но его зоркое писательское око одновременно жестко фиксировало ее сущность.

Конечно, Гари со своими любовными и кинематографическими эскападами не очень-то вписывался в рамки дипломатического чиновника. Неожиданно он получает письмо от заведующего отделом кадров Министерства иностранных дел Франции. Автор письма был его приятелем. Поэтому послание было одновременно официальным и как бы не очень официальным.

«В высших сферах считают, что Вы слишком активно действуете как на литературном фронте, так и на любовном. Поскольку Вы и там добиваетесь блестящих успехов, это очень вредит Вашему дипломатическому статусу».

Короче говоря, это была отставка, и Гари как дипломат, что называется, завис. Он без должности, ждет нового назначения. Но Кув дю Мюрвиль, французский министр иностранных дел, сказал, что Гари никогда не станет послом. Только через его труп...

Теперь давайте немножко отвлечемся и снова расскажем о Джин Сиберг. В те времена среди прогрессивных деятелей Голливуда стало модно бороться за свободу нравов, за права негритянского населения США и еще уйму всяких прав. И Джин Сиберг включается в эту борьбу вместе с закоперщицей Джейн Фонда и другими прогрессивными кинематографистами. «За мини-юбку! Против войны во Вьетнаме! За марихуану! Против напалма! Занимайтесь любовью, а не войной!» — таковы были некоторые лозунги этого движения.

Но Джин по характеру неуемна, она не ограничивается разумными, легальными формами. Отдается этим идеям со всей страстью, со всей неистовостью своей натуры. В итоге она становится членом организации «Черные пантеры», которая боролась с «белыми свиньями». Эта экстремистская, террористическая организация находилась под запретом правительства США. Вскоре у Джин начался роман с лидером организации Хоакимом Джамилем. Но мало того, она еще все время подпитывала «пантер» деньгами. Она расплачивалась и поддерживала фанатиков чеками Романа Гари. За Джин Сиберг началась слежка. Она была все время под колпаком у ФБР. Ее телефонные разговоры прослушивались. Когда она выезжала из Америки или возвращалась в США, ее всегда подвергали унизительному досмотру. В конце концов Гари и Сиберг возвращаются во Францию... Роман покидает дипломатическую службу и уходит «на вольные хлеба». И в это самое время президент де Голль приглашает его на завтрак. Гари был стопроцентным голлистом. Он принадлежал к военному братству де Голля, преклонялся перед президентом, почитал его и с присущим ему комплексом безотцовщины считал генерала, по сути дела, своим отцом. Во время завтрака де Голль сделал ему очень лестное предложение: «Не хотите ли, Роман, стать моим дипломатическим советником?» И как пишет сам Роман Гари: «Я задумался, что было недопустимо. В подобных случаях не думают, а немедленно соглашаются». И тем не менее, несмотря на трепетное, благоговейное отношение к де Голлю, Роман Гари предложения не принял.

Когда его спросили: «Почему? Это же замечательная должность. По сути дела, синекура. Никакой ответственности нет», — он сказал: «Я берег свою сексуальную свободу. Если бы я принял это предложение, я должен был бы войти в команду де Голля и соблюдать все те официальные условности и правила, которые обязана соблюдать команда президента».

Покончив с карьерой дипломата, который по долгу службы находился вечно за пределами Франции, Роман понимает, что пора обосноваться в Париже. Он покупает в центре города на рю дю Бак, в доме № 108 на втором этаже, огромную квартиру из девяти комнат в 400 квадратных метров. Роман и Джин и их сын Александр Диего поселяются в прекрасно обставленных в стиле «a la Russe» апартаментах. Казалось бы, все хорошо. Однако отношения дают трещину. Джин влюбляется в Андре Мальро и начинает преследовать его. Квартиру перегораживают «берлинской стеной».

Наконец, супруги решают развестись, но тут выясняется, что Джин опять ждет ребенка. Гари не может развестись с беременной женщиной. Джин уезжает в Швейцарию — рожать. И тут случается ужасное: американский еженедельник «Newsweek», выходящий тиражом 6 миллионов экземпляров и читаемый во всем мире, сообщает, что Джин Сиберг ждет ребенка от одного из лидеров «Черных пантер».

Для Джин, да и для Гари, это был страшный удар. У Джин случились преждевременные роды. Ребенок прожил всего-навсего два дня и умер. Какого цвета он был, осталось неизвестным. Доктор, который принимал роды, сохранил эту тайну. Но какого бы цвета ни было дитя, Роман Гари повел себя как подлинный рыцарь. Он признал эту девочку своей, дал ей имя Нина в честь своей матери. Однако Джин от этого удара — смерти девочки и мерзкой статьи в «Newsweek» — уже не оправилась никогда. У нее и без того была неуравновешенная психика, а после этой истории все помчалось под гору без всяких тормозов. По тому, как повела себя Джин Сиберг после смерти девочки, у многих, в том числе и у Романа Гари, возникли подозрения, что отцом ребенка был какой-то индеец. Как раз перед этим Джин работала в Мексике, снималась в очередной ленте.

А случилось вот что. Гробик с телом девочки был переправлен в Америку, в город Маршалтаун, родной город Джин. Несчастная мать созвала всех индейцев, живущих в округе. Люди величественной внешности, с раскраской, в перьях приходили и совершали какие-то индейские обряды над мертвым ребенком. Ее тело раскрашивали. А потом при большом стечении индейцев девочку захоронили в семейном склепе Сибергов. Вот и думайте, что хотите...

После этой истории развод стал неминуем.

В тот год Роман Гари путешествовал, как сумасшедший. Он метался по миру в поисках успокоения. В его паспорте только за один год было поставлено 38 виз разных стран.

Тем не менее, Роман продолжал заботиться о Джин Сиберг. Он купил ей небольшую квартиру в том же доме, где жил сам. Она могла видеться с сыном. Но сына отныне воспитывал отец. Каждый год в день смерти девочки Джин совершала попытку самоубийства...

А Роман Гари работал. Он выпускал книгу за книгой. Однако интерес к его сочинениям со стороны критиков падал. И он это чувствовал. Начался иной, сумеречный период в его жизни. А Джин Сиберг пустилась во все тяжкие: наркотики, алкоголь, разноцветные мужчины, оргии. И все это происходило рядом, в том же доме. Но, несмотря ни на что, Гари помогал ей и морально, и материально. Джин Сиберг пока еще работает в кино. Вместе с Робером Оссейном она снимается в фильме «Лилит», играет первую жену Адама, еще до Евы. В кинокартине «Свободный выхлоп» она опять встречается с Жаном-Полем Бельмондо. Один из ее последних фильмов — «Большое сумасшествие» (1975 г.).

Тем временем Гари выпустил романы «Чародеи» и «Европа». Публика по-прежнему его читала, но критика отвернулась от него. Диктат моды, привилегию на вкус узурпировала узкая группа критиков. Гари называл их «парижистами». Они были снобами, считали себя элитой, в их руках находились влиятельные газеты и журналы. Гари не думал, что стал сочинять хуже, что исписался, как ядовито провозглашали «парижисты». Конечно, его угнетал этот бойкот, но Роман был сильным человеком, он не сдался и решил начать литературную жизнь с нуля. Наверное, поначалу он не собирался затевать грандиозную литературную мистификацию, эта идея пришла позже. Он пишет книгу «Голубчик» и в 1974 году выпускает ее под псевдонимом Эмиль Ажар. Причем решение выпустить ее под чужим именем пришло к нему в последнюю минуту. Гари свято хранит тайну. Никто не знает, что за Ажаром скрывается один из самых известных писателей Франции.

У книги огромный успех. Читатели увлечены сюжетом, критики, в том числе влиятельные «парижисты», хвалят мастерский стиль нового писателя, буквально захлебываются от восторга: «На небосклоне французской литературы зажглась новая звезда!» В прессе много домыслов: кто же такой этот самый замечательный и талантливый Ажар? Книга выдвинута на крупную литературную премию — премию Ренодо. Но автор телеграммой отказался от награды. Тем самым таинственность, окружающая нового сочинителя, усилилась. Высказывались разные предположения. Одно было ясно — за этим стоит какой-то очень опытный мастер. Приписывали авторство Арагону или Раймону Кено. Возникла версия, что это ливанский террорист, который не может въехать во Францию. Называли даже имя Хамиль Раджа. Ходила еще и такая легенда, что книгу написал доктор, который сделал подпольный аборт, и теперь ему запрещен въезд в страну. Всех сбивало с толку, что рукопись романа была прислана из Бразилии. Неизвестный человек прислал ее в издательство «Галлимар». Поначалу в издательстве рукопись восторга не вызвала. Но настойчивость внутренних рецензентов преодолела сопротивление издательства. И когда книга, наконец, вышла, начался обвал. Вот что пишет о случившемся в эссе «Жизнь и смерть Эмиля Ажара» сам Роман Гари: «Легко вообразить мое ликование. Самое сладостное за всю мою писательскую жизнь. На моих глазах происходило то, что в литературе обычно происходит посмертно, когда писателя уже нет. Он никому не мешает, и ему можно, наконец, воздать должное».

Некоторые внимательные читатели, в отличие от критиков помнившие ранние книги Романа Гари, сразу догадались, кто скрывается за Эмилем Ажаром. Но их не слушали. «Гари на такое не способен», — говорили им профессионалы от литературы. Когда Романа попыталась разоблачить прозорливая молодая журналистка, Гари отбивался от ее «подозрений» как мог. Когда ему указывали на абсолютную идентичность реплик или ситуаций у Ажара с репликами и ситуациями в прежних книгах Гари, он делал самодовольную мину. «Я рад, что оказал такое влияние на молодого автора, — приговаривал он при этом. — Я не в претензии, что он кое-что позаимствовал у меня».

Через адвоката был заключен с автором-невидимкой контракт на пять новых книг. И на следующий год неуемный Эмиль Ажар выпускает новый роман «Вся жизнь впереди». Сенсация становится международной.

Действие книги происходит в квартале Бельвиль, в Париже. Старая проститутка, вышедшая в тираж мадам Роза, польская еврейка, прошедшая гитлеровский концлагерь, занимается тем, что дает приют детям шлюх, когда те уезжают на «промысел» в другие города. Такой своеобразный детский сад, где содержатся «дети разных народов», полный интернационал. Среди ее воспитанников десятилетний араб Мохамед, которого все зовут Мо-Мо. Отношения старой еврейки и арабского мальчика и становятся сюжетом этого замечательного произведения. В то время как арабы и евреи враждуют, воюют, убивают друг друга, герои Гари, пардон, Ажара, друг другу преданы. Если и существуют какие-то нестыковки в их отношениях, то это только возрастные различия. Национальность же у обоих одна — они люди. Книжка написана от первого лица — от лица маленького араба. Это придает повествованию очарование, свежесть, юмор, наивность. Очень советую прочитать этот шедевр.

Разумеется, тут же был сделан фильм. Поставил его режиссер Мизраки, а главную роль сыграла великолепная Симона Синьоре. За исполнение этой роли она была удостоена национальной кинематографической премии «Сезар» за 1977 год.

Восторг, фурор, триумф были еще большими, чем после «Голубчика»... Замечательную, пикантную подробность о вере в подлинность Эмиля Ажара приводит сам Гари:

«Я говорил с одной женщиной, у которой была любовная связь с Ажаром. По ее словам, он великолепен в постели... Я рад, что не разочаровал ее...»

Естественно, что такой блестящий роман был представлен к Гонкуровской премии и единогласно получил ее. Таким образом, Роман Гари оказался единственным литератором в истории Франции, который стал дважды лауреатом Гонкуровской премии. Единственным — потому что статус Гонкуровского приза запрещает награждать дважды одного и того же писателя. Но о подлинном авторе никто не знал, ибо Гари упорно хранил тайну. Он ее так и не открыл при жизни. Он написал эссе «Жизнь и смерть Эмиля Ажара», где рассказал эту неслыханную историю, и завещал опубликовать свое эссе только через год после смерти. «...Я снова затосковал по молодости, по первой книге, по новому началу. Начать все заново, еще раз все пережить, стать другим — это всегда было величайшим искушением моей жизни...

...Мне надоело быть только самим собой. Мне надоел образ Романа Гари, который мне навязали раз и навсегда тридцать лет назад, когда “Европейское воспитание” принесло неожиданную славу молодому летчику. Начать все заново, еще раз все пережить, стать другим — это всегда было величайшим искушением моей жизни. Я читал на обороте обложек своих книг: “...несколько насыщенных человеческих жизней в одной... летчик, дипломат, писатель...” Ничего, ноль, былинки на ветру и вкус бесконечности на губах. На каждую из моих официальных, если можно так выразиться, репертуарных жизней приходилось по две, по три, а то и больше тайных, никому не ведомых, но уж такой я закоренелый искатель приключений, что не смог найти полного удовлетворения ни в одной из них. Правда заключается в том, что во мне глубоко засело самое древнее протеистическое искушение человека — стремление к многоликости. Неутолимая жажда жизни во всех ее возможных формах и вариантах, жажда, которую каждое новое испытанное ощущение лишь разжигает еще сильней. Мои внутренние побуждения были всегда противоречивы и увлекали меня одновременно в разные стороны. Спасли меня — я имею в виду мое психическое равновесие, — пожалуй, только сексуальность и литература, чудесная возможность все новых и новых воплощений. Сам для себя я постоянно был другим. И когда я обретал некую константу: сына, любовь, собаку Санди, то моя привязанность к этим незыблемым опорам доходила до страсти.

В таком психологическом контексте рождение, короткую жизнь и смерть Эмиля Ажара, быть может, объяснить легче, чем мне самому поначалу казалось.

Это было для меня новым рождением. Я начинал сначала. Все было подарено мне еще раз. У меня была полная иллюзия, что я сам творю себя заново...

...Я славно повеселился. До свидания и спасибо».

После того как книга получила Гонкуровскую премию, Гари понял, что надо все-таки как-то легализовать имя Эмиля Ажара, предъявить публике какое-то существо во плоти. Но так, чтобы это существо возникло на какое-то мгновение. Промелькнуло и исчезло. На эту роль Гари выбрал своего двоюродного племянника по имени Поль, а по фамилии Павлович. Этот человек был ему обязан многим: по сути дела, Гари содержал и его самого, и его семью. На деньги Гари Поль ездил на несколько лет учиться в Гарварде, но после этого престижного университета работал почему-то водопроводчиком, монтером, слесарем, маляром. Учение явно не пошло ему впрок... История с фальшивым, но как бы реальным Ажаром потребовалась Роману, чтобы отвести от себя подозрения, будто именно он — автор ажаровских сочинений.

Павлович согласился на предложение дядюшки: появиться перед прессой, рассказать вымышленную биографию Эмиля Ажара и раствориться навсегда. Но поступил иначе...

Эльдар Рязанов: ...Я встречался с Павловичем в Париже, он специально по нашему приглашению приехал из Тулузы. У этого взвинченного, неврастеничного субъекта была одна задача — содрать с нас приличную сумму. Он долго не понимал, что напоролся на людей еще более нищих, нежели сам. Вся наша торговля — сначала он запросил 4000 долларов в час — снималась и была показана в телепрограмме. В стремительном психопатическом монологе, где перечислялись родственники, дедушки, тети, бабушки, братья, сестры, а в промежутках заявлялось, что он в деньгах не нуждается и обожает своего дядю Романа Гари, промелькнула только одна фраза, достойная упоминания. Что его дядя Роман Гари — крупный бандит, а он — Павлович — бандит поменьше. Далее он без подготовки съехал с четырех тысяч в час на две, а когда понял, что и этого у нас не выцыганит, попрощался и убежал. Мы бежали за ним, пытаясь уговорить его, но тщетно. Павлович навсегда исчез из нашей жизни. К сожалению, это был единственный человек,

Когда Романа Гари «достали» критики, он задумал грандиозную литературную мистификацию

Поль Павлович быстро вошел в роль мифического Эмиля Ажара. Ему, очевидно, льстило восхищение «его» романами: постепенно этот маляр и водопроводчик начал верить, что именно он сочинил превосходные книги

 ближе знавший Гари, который мог нам что-то поведать. Ни сын писателя Александр Диего, ни последняя возлюбленная Романа не откликнулись на наши просьбы, не ответили, не появились.

В Копенгагене, где Павлович давал прессе интервью, он обнародовал не вымышленную биографию, а свою подлинную, да еще позировал фотокорреспондентам и разрешил, несмотря на запрет Гари, публикацию фотографий.

Гари писал:

«С этой минуты мифический персонаж, которого я так старательно создавал, прекратил свое существование, и его место занял Поль Павлович».

Пресса быстро выяснила, что Павлович является племянником писателя, и опять возникли подозрения, что автор ажаровских произведений Роман Гари.

И Роман писал:

«Я защищался, как дьявол, публиковал опровержение за опровержением, используя в полной мере свое право на анонимность. И, в конце концов, сумел убедить пишущую братию. Причем даже без особого труда, поскольку давно уже всем надоел и им хотелось чего-нибудь новенького».

Павлович быстро вошел в роль Ажара. Ему, очевидно, льстило всеобщее восхищение «его» романами. Постепенно этот маляр и водопроводчик начал говорить, что, может, действительно именно он сочинил книжки. Павлович настолько влез в шкуру писателя, что даже потребовал у Гари черновики, оригиналы текста, для того, чтобы показать, что он и есть подлинный Эмиль Ажар. С выбором исполнителя Роман, конечно, допустил ошибку. Он не учел психической неустойчивости своего племянника, его желание выбраться наверх. Розыгрыш в какой-то степени загнал в тупик самого автора мистификации. Думаю, роковой выстрел, который прозвучал

3 декабря 1980 года на рю дю Бак, был в какой-то степени спровоцирован и этой нелепой ситуацией. До самоубийства Гари опубликовал еще два романа, приписав их Эмилю Ажару, — «Псевдо» и «Страхи царя Соломона». Публика приняла их милостиво, но уже не так, как первые две книги… Новизна быстро приедается.

...Однако надо закончить рассказ и о бывшей жене писателя.

Последние годы Джин Сиберг были поистине ужасны. Она растолстела, весила 100 килограммов. Ее перестали снимать в кино. Она не виделась со своим сыном, потому что Гари запретил ей свидания. В эти годы ее сердце и тело были отданы арабскому освободительному движению. Теперь ее спутники, друзья, любовники — это борцы за свободу арабского мира. И среди них был очень известный и знаменитый человек. Его звали Бутифлика, он являлся министром иностранных дел Алжира, человеком, который претендовал на пост президента. Джин Сиберг, которая в эти годы была довольно частым клиентом психиатрических клиник, говорила, что скоро она станет первой леди Алжира, но Бутифлике связь с Джин надоела, и он запретил ей въезд в Алжир. И вот 29 августа 1979 года Джин Сиберг вместе со своим последним сожителем, который был на 12 лет моложе ее, отправились в кино. По иронии судьбы, это был фильм «Светлая женщина», поставленный по книге Романа Гари знаменитым режиссером Коста-Гаврасом, где главные роли играли Роми Шнайдер и Ив Монтан. А в ночь с 29 на 30 августа Джин исчезла. Она ушла из дома, взяв с собой только бутылку минеральной воды и упаковку лекарств, которые ей следовало принимать в течение следующих двух месяцев. Ушла голая, завернувшись в плед, и еще она прихватила полотенце и ключи от машины.

Джин искали, но найти нигде не могли. Было известно, что она не взяла очки, а без очков не могла водить машину. Что случилось, никто не знал. Лишь десять дней спустя, 8 сентября 1979 года, на улице генерала Апера тело Джин нашли в ее маленькой машине. Один француз, который никак не мог растолкать тесно сгрудившиеся автомобили, обнаружил тело женщины, которое лежало внутри между передним и задним сиденьями. Он позвонил в полицию. Это и была Джин Сиберг.

В ее крови оказалось 8% алкоголя, что неслыханно много, потому что достаточно 4% для того, чтобы у человека наступила кома. Все было очень таинственно. Убийство это или самоубийство? Никто так и не узнал. Роман Гари созвал пресс-конференцию, на которой в гибели Сиберг обвинил ЦРУ. Он заявил, что это наверняка убийство, дело спецслужб США. Вот так и закончилась жизнь талантливой красивой женщины. Ей был 41 год. Джин Сиберг похоронили на Монпарнасском кладбище. А через несколько месяцев ее могила была разгромлена, снесен крест. Кем? Почему? За что? Никто не знает...

Жизнь Романа Гари окрашивается во все более мрачные тона. Он был раздосадован поведением кретина-племянника. Мечта о таинственном полумифическом Ажаре лопнула. Приобрела черты грубой реальности. За Ажара выступал теперь полуобразованный, необаятельный, самовлюбленный неврастеник, пожинавший лавры, которые ему не принадлежали. Рухнула элегантная мистификация. Думаю, Гари невольно и ревновал к Павловичу, к тому, что ничтожество является визитной карточкой его сочинений. Образовались запутанные финансовые дела, связанные с гонорарами, полагающимися Ажару, с уплатой налогов с этих гонораров. Кроме того, навалились усталость от жизни, разочарование, раздражение. И рушилась еще одна грань его существования, которой Роман придавал большое значение, — его отношения с женским полом.

В молодые годы Сергей Эйзенштейн рассказал мне не то притчу, не то байку, что каждому мужчине выделено природой на всю его жизнь два ведра спермы. Можно по-разному распорядиться этим богатством. Или истратить все в молодые годы. Или расходовать так, чтобы хватило до зрелости. Или экономить, чтобы что-то осталось и на последние, старческие годы. Роман Гари, конечно же, не принадлежал к последнему сорту людей. У него начались физиологические проблемы с дамами. Для его самолюбивого характера — ведь он привык быть победителем во всем — это оказалось невыносимо. Так что причин для добровольного ухода из жизни скопилось немало.

2 декабря 1980 года в доме № 108 на рю дю Бак на втором этаже раздался роковой выстрел. Роман Гари свел счеты с жизнью. Его самоубийство случилось через год с небольшим после смерти Джин Сиберг. В своей предсмертной записке он написал: «Никакого отношения к Джин Сиберг. Поклонников разбитых сердец просим обращаться по другому адресу». Он и здесь остался ироничным.

Вот что написал автор энциклопедического труда «Писатель и самоубийство» Григорий Чхартишвили, более известный читателям как автор увлекательных детективных романов о сыщике Фандорине под псевдонимом Б.Акунин: «Гари проявил характерную для него деликатность. Чтобы никого не шокировать неприятным зрелищем, он дождался, когда останется в квартире один, лег на кровать, надел красную купальную шапочку и выстрелил себе в рот из умеренного 38-го калибра. Баловню судьбы повезло и тут: пуля попала ровно туда, куда нужно, — не было ни предсмертных страданий, ни разбрызганных мозгов. Из свидетельства судмедэксперта, описывающего труп:

"Черты умиротворенные, голубые глаза широко раскрыты, выражение лица спокойное"».

...И все-таки это было не совсем обычное самоубийство. Одновременно свершилось и убийство другого существа. Тем же самым выстрелом Гари отправил на тот

pour la presse Jour J.

Aucun rapport avec Jean
Seberg. Les fervents du cœur
brisé sont priés de s'adresser
ailleurs.

On peut mettre cela évidem-
ment au compte d'une dépres-
sion nerveuse. Mais alors il
faut admettre que celle-ci dure
depuis que j'ai l'âge d'homme
et m'a permis de mener à
bien mon œuvre littéraire.

Alors, pourquoi ? Peut-
-être faut-il chercher la réponse
dans le titre de mon ouvrage
autobiographique *La nuit
sera calme* et dans les der-
niers mots de mon dernier
roman : „car on ne saurait
mieux dire.“ Je me suis enfin
exprimé entièrement.

Romain Gary

Предсмертное письмо

За несколько дней до рокового выстрела

 свет еще одного писателя — Эмиля Ажара. Но, правда, об этом никто до поры до времени не знал...

Похороны Романа Гари состоялись в военной церкви Дома Инвалидов, где провожают в последний путь героев Франции, видных военачальников, генералов, маршалов. Здесь же в другой части собора находится гробница Наполеона. Похороны Романа Гари прошли не совсем обычно. Но и жизнь этого человека не вписывалась в ординарные рамки. На похороны собралось воинское братство. Все сподвижники генерала де Голля как один пришли отдать последний долг своему боевому товарищу. Приехал председатель Национального собрания Франции Шабан-Дельмас. Среди публики можно было увидеть писателей, в частности знаменитого Мориса Дрюона. Приехала Лесли Бланш, первая жена Романа. И последняя его подруга Лейла Шелаби, марокканка, тоже находилась здесь. И, естественно, в последний путь провожал отца Александр Диего. Он стоял в стороне от всех в пальто военного покроя. Священник отказался проводить траурную мессу — покойник был самоубийцей. К тому же он не исповедовал ни одну из религий. Была исполнена «Марсельеза». А потом неожиданно с церковных хоров послышался голос певицы: она исполняла на русском языке песню, которую в детстве напевала Роману его мать. Это было сделано согласно воле покойного. Так было записано в завещании.

Польская певица с немыслимым акцентом пела романс Александра Вертинского:

...В последний раз я видел Вас так близко.
В пролеты улиц Вас умчал авто.
И снится мне — в притонах Сан-Франциско
Лиловый негр Вам подает манто.

Скорбные, молчаливые французы стояли, опустив головы и думая, что звучит русская православная молитва.

Потом на кладбище Пер-Лашез состоялась кремация. А некоторое время спустя прах Романа Гари был развеян над Средиземным морем, которое он так любил.

«Средиземноморье, любовь моя! До чего же твоя, столь милостивая к жизни, латинская мудрость была добра ко мне и благосклонна и с какой снисходительностью твой старый подтрунивающий взгляд скользил по юношескому лбу! Я вечно буду возвращаться к твоему берегу, как рыбачья барка, возвращающаяся с пойманным в сети заходящим солнцем. Я был счастлив на твоем каменистом пляже. *Роман Гари*».

О чем я жалею больше всего, заканчивая рассказ о Романе Гари? Что я не был с ним знаком: ведь оказалось, он всего на тринадцать лет старше меня. Я никогда не слышал его имени, не подозревал о его существовании. А ведь он покончил с собой в 80-м году, когда мне было пятьдесят три года. Я уже поставил немало фильмов и несколько раз бывал во Франции, но встреча не состоялась. Роман Гари дорог мне как писатель и как человек. Он близок мне душевно. Он вызывает во мне нежность и восхищение. Именно поэтому я потратил больше года жизни на розыски материалов, чтобы узнать о нем и поведать вам о его удивительной судьбе...

ИНТЕРВЬЮ ЭЛЬДАРА РЯЗАНОВА С САМИМ СОБОЙ

Вот и все. Вернее, не все. Много встреч и интервью осталось за пределами книги. Тем не менее, я понимаю, что надо ответить на ряд вопросов, которые возникали у телезрителей после просмотра программ. И наверняка похожие проблемы могут встать перед читателями. О зрительских вопросах я знаю из их писем и записок на так называемых творческих вечерах. Поскольку жанр книги в первую очередь — интервью, мне пришло в голову сделать послесловие в той же форме. Сделать еще одно интервью — на этот раз с самим собой.

Назовем того, кто задает вопросы, — Рязанов. А того, кто отвечает, обозначим инициалами Э.А.

Итак:

Рязанов: Эльдар Александрович, вы довольно популярны в России. Ваши фильмы публика знает. Зачем вы поехали во Францию интервьюировать разных знаменитостей? Этим вы поставили себя ну не то чтобы в унизительное положение, но во всяком случае на ступеньку ниже тех, с кем встречались. Ведь, скажем, Клод Лелуш или Филипп Нуаре не занимались подобным делом. Не ездили же они в США, чтобы проинтервьюировать Брюса Уиллиса или Стивена Спилберга для телепередачи.

Э.А.: Так они, может, и не сумели бы. Это совсем другая профессия. Я на родине часто даю интервью. Но и беру тоже. Я просто-напросто освоил еще и профессию телеведущего и автора телевизионных передач.

И у меня вовсе не возникало чувство приниженности. Как говорится, борщ отдельно, а мухи отдельно.

Рязанов: Все-таки что вас толкнуло на это дело? Желание заработать? Показать, что вы на короткой ноге с западными деятелями кино? Повысить за этот счет свою популярность? Понимаю, если бы вы были в простое, но вы же параллельно писали сценарий, снимали картину. Были очень заняты.

Э.А.: Про заработать забудьте. Чем здесь совершенно не пахло, так это деньгами. А моей популярности в России мне хватает. Я никогда не грелся в лучах чужой славы. Думаю, меня толкнула на эту аферу, в первую очередь, авантюрность, которая есть в моем характере. Потом я очень люблю делать то, чего не пробовал. Хотелось расширить свое телевизионное амплуа. Некий спортивный интерес и азарт. И полное отсутствие болезненного самолюбия.

Рязанов: И тем не менее. Недавно наша популярная газета опубликовала итоги рейтинга на тему, кто лучший кинорежиссер современности. Вы стоите там на первом месте, на втором — Никита Михалков, а Джеймс Камерон, создатель «Титаника», на пятнадцатом. Это позволило газете озаглавить итоги конкурса зрителей так: «Наш Рязанов в пятнадцать раз лучше Камерона».

Э.А.: Остроумно.

Рязанов: И вот имея первое место, вы, Эльдар Александрович, берете интервью у кого ни попадя.

Э.А.: Надеюсь, что Камерону не попалась на глаза эта заметка. А то он мог бы умереть от огорчения. Я очень благодарен нашей справедливой, лучшей в мире публике, нашим замечательным кинозрителям. Боюсь, правда, что если бы подобный опрос проводили в Америке, то Камерон мог бы, неровен час, вылезти там на первое место, а моей фамилии в этом списке вообще бы не оказалось. Я тот самый сверчок, который знает свой шесток. А если бы мне представилась возможность снять для телевидения интервью с режиссером Камероном, я бы сделал это не задумываясь. По части трюков и их масштабности он поставил уникальное зрелище.

ЭЛЬДАР РЯЗАНОВ

Рязанов: Насколько я помню, в телепрограмме о Брижит Бардо среди прогулочных кораблей по Сене плавали не только «Ив Монтан», «Жан Маре», «Брижит Бардо», «Жанна Моро», но и пароходик, который звался «Эльдар Рязанов». Помню, вы еще благодарили Парижский муниципалитет за такой подарок.

Э.А.: Это был розыгрыш, прикол. Сейчас телевизионная техника не знает границ. Вот по распоряжению нашего режиссера Алены Красниковой на корму одного из кораблей компьютерщики и впечатали мое имя и фамилию. Этим я хотел укорить наши власти: у нас ходят по Москве-реке безымянные речные трамваи под какими-то номерами. А ведь могли мимо Кремля щеголять «Игорь Ильинский», «Николай Рыбников», «Иннокентий Смоктуновский», «Фаина Раневская», «Андрей Миронов», «Николай Крючков», «Василий Шукшин», а в конце концов и «Эльдар Рязанов». Помню, когда мне во Французском посольстве вручали орден «За заслуги в области изящных искусств и словесности», я не удержался и сказал: «Наверное, меня награждают орденом в порядке компенсации за то, что корабль, который носит мое имя, утонул».

Рязанов: Как волка ни корми, он все в лес смотрит. Мне кажется, в этой речи вы еще себе кое-что напозволяли. Кстати, поздравляю вас с высокой наградой. Очевидно, во Франции был большой резонанс.

Э.А.: Не смешите меня. Во Франции никто не видел ни одной программы. Французы даже не подозревают об их существовании. Тем не менее, должно быть, в связи с моим юбилеем где-то в парижских кулуарах решили отметить мои усилия. Меня, как мне приятно повторить еще раз, наградили орденом. И год спустя после моего юбилея во Французском посольстве в торжественной обстановке при стечении замечательной публики мне вручили этот красивый орден. Пришли Егор Яковлев, Никита Михалков, Ирен Лесневская,

Владимир Познер, Армен Медведев, Леонид Парфенов, Константин Эрнст, разумеется, мои жена и дочь и, само собой, вся съемочная группа. У меня, тем не менее, было ощущение, что все это происходит не со мной. Честно говоря, я не мог избавиться от иронического взгляда на всю эту церемонию. Поэтому и ляпнул, что орденом мне компенсируют то, что пароход, носящий мое имя, затонул. Только несколько человек из присутствующих знали о том, что никакого парохода не было. Было озорство, был розыгрыш. Судя по реакции многочисленных зрителей, этот прикол удался. А кроме того, говорил я следующее: «Обычно, когда награждают человека, всегда существуют две стороны: кого награждают и кто награждает. Вот раньше советское правительство присуждало звание Героя Социалистического Труда таким писателям, как В.Кочетов, А.Софронов, А.Первенцев, Е.Исаев, А.Чаковский, М.Бубеннов, из чего было понятно, что правительство наше ни черта не понимает в литературе. Поощряли преданность, верноподданничество, холуйство. Награждая меня орденом, — скромно закончил я, — французское правительство сделало правильный, достойный выбор, доказав тем самым, что оно прекрасно разбирается в искусстве». Довольный своим баловством, но одновременно чувствуя и искреннюю благодарность, я пригласил всех к столу. Присутствующие потянулись на вкуснющий банкет, который закатил посол Французской Республики в мою честь. Надо добавить, что всю эту церемонию французы провели 18 ноября, в день моего рождения.

Рязанов: Сколько вы платили актерам, режиссерам за интервью?

Э.А.: Вообще-то французы слывут скуповатым народом. Почему-то у них сложилась такая репутация. Но в нашем случае никто из «клиентов» не запросил гонорара. У нас денег не было, мы заплатить не могли. И лишь один Ален Делон затребовал кругленькую сумму.

 В результате с ним программы не было. Долго «динамил» нас Жерар Депардье. Но не из-за денег, а из-за своего разгильдяйства, необязательности и, очевидно, любви к выпивке. Отказался сниматься один Жан-Луи Трентиньян без объяснения причин. А Катрин Денёв учудила такую штуку. Она дала согласие, был назначен день и час съемки. И место — встреча должна была произойти в отеле «Лютеция». Мы вымыли нашу телевизионную шею, начепурились и уже было отправились на съемку. Но именно в этот момент раздался звонок, и ее секретарша сказала, что мадам нет в Париже, она в Риме. Желания повторить домогательства в адрес Катрин Денёв у нас больше не появлялось. Так что те, кто снимался, делали это бесплатно.

Ирен Лесневская – мать-президентша, выдумавшая REN-TV и в том числе наши чудесные французские приключения

Рязанов: У многих телезрителей сложилось впечатление, что вы переехали жить во Францию и делаете эти телепередачи уже оттуда, с места постоянного жительства.

Э.А.: Это были короткие налеты. График был всегда насыщен до предела. В день по «клиенту», так я называл тех, у кого брал интервью. Была, например, такая поездка — за пять календарных дней мы сделали четыре полнометражные программы в двух странах, во Франции и в Швейцарии. В Париже мы снимали Пьера Ришара, Романа Полански, Клаудию Кардинале, а в Швейцарии помчались к Питеру Устинову. Телепередач, я думаю, было снято около пятидесяти. Из них некоторые

Игорь Бортников – продюсер всех наших программ во Франции. А вообще – добрый гений. Именно он находил персональную «отмычку» к каждой французской звезде. А кроме того, исправно работал переводчиком, носильщиком, администратором, энциклопедическим словарем

 двухсерийные, а одна — о Романе Гари — даже четырехсерийная. Для меня это была страшенная нагрузка. Ведь в этот период я писал сценарий, снимал комедию «Привет, дуралеи!», вообще вел очень активный образ жизни. Со стороны мое житье казалось, наверное, роскошным. Интервью со всемирно известными людьми, встречи в фешенебельных гостиницах, дворцах, шикарных апартаментах. Внешне выглядело красиво. Но единственное мое оружие в разговорах с незнакомыми мне французами было — знать о собеседнике досконально все. Только когда они понимали, что я осведомлен

Наша съемочная группа. В центре – душа всей затеи Алена Красникова, рядом с ней главарь REN-TV – Дмитрий Лесневский (кстати, ему принадлежит и хлесткое название «Парижские тайны Эльдара Рязанова»). Стоят мировые парни: кинооператор Игорь Болотников и режиссер Юрий Афиногенов

чрезвычайно, они раскрывались. Только в этом случае их удавалось, что называется, «расколоть». А для этого надо было знать множество сведений, помнить огромное количество имен и фамилий, не путаться в датах и названиях фильмов. Был еще один нюанс: уйма французских актеров и актрис «романились», женились, разводились — это была в общем-то огромная семья, которую связывали или разъединяли не только партнерство в кинокартинах, но и интимные взаимоотношения. Нельзя было допускать промахов в беседах, называя нежелательные имена, чтобы интервьюируемый не замкнулся, чтобы у него, не дай бог, не испортилось бы настроение. Поэтому я спал во время этих труднейших командировок всего по несколько часов, беспрерывно читал книги, черпая из них нужный материал, смотрел кассеты с фильмами, мне переводили всякие интервью из французской печати, рассказывали сплетни и слухи. И учтите, надо было знать и помнить уйму сведений, но каждый день про кого-то нового! Я читал за завтраком, в микроавтобусе, в поезде, в самолете, перед сном и вместо него, пока меня гримировали и т.д. Невероятный калейдоскоп новых лиц, мест, событий. Когда я оставался один на один с новым персонажем и телекамерой, я твердо знал, что ничего о собеседнике не знаю, не помню. Но свойства памяти, во всяком случае моей, оказывались поразительными — вспоминалось все, каждая строчка, название, кадр, лицо, фраза. А вечером, едучи со съемки, я уже читал о завтрашнем «клиенте». Напряжение было чудовищное. Но был и азарт. То, на что телевидение обычно тратит неделю, мы делали за пару дней. Более чем скромный бюджет, сжатые сроки диктовали нам такой график.

Но с другой стороны, кто-то умный сказал: «Отсутствие средств спасает от пошлости». Так вот это — про нас...

Содержание